# R.TAVERNIER / C.LIZEAUX

# 3ᵉ

PROGRAMME 1999

# Sciences de la Vie et de la Terre

*Ce livre a été écrit par une équipe*
*de professeurs de collège et de lycée :*

**Solange BÉRARD**
**Claude LIZEAUX**
**Claudine PEYRIDIEU**
**Madeleine SAUTEREAU**
**Raymond TAVERNIER**
**André VAREILLE**

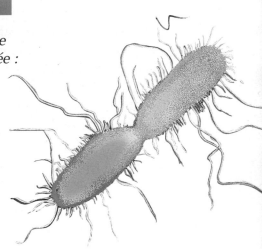

# La classe de 3e : dernière année du collège

## Le programme.

Le programme de la classe de Troisième est complémentaire de ceux des classes précédentes : il en est l'aboutissement. Centré sur l'Homme, il a pour objet de fournir aux élèves, dont un certain nombre ne recevront plus d'enseignement de Sciences de la Vie et de la Terre, les **connaissances** et les **méthodes** indispensables à la compréhension du fonctionnement de leur organisme et du monde qui les entoure. Au-delà, il vise à leur fournir les bases nécessaires pour exercer le mieux possible leurs responsabilités individuelles, familiales et sociales, développant une véritable **éducation à la citoyenneté**. Ainsi, un élève quittant la classe de Troisième aura pu, au cours de l'ensemble de sa scolarité au collège, être initié aux aspects les plus importants des Sciences de la Vie et de la Terre.

## Un livre conçu pour répondre à ces objectifs.

### • Un outil de travail attrayant et très accessible

Le livre est, pour l'élève, un outil de travail utilisable aussi bien dans le cadre de la classe qu'en dehors du collège, mais le livre est aussi un **auxiliaire pédagogique** pour le professeur. Ce souci d'efficacité a conduit les auteurs à adopter une présentation claire et « aérée » :
- des **chapitres courts** axés sur les activités ;
- des **illustrations riches et de taille suffisante**, utilisables comme support au cours des apprentissages.

### • Une même organisation pour tous les chapitres

Un chapitre comprend :
- **Une double page « d'ouverture »** qui permet de faire le point des acquis et pose clairement les nouveaux problèmes à résoudre.
- **Des doubles pages de « documents »**, support **d'activités** variées.
- **Une page « *J'ai découvert* »** qui fait le point des connaissances acquises.
- **Une page « *L'essentiel* »** qui regroupe un résumé simple et un schéma de synthèse.
- **Des pages d'exercices** pour tester les acquis ou utiliser les connaissances.
- **Des pages « Outils »**, dont les différents documents seront librement intégrés par chaque professeur à sa propre progression pédagogique.

© BORDAS / SEJER 2004
© BORDAS / BORDAS 1999
I.S.B.N. 2-04-028826-0

# Sommaire

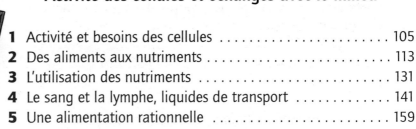

3

# PREMIÈRE PARTIE
# Unité et diversité des êtres humains

1. Les chromosomes, support du programme génétique
2. Le même programme dans toutes nos cellules
3. Chaque individu est unique

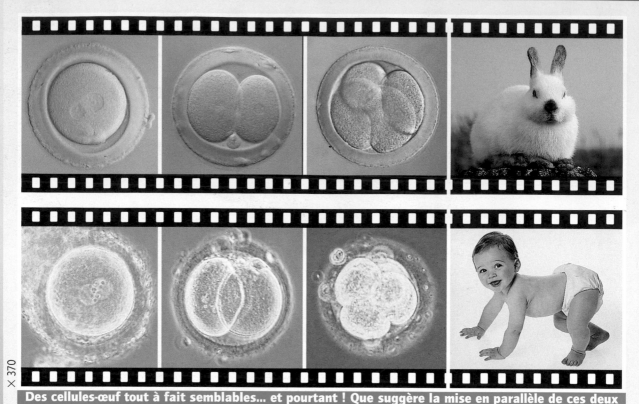

× 370

**Des cellules-œuf tout à fait semblables... et pourtant ! Que suggère la mise en parallèle de ces deux développements ?**

« Ni tout à fait le père, ni tout à fait la mère » : que signifie cette phrase ?

## Ce que nous savons déjà

● Dans une famille, les enfants présentent des « ressemblances » avec leurs parents : ils ont un « air de famille ».

● Une cellule unique, la cellule-œuf, est à l'origine de chaque être vivant.

● Une cellule-œuf de lapin donne un lapin, une cellule-œuf d'être humain donne un être humain.

● Toutes les cellules d'un être vivant proviennent, par divisions successives, de la cellule-œuf.

Chromosomes
au MEB
× 12 000

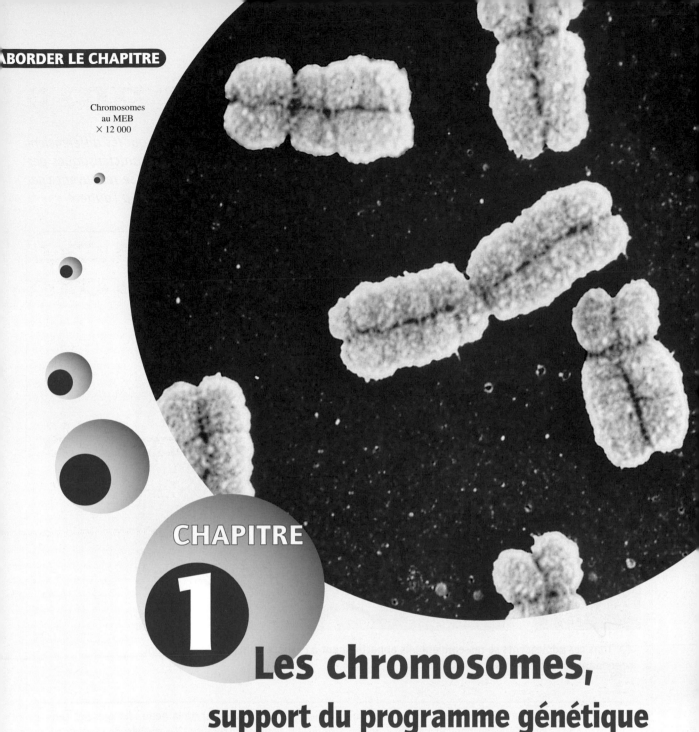

# 1

# Les chromosomes,

## support du programme génétique

● Les « caractères » des parents sont-ils tous transmissibles à leurs enfants ? Qu'appelle-t-on « caractère héréditaire » ?

● La cellule-œuf contient un « programme » nécessaire à la construction de l'individu : où est situé ce programme ?

● Tout le monde connaît le mot « chromosomes » : de quoi s'agit-il ? Leur nombre est-il le même chez chacun d'entre nous ?

● Pourquoi dit-on que les chromosomes sont le support du programme génétique ?

DE NOUVEAUX
PROBLÈMES
A RÉSOUDRE

# Des ressemblances et des différences

*Tous les êtres humains ont en commun des caractères qui les différencient des autres espèces. Cependant, chaque individu a des caractéristiques personnelles qui permettent de l'identifier. Quels caractères se retrouvent chez tous les hommes et quels caractères varient d'un individu à l'autre ?*

### ❶ Tous les hommes appartiennent à la même espèce*.

**ⓐ Tous ces adolescents se ressemblent : ils appartiennent à l'espèce humaine. Mais ils sont cependant tous différents.**

La diversité humaine a longtemps été reliée à la notion de race. Ainsi, vers 1925, on pouvait lire dans un manuel scolaire :

« On observe des différences considérables chez les habitants des différentes parties du monde, sous le rapport de la couleur de la peau, de la forme et de la couleur des cheveux, de la physionomie, c'est-à-dire de l'ensemble de la figure. C'est en comparant les caractères des différents peuples sous ces rapports que l'on a distingué quatre races d'hommes : blanche, noire, jaune, rouge... ».

Les connaissances actuelles font apparaître d'autres différences tout aussi importantes et qui ne coïncident nullement avec la couleur de la peau : les groupes sanguins, les groupes tissulaires... La couleur de la peau ou l'aspect des cheveux ne sont donc qu'une différence parmi des milliers d'autres différences. Ainsi, le généticien, Albert Jacquart, écrit : « ...mon ami Lampa, paysan du Sénégal, est très noir alors que je suis à peu près blanc, mais certains de ses systèmes sanguins sont peut-être plus proches des miens que ceux de mon voisin de palier... ».

La réponse du généticien interrogé sur le contenu du mot « race » est donc nette : « ce concept ne correspond dans l'espèce humaine à aucune réalité définissable de façon objective ».

**ⓑ Les races humaines existent-elles ? Voici la réponse des généticiens.**

# 2 Chaque individu a ses particularités.

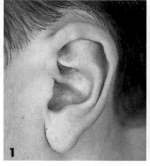
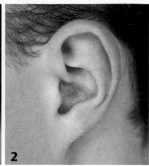

**d** Une variation de la forme de l'oreille : **1.** à lobe libre ; **2.** à lobe adhérent.

| Caractères spécifiques* | Variations individuelles* |
|---|---|
| Avoir des cheveux | • bruns, blonds, roux...<br>• raides, frisés... |
| Avoir des yeux | • bleus, bruns, verts...<br>• myopes ou normaux<br>• aux cils longs ou courts |
| Avoir un visage | • rond ou allongé<br>• avec des taches de rousseur ou sans |
| Avoir un nez | • long, petit ou moyen<br>• droit, convexe ou retroussé<br>• à narines étroites ou larges |
| Avoir des lèvres | • épaisses ou minces |
| Avoir des incivises | • longues ou courtes<br>• serrées ou écartées (avec diastème) |
| Avoir un menton | • large ou pointu<br>• marqué ou fuyant<br>• fendu ou non fendu |
| Avoir cinq doigts à chaque main | • courts ou normaux<br>• avec des poils sur la 2e phalange ou sans poils. |

**c** Quelques variations individuelles* bien visibles. Il en existe beaucoup d'autres.

## LEXIQUE

• **Espèce** : ensemble des êtres vivants qui se ressemblent et qui sont capables de se reproduire entre eux : on dit qu'ils sont interféconds.

• **Caractères spécifiques** : caractères communs à tous les individus appartenant à la même espèce.

• **Variations individuelles** : caractères propres à chaque individu.

## **A**ctivités

**1.** Pourquoi peut-on dire que les adolescents de la photographie **a** appartiennent à la même espèce, l'espèce humaine ?

**2.** En quoi le texte **b** montre-t-il que la division de l'humanité en races est arbitraire ?

**3.** Recherchez deux caractères spécifiques et deux variations individuelles visibles sur les photographies **c** . Trouvez d'autres exemples sur vous-même et un camarade.

# La transmission de caractères au sein d'une famille

*A propos d'un enfant, on entend souvent dire : « comme il ressemble à son père » ou « c'est tout le portrait de sa mère ». Que signifie cette transmission de ressemblances ? Comment traduit-on ces observations sur un arbre généalogique ?*

## 1 La transmission de ressemblances.

**ⓐ** Comment expliquez-vous les ressemblances constatées sur chacune de ces deux photographies ?

Pierre a les cheveux roux, comme sa maman. Il s'agit d'un caractère familial. L'arbre généalogique ci-contre permet de suivre ce caractère sur quatre générations. Sur cet arbre, les carrés représentent conventionnellement des hommes et les ronds des femmes.

*Couleur des cheveux :*

■ Brun(e)  ■ Rou(x) (sse)  ■ Châtain  □ Blond(e)

**ⓑ** La lecture d'un arbre généalogique* permet d'identifier la nature héréditaire d'un caractère.

## ❷ Caractères héréditaires* ou non héréditaires ?

Le chimiste anglais John Dalton (1766-1844) étudia sur lui-même une anomalie de la perception des couleurs appelée depuis **daltonisme**. Le dépistage des sujets atteints se fait à l'aide de « mires » comme celle photographiée ci-contre. Les personnes qui ont une perception normale des couleurs distinguent un chiffre précis (ici 29), les daltoniens ne voient pas ce chiffre (ils voient 70).

En 1777, alors que Dalton était encore enfant, un certain John Scott écrivait déjà :

*« Je ne distingue aucun vert au monde ; un rose et un bleu pâle sont identiques à mes yeux et je ne les reconnais pas l'un de l'autre. Un rouge ou un vert foncé me paraissent semblables et je les ai souvent trouvés parfaitement assortis. Je distingue bien les jaunes, qu'ils soient clairs, foncés ou moyens et toutes les nuances du bleu sauf le bleu ciel.*

*Il s'agit d'un défaut de famille. Mon père éprouve exactement le même inconvénient. Ma mère et une de mes sœurs distinguaient parfaitement les couleurs ; mon autre sœur Cécile et moi-même avons l'anomalie. Cette dernière sœur a deux fils, tous les deux atteints, mais elle a une fille qui est tout à fait normale. J'ai un fils et une fille qui reconnaissent toutes les couleurs sans exception, comme le faisait leur mère. Le propre frère de ma mère avait le même trouble que moi, tandis que ma mère, ainsi que je l'ai dit plus haut, reconnaissait bien les couleurs. »*

L'arbre généalogique permet de situer J. Scott par rapport aux autres membres de sa famille.

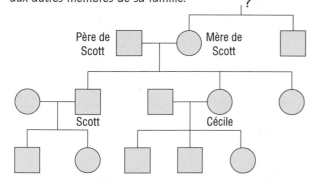

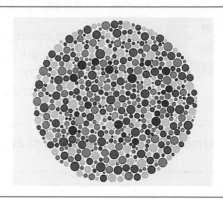

**ⓒ** Une anomalie de la vision des couleurs : le daltonisme.

**ⓓ** Ce culturiste, par la pratique intensive d'exercices de musculation, accompagnée d'une diététique stricte et de compléments nutritionnels, a considérablement développé sa masse musculaire.

---

### LEXIQUE

• **Arbre généalogique** : représentation, sous forme d'un arbre avec ses ramifications, des liens de parenté existant au sein d'une famille.

• **Caractère héréditaire** : particularité déterminée génétiquement et transmise par des parents à leur descendance. Ce caractère n'apparaît pas forcément à chaque génération : on dit qu'il peut « sauter » une ou plusieurs générations.

### Ⓐctivités

**1.** De qui semble provenir le caractère « cheveux roux » porté par Pierre (photo **ⓑ**) ? Pourquoi peut-on parler de caractère héréditaire ? En vous aidant de l'arbre généalogique, dites si un caractère héréditaire apparaît obligatoirement à chaque génération.

**2.** Reproduisez l'arbre généalogique de la famille de J. Scott puis, en utilisant le texte, grisez les ronds ou les carrés représentant les personnes daltoniennes.

**3.** Le daltonisme est-il un caractère héréditaire ? Et l'importante musculature du culturiste ? Justifiez votre réponse dans chaque cas.

# La localisation du programme génétique*

*Une cellule-œuf n'a ni cheveux ni yeux... Ce ne sont donc pas des « caractères » qui sont transmis des parents aux enfants, mais des « informations génétiques » responsables de ces caractères. Peut-on préciser où se trouvent exactement ces informations présentes dans la cellule-œuf ?*

## 1 Une expérience riche d'enseignements.

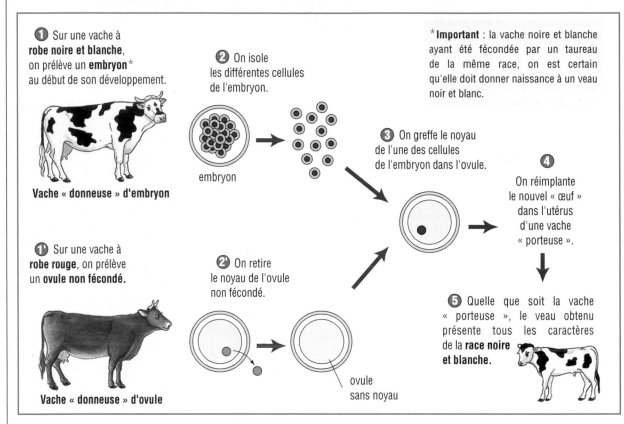

**①** Sur une vache à **robe noire et blanche**, on prélève un **embryon***au début de son développement.

**Vache « donneuse » d'embryon**

**②** On isole les différentes cellules de l'embryon.

embryon

***Important** : la vache noire et blanche ayant été fécondée par un taureau de la même race, on est certain qu'elle doit donner naissance à un veau noir et blanc.

**③** On greffe le noyau de l'une des cellules de l'embryon dans l'ovule.

**④** On réimplante le nouvel « œuf » dans l'utérus d'une vache « porteuse ».

**①** Sur une vache à **robe rouge**, on prélève un **ovule non fécondé**.

**Vache « donneuse » d'ovule**

**②** On retire le noyau de l'ovule non fécondé.

ovule sans noyau

**⑤** Quelle que soit la vache « porteuse », le veau obtenu présente tous les caractères de la **race noire et blanche**.

**ⓐ** Présentation de l'expérience.

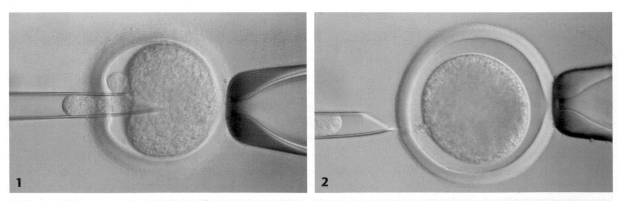

**ⓑ** Deux étapes capitales : **1.** Le noyau d'un ovule est aspiré à l'aide d'une micropipette. **2.** Un noyau de cellule embryonnaire est introduit dans l'ovule privé de noyau.

## 2 Le noyau contient des chromosomes*.

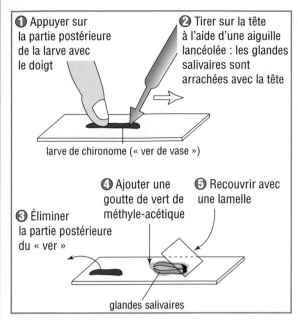

❶ Appuyer sur la partie postérieure de la larve avec le doigt

❷ Tirer sur la tête à l'aide d'une aiguille lancéolée : les glandes salivaires sont arrachées avec la tête

larve de chironome (« ver de vase »)

❹ Ajouter une goutte de vert de méthyle-acétique

❺ Recouvrir avec une lamelle

❸ Éliminer la partie postérieure du « ver »

glandes salivaires

Dans le noyau de toutes les cellules existent des filaments très colorables, les chromosomes, particulièrement visibles lorsque la cellule se divise. Chez certains insectes, ces chromosomes de grande taille sont visibles en permanence dans le noyau des cellules des glandes salivaires. Le schéma ci-contre indique la technique pour réaliser la préparation. Le cliché ci-dessous correspond à ce que l'on peut observer au microscope.

× 120

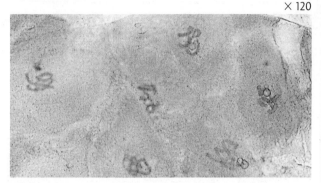

**ⓒ Une technique simple pour observer des chromosomes.**

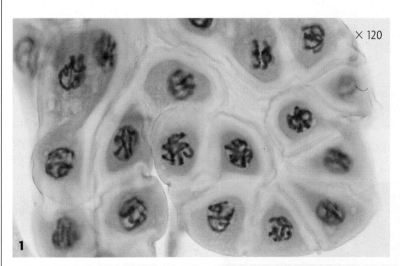

× 120

**1**

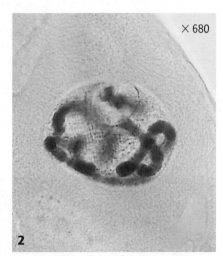

× 680

**2**

**ⓓ Une autre coloration des mêmes chromosomes à deux grossissements différents.**

---

### LEXIQUE

• **Programme génétique** : ensemble des informations génétiques qui déterminent les caractères héréditaires d'un individu.

• **Chromosomes** (du grec : *khrôma*, couleur et *sôma*, corps) : filaments ou bâtonnets contenus dans le noyau des cellules, faciles à colorer et à observer lors de la division cellulaire.

### Ⓐctivités

**1.** Recherchez dans l'expérience ⓐ les caractéristiques de la robe des deux vaches utilisées et de celle du veau obtenu. De quelle vache a-t-il hérité ses caractères ?

**2.** De quelles vaches proviennent les différents éléments de la cellule-œuf à l'origine du veau ? Que pouvez-vous en déduire à propos de la localisation du programme génétique dans la cellule-œuf ?

**3.** En vous aidant des photographies ⓓ, indiquez ce que contient le noyau des cellules. Représentez la photographie 2 et légendez votre dessin. Quelle hypothèse pouvez-vous formuler concernant la localisation du programme génétique dans le noyau de la cellule ?

# Les chromosomes humains

*Toutes les cellules animales ou végétales contiennent des chromosomes dans leur noyau. Quelles sont les caractéristiques essentielles du bagage chromosomique des cellules humaines ? Ce bagage est-il identique chez les filles et chez les garçons ?*

## 1 Comment observe-t-on les chromosomes d'un être humain ?

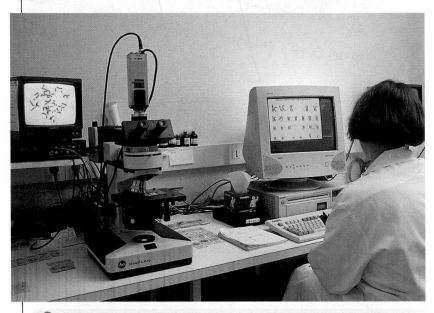

**ⓐ** L'informatique facilite le rangement des chromosomes humains.

Les chromosomes de la plupart des espèces vivantes, de l'espèce humaine en particulier, ne sont visibles que lorsque la cellule se divise. Les chromosomes se présentent alors sous forme de petits bâtonnets très colorables.

Pour observer les chromosomes humains, on utilise des cellules en culture (pour qu'elles se divisent) que l'on fait éclater après avoir coloré les chromosomes. Ces derniers, nombreux, sont ainsi mieux séparés les uns des autres et peuvent être facilement observés ou photographiés.

Le nombre et la forme des chromosomes définissent le **caryotype\***. Pour faciliter l'analyse de celui-ci, on range les chromosomes, soit manuellement en découpant le cliché, soit en utilisant « l'outil informatique ». Les clichés de la page ci-contre présentent de tels caryotypes rangés.

Le rangement des chromosomes se fait par ordre de taille décroissante mais on prend également en compte d'autres critères : position du centromère, distribution des bandes transversales plus ou moins larges et plus ou moins colorées...

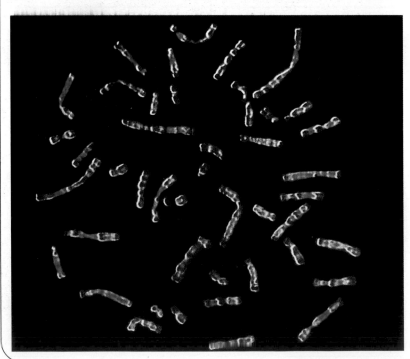

◄ **ⓑ** Les chromosomes humains observés dans une cellule en division.

## 2 L'observation de caryotypes.

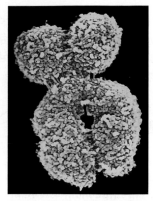

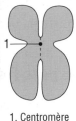

1. Centromère

**ⓒ** Chaque chromosome est formé de deux moitiés identiques, les chromatides, reliées en un point appelé centromère. La plupart a donc, à ce stade, la forme d'un X majuscule.

## Ⓐctivités

**1.** En vous aidant des photographies **ⓑ** et **ⓒ**, décrivez l'aspect d'un chromosome humain.

**2.** Comment a-t-on procédé pour réaliser les caryotypes des photographies **ⓓ**, **1** et **2** ? Quels critères ont été utilisés ?

**3.** Combien y a-t-il de chromosomes dans le caryotype d'une femme ? d'un homme ? Combien de paires de chromosomes homologues* possèdent-ils ?

**4.** Le caryotype d'une femme est-il exactement le même que celui d'un homme ? Quelles différences constatez-vous ?

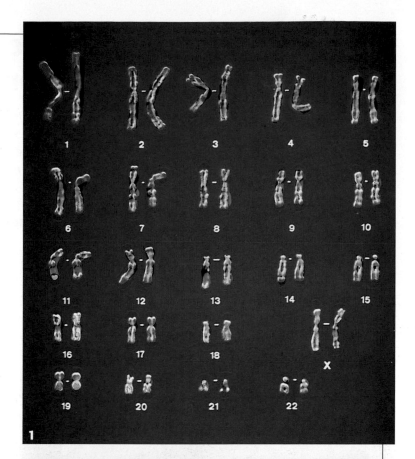

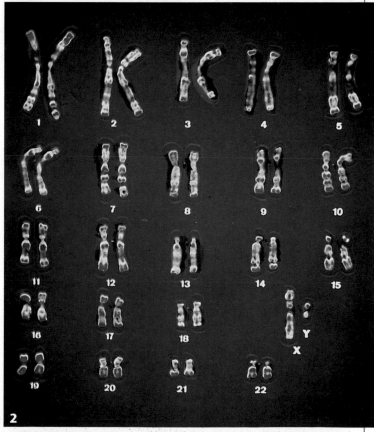

**ⓓ** Caryotypes humains.
**1** : Individu de sexe féminin. **2** : Individu de sexe masculin.

# Des anomalies du nombre de chromosomes

*Tous les êtres humains ont normalement le même nombre de chromosomes : 46. Cependant, les médecins savent que certains troubles, souvent très graves, ont pour origine une anomalie du nombre de chromosomes. Quelles sont ces anomalies ? A-t-on les moyens de les dépister avant la naissance ?*

## 1 La trisomie 21, anomalie chromosomique* la plus fréquente.

ⓐ **Les enfants trisomiques peuvent être scolarisés et jouer avec d'autres enfants.**

En 1886, un médecin anglais, Down, décrivait une affection qui fut par la suite appelée **syndrome\* de Down.** Les sujets atteints ont des caractéristiques communes : yeux en amande, repli vertical de la paupière près du nez, visage large, nez aplati, un seul pli dans la paume de la main. Ils présentent aussi un handicap mental plus ou moins important et des malformations des organes internes notamment du cœur. De santé fragile, ils sont très sensibles aux infections.

Les caractères du visage rappellent le type mongol, d'où le terme de « **mongolisme** » longtemps utilisé pour désigner cette anomalie. Cette dernière est aujourd'hui appelée **trisomie 21** car cela correspond davantage à une réalité biologique comme le montre le caryotype ⓑ.

Cette anomalie chromosomique est de loin la plus fréquente : elle touche en moyenne un enfant sur 700 naissances, mais le risque varie avec l'âge de la mère.

| Age de la mère | Risque |
|---|---|
| moins de 30 ans | 1 sur 1 500 |
| 30 à 35 ans | 1 sur 700 |
| 35 à 40 ans | 1 sur 300 |
| 40 à 45 ans | 1 sur 100 |
| plus de 45 ans | 1 sur 50 |

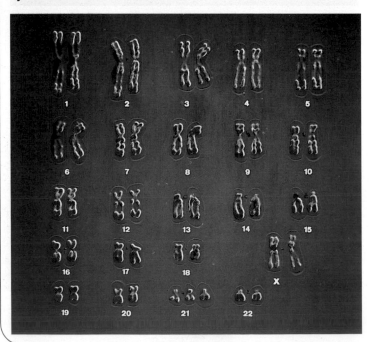

◄ ⓑ Caryotype d'un enfant trisomique.

## 2 La recherche d'anomalies chromosomiques chez le fœtus.

La plupart des anomalies importantes rendent impossible un développement embryonnaire normal et provoquent un avortement spontané, aussi la fréquence de ces anomalies reste très faible.

Au cours d'un diagnostic* prénatal, l'équipe médicale peut les dépister mais, du fait de leur rareté, le dépistage* n'est pas proposé systématiquement. Il est réservé aux cas de « grossesses à risque » : couples ayant déjà eu un enfant atteint, mère âgée de plus de 38 ans, tests sanguins positifs...

Lorsque le diagnostic prénatal révèle la présence d'une anomalie chromosomique, le couple et le médecin décident de la conduite à tenir (interruption de grossesse ou non).

**C** Quelques exemples d'anomalies chromosomiques. ▶

| Anomalie chromosomique | Fréquence moyenne | Conséquences au niveau de l'organisme |
|---|---|---|
| Trisomie 21 | 1/700 | Voir page 16 |
| Trisomie 18 | 1/3 500 | • Affecte l'ensemble des organes.<br>• Les enfants n'atteignent pas l'âge de un an. |
| Trisomie 13 | 1/5 000 | • Malformations des yeux, du cerveau, du système circulatoire...<br>• Espérance de vie : 130 jours en moyenne. |
| Syndrome de Turner (un seul chromosome X) | 1/5 000 | • Femme de petite taille (moins de 1,50 m) et stérile (pas de caractères sexuels secondaires, pas de règles).<br>• Intelligence normale. |
| Syndrome de Klinefelter (X X Y) | 1/800 | • Homme stérile (organes génitaux atrophiés).<br>• Intelligence inférieure à la moyenne. |

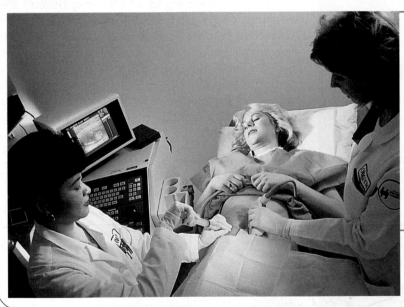

Afin de déceler d'éventuelles anomalies chromosomiques du fœtus, il convient de réaliser un caryotype de cellules fœtales. Pour se procurer ces cellules, une des techniques les plus utilisées actuellement est l'amniocentèse. Elle consiste à ponctionner une petite quantité de liquide amniotique dans lequel se trouvent des cellules du fœtus. Celles-ci sont ensuite mises en culture et préparées pour la réalisation du caryotype.

◀ **d** Prélèvement de liquide amniotique par amniocentèse.

### LEXIQUE

• **Anomalie chromosomique** : erreur dans le nombre des chromosomes.
• **Syndrome** : ensemble des symptômes qui caractérisent une maladie.
• **Dépistage** : ensemble des examens et des tests qui permettent de déceler certaines maladies ou anomalies.
• **Diagnostic** : identification d'une maladie ou d'une anomalie par ses symptômes.

## Activités

**1.** Sur le caryotype **b**, comptez le nombre de chromosomes. Que remarquez-vous ? Pourquoi parle-t-on de trisomie 21 ?

**2.** Pourquoi cet exemple confirme-t-il que le programme génétique est localisé dans les chromosomes ?

**3.** En vous aidant du tableau **C**, dites si une anomalie chromosomique est toujours due à la présence d'un chromosome supplémentaire dans le caryotype.

**4.** Comment peut-on dépister une anomalie chromosomique avant la naissance ? Le dépistage est-il réalisé chez toutes les femmes enceintes ?

**DOC 1  DOC 2  DOC 3  Caractères héréditaires et programme génétique.**

Tous les hommes ont en commun des caractères qui les différencient des autres espèces : ce sont des caractères spécifiques. Chaque individu présente par ailleurs de nombreuses caractéristiques qui lui sont propres ; ces variations individuelles font de lui un être unique, différent de tous les autres.

Les caractères spécifiques et la plupart des variations individuelles se transmettent de génération en génération : ce sont des caractères héréditaires.

D'autres caractères en revanche (développement de la musculature par un entraînement approprié, certaines formes d'obésité...) traduisent l'influence des conditions de vie et ne sont pas héréditaires.

La cellule-œuf à l'origine d'un individu ne présente ni yeux bleus ni cheveux frisés ! Elle contient cependant, sous forme codée, les instructions nécessaires à la réalisation de tous les caractères héréditaires du futur individu. Ces instructions constituent le programme génétique, contenu dans le noyau de la cellule-œuf. Les expériences de transfert de noyaux démontrent l'existence d'un tel programme. L'observation microscopique de cellules en division révèle la présence dans chaque noyau cellulaire de petits bâtonnets très colorables, les chromosomes : ils représentent le support du programme génétique.

**DOC 4  DOC 5  Les chromosomes humains.**

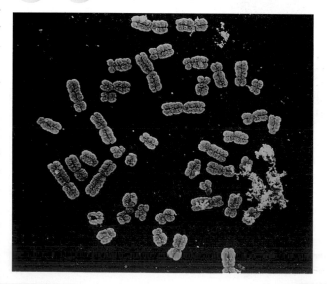

Tous les individus d'une même espèce possèdent le même bagage chromosomique ou caryotype. Celui-ci diffère d'une espèce à l'autre.

Le caryotype humain comporte 23 paires de chromosomes. 22 paires sont parfaitement semblables chez l'homme et la femme. En revanche, la 23e paire représente les « chromosomes sexuels » : XX chez les individus de sexe féminin, XY chez ceux de sexe masculin.

Un nombre anormal de chromosomes empêche souvent le développement de l'embryon. Toutefois, dans certains cas (trisomie 21 par exemple), la grossesse peut se poursuivre jusqu'à son terme ; l'enfant est malheureusement handicapé.

## L'essentiel

### Ce qu'il faut savoir

Chaque individu présente l'ensemble des caractères de l'espèce à laquelle il appartient, avec des variations qui lui sont propres. La plupart de ces caractères sont héréditaires. D'autres, en revanche, ne sont que le résultat de l'influence des conditions de vie.

Le noyau de la cellule-œuf contient un programme génétique, c'est-à-dire l'ensemble des instructions codées nécessaires à la réalisation de tous les caractères héréditaires du futur individu. Ce sont les chromosomes contenus dans le noyau qui représentent le support de ce programme génétique.

Dans l'espèce humaine, le bagage chromosomique ou caryotype comporte 23 paires de chromosomes, dont une seule, les « chromosomes sexuels », diffère selon le sexe : XX chez la femme, XY chez l'homme.

Un caryotype anormal empêche le développement de l'embryon ou entraîne des anomalies chez l'individu atteint (trisomie 21 par exemple).

### Les mots-clés

- caractère spécifique
- variation individuelle
- caractère héréditaire
- programme génétique
- chromosome
- caryotype

### Le schéma bilan

**LES CHROMOSOMES SONT LE SUPPORT DU PROGRAMME GÉNÉTIQUE**

**cellule-œuf**

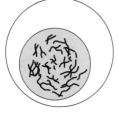

chromosomes = support
du programme génétique

chez l'Homme, 23 paires de chromosomes
(dont une paire de chromosomes sexuels)

**caractères spécifiques**

(communs à tous
les représentants
de l'espèce humaine)

**variations individuelles**

- couleur des yeux,
- groupe sanguin…

- développement
de la musculature…

**caractères héréditaires**

**caractères non héréditaires**

# EXERCICES

**A• Définissez les mots ou expressions :**
Caractère héréditaire, programme génétique, chromosome, caryotype, anomalie chromosomique.

**B• Vrai ou faux ?**
Certaines affirmations sont exactes ; recopiez-les. Corrigez ensuite les affirmations inexactes.

**a.** La couleur des cheveux est un caractère héréditaire.

**b.** Tous les caractères d'un individu sont des caractères héréditaires.

**c.** Dans l'espèce humaine, le nombre de chromosomes varie selon le sexe des individus.

**d.** Les caryotypes d'un homme et d'une femme sont différents.

**e.** Les chromosomes sont le support du programme génétique.

**f.** La trisomie 21 est caractérisée par 21 paires de chromosomes au lieu de 23.

**C• Exprimer des idées importantes...**
...en rédigeant une phrase utilisant chaque groupe de mots pris dans l'ordre.

**a.** Noyau, chromosomes, programme génétique.

**b.** Caryotype humain, chromosomes sexuels.

**c.** Chromosome double, deux moitiés identiques, centromère.

**D• Questions à réponse courte.**

**a.** Quelle différence faites-vous entre un caractère spécifique et une variation individuelle ?

**b.** Quel est le support du programme génétique ?

**c.** Quel est le nombre de chromosomes caractéristique de l'espèce humaine ?

**d.** D'un point de vue chromosomique, quelle est la différence entre un homme et une femme ?

**e.** Qu'est-ce qu'une trisomie ?

**E• Que signifient les expressions suivantes ?**

**a.** Le daltonisme est un caractère héréditaire.

**b.** Le noyau de la cellule-œuf contient le programme génétique de l'individu.

**c.** Les hommes sont XY, les femmes XX.

**d.** Le syndrome de Klinefelter est une trisomie.

## 1 Analyser un document.

Le document présente l'ensemble des chromosomes d'une cellule de panthère.

**1•** Comment appelle-t-on ce type de document ? Comment a-t-on procédé pour le réaliser ?

**2•** Combien y a-t-il de chromosomes dans cette espèce de mammifère ? Pourquoi ce document ne peut-il pas être confondu avec un ensemble de chromosomes provenant d'une cellule humaine ?

**3•** S'agit-il ici d'une panthère mâle ou femelle ? Justifiez votre réponse.

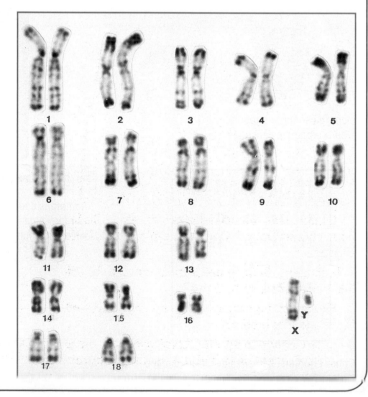

# EXERCICES

## 2 | Rechercher une anomalie chromosomique.

Dès la huitième semaine de grossesse, on sait préle-
ver des cellules fœtales ; mises en culture sur un milieu approprié, elles se multiplient. Le caryotype ci-
contre a été réalisé à partir de telles cellules.

**1 •** Pouvez-vous préciser le sexe du fœtus ?
Justifiez votre réponse.

**2 •** Combien y a-t-il de chromosomes dans un caryotype humain normal ? Combien celui-ci en com-
porte-t-il ? Où se trouve l'anomalie ?

**3 •** En vous aidant du document page 16, proposez un nom pour désigner l'anomalie chromosomique du caryotype ci-contre.

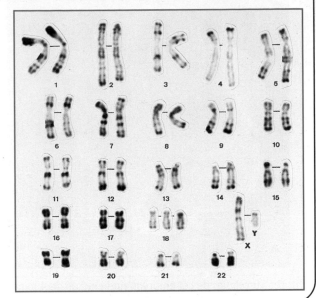

## 3 | Comprendre un clonage dont on a beaucoup parlé : la brebis « Dolly ».

Dolly, la première brebis conçue sans spermatozoïde
de bélier, est née en juillet 1996 à Edimbourg en
Écosse. Elle représente la première réussite de clonage d'un mammifère à partir d'une cellule adulte.
Le croquis ci-contre schématise les grandes étapes
de cette expérience. La photographie présente Dolly
et sa mère.

**1 •** Combien de brebis adultes ont été utilisées
pour obtenir Dolly ? Quel a été le rôle précis de
chacune ?

**2 •** Comment a-t-on procédé pour obtenir la cellule-œuf à l'origine de Dolly ?

**3 •** Expliquez pourquoi Dolly est parfaitement
identique à la brebis A.

**4 •** Si le clonage avait été réalisé avec une autre
cellule provenant de la brebis A, le résultat aurait-
il été différent ? Pourquoi ?

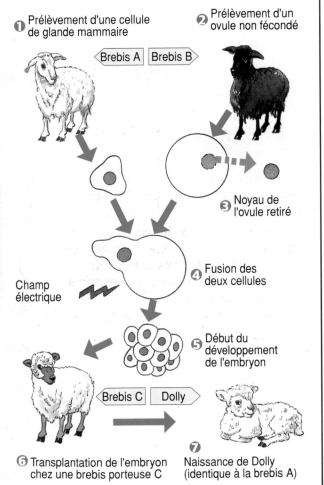

① Prélèvement d'une cellule de glande mammaire
② Prélèvement d'un ovule non fécondé

Brebis A | Brebis B

③ Noyau de l'ovule retiré

Champ électrique

④ Fusion des deux cellules

⑤ Début du développement de l'embryon

Brebis C | Dolly

⑥ Transplantation de l'embryon chez une brebis porteuse C

⑦ Naissance de Dolly (identique à la brebis A)

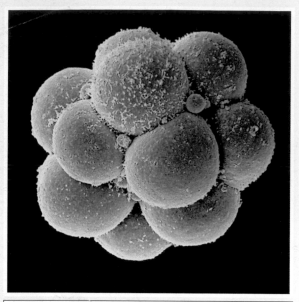

Les 16 cellules de cet embryon humain âgé de 4 jours proviennent, par divisions successives, de la cellule-œuf. ($\times$ 440)

**D'après vous, que sont devenus les chromosomes de la cellule-œuf au cours de ces divisions ?**

**Les vrais jumeaux possèdent le même programme génétique. Savez-vous pourquoi ?**

Depuis 1987, le Téléthon permet de récolter des dons en faveur de la recherche contre les maladies génétiques.

**Donnez le nom d'une maladie génétique.**

## Ce que nous savons
# déjà

● La cellule-œuf contient un programme dont les chromosomes sont le support.

● Deux vrais jumeaux proviennent d'une même cellule-œuf. Cette cellule-œuf s'est divisée et les deux cellules-filles se sont séparées. Chacune d'elles est à l'origine d'un des deux jumeaux.

● Les vrais jumeaux étant identiques, la cellule-œuf a transmis la totalité de son programme à chacune des deux cellules-filles.

Mitose observée
au microscope
électronique

CHAPITRE

# 2

# Le même programme
# dans toutes nos cellules

**DE NOUVEAUX**

**PROBLÈMES**

**A RÉSOUDRE**

● Comment se fait la transmission des chromosomes lorsque
la cellule se divise ?

● Comment deux cellules-filles peuvent-elles hériter de la totalité
du programme génétique de la cellule-mère ?

● Lors des campagnes de lutte contre les maladies génétiques,
en particulier à la télévision, tout le monde a entendu le mot « gène » :
de quoi s'agit-il ?

● Où sont situés ces gènes ?

# La transmission des chromosomes

*Chaque cellule de notre corps a pour origine une « cellule-mère » qui se divise en deux. Comment se comportent les chromosomes lors de cette division ? Comment se répartissent-ils entre les deux cellules produites par cette division ? Pourquoi parle-t-on de transmission des chromosomes ?*

## 1 Un partage du matériel chromosomique.

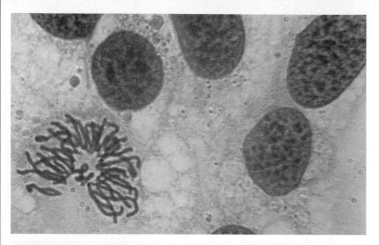

**ⓐ** Sur une préparation microscopique, il est facile de repérer une cellule en division.

Lors de la division cellulaire ou mitose (du grec *mitos* = filaments), de gros filaments appelés chromosomes apparaissent et la membrane du noyau disparaît. Lorsqu'on cultive des cellules in vitro dans des conditions idéales de croissance, la cellule grandit pendant 19 heures environ, se divise au cours de la 20e heure (la mitose dure en effet une heure en moyenne), puis le cycle recommence. La période de croissance entre deux mitoses est appelée **interphase** ; au cours de cette période, les chromosomes ne sont plus visibles dans le noyau de la cellule.

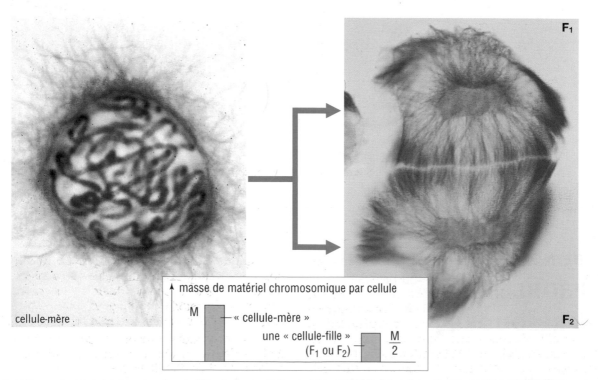

cellule-mère

$F_1$

$F_2$

masse de matériel chromosomique par cellule

M — « cellule-mère »

une « cellule-fille » (F₁ ou F₂) — $\frac{M}{2}$

**ⓑ** Le partage des chromosomes lors d'une mitose ; observation microscopique et aspect quantitatif

# ② Un mécanisme de partage très précis.

Une division cellulaire est un phénomène continu que l'on peut filmer sous le microscope. Les techniques de microcinématographie permettent d'accélérer le phénomène : la mitose est ainsi condensée en quelques minutes. Les photographies de cette double page correspondent à quelques « arrêts sur image » de ce film en continu qui se place entre les deux photographies du document **ⓑ**.

A

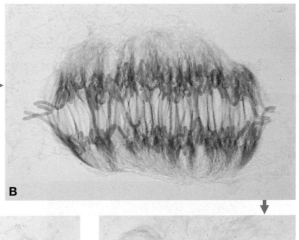

B

E

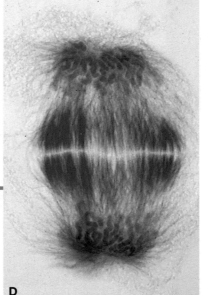

D

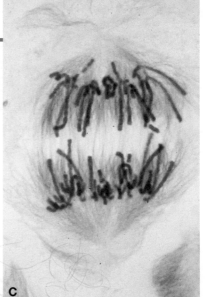

C

**ⓒ** De belles images de la division cellulaire (ou mitose) pour découvrir la transmission des chromosomes de la cellule-mère aux deux « cellules-filles ».

## Ⓐctivités

**1.** Sur la photographie **ⓐ**, une cellule est en division. A quoi la reconnaissez-vous ?

**2.** En vous aidant du document **ⓑ**, précisez quelle quantité de « matériel chromosomique » reçoit chacune des deux cellules-filles. Comment d'après vous une telle répartition peut-elle se réaliser ? Présentez sous forme de schémas deux solutions en partant d'une cellule contenant deux paires de chromosomes homologues.

**3.** En vous aidant des photographies du document **ⓒ**, expliquez par un schéma simple comment se répartissent réellement les chromosomes de la cellule-mère : pour cela comparez l'aspect des chromosomes sur les clichés A et B.

**4.** D'après vous, une cellule-fille peut-elle se diviser dès la fin de la mitose qui lui a donné naissance ? Si c'était le cas, quel problème se poserait alors dans la répartition du matériel chromosomique ?

# La duplication des chromosomes

*Nous avons vu à la page 25 que, lors d'une mitose, les chromosomes doubles se séparent en deux. Chaque cellule-fille ne reçoit donc que des chromosomes simples. Comment ces cellules peuvent-elles se diviser à nouveau alors que chacun de leurs chromosomes est un chromosome simple ?*

## 1 Des comparaisons de caryotypes.

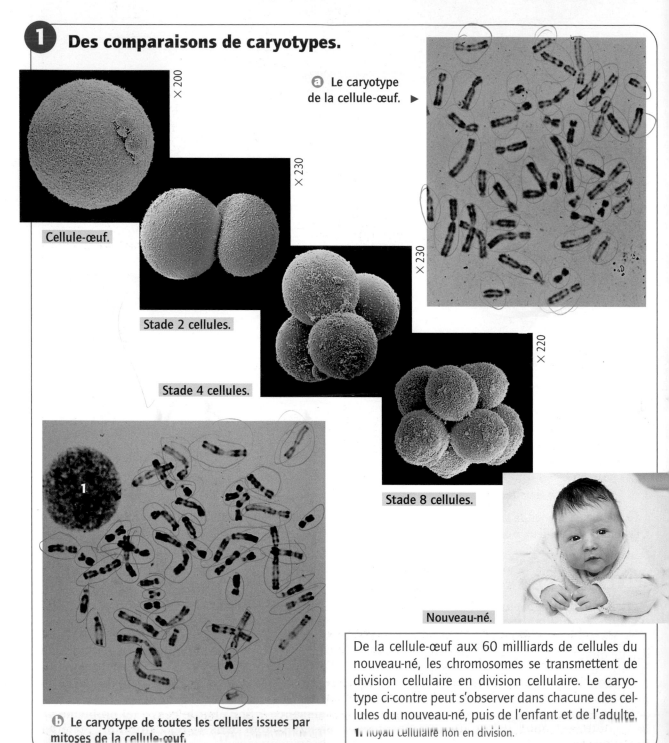

× 200

Cellule-œuf.

× 230

Stade 2 cellules.

Stade 4 cellules.

**ⓐ** Le caryotype de la cellule-œuf. ▶

× 230

× 220

Stade 8 cellules.

**1**

Nouveau-né.

**ⓑ** Le caryotype de toutes les cellules issues par mitoses de la cellule-œuf.

De la cellule-œuf aux 60 millliards de cellules du nouveau-né, les chromosomes se transmettent de division cellulaire en division cellulaire. Le caryotype ci-contre peut s'observer dans chacune des cellules du nouveau-né, puis de l'enfant et de l'adulte.

**1.** noyau cellulaire non en division.

# ❷ Des documents pour comprendre l'évolution des chromosomes.

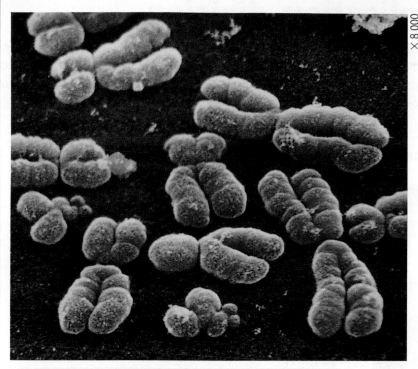

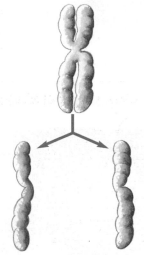

Un chromosome au début de la division cellulaire :

À la fin de la division, après séparation du chromosome double en deux chromosomes simples.

**ⓒ** Le devenir de chaque chromosome au cours de la mitose.

Par des techniques particulières, il est possible de mesurer la quantité de matériel chromosomique présent dans des cellules en culture. La courbe ci-contre montre l'évolution de cette quantité dans une cellule au cours de mitoses et d'interphases successives. La quantité figurée à l'issue de chaque mitose correspond à celle contenue dans une des deux cellules issues de cette division.

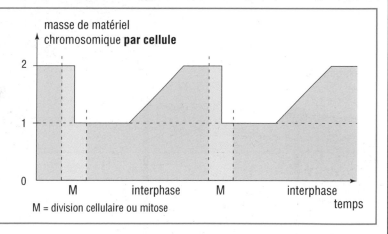

**ⓓ** L'évolution du matériel chromosomique entre deux mitoses.

## 🅐ctivités

**1.** De quelles cellules proviennent les caryotypes non rangés présentés en ⓐ et ⓑ ? Combien de chromosomes comptez-vous dans chacun de ces caryotypes ? Les chromosomes sont-ils simples ou doubles ?

**2.** Que devient chaque chromosome photographié en ⓒ au cours de la mitose ? Pour chaque photographie des pages 24 et 25, indiquez si les chromosomes sont doubles ou simples.

**3.** En utilisant le graphique ⓓ, montrez comment évolue le matériel chromosomique entre deux divisions cellulaires. En conséquence, indiquez l'aspect du chromosome au début et à la fin de l'interphase.

# Duplication, division, duplication, division...

*La constance du caryotype dans toutes les cellules descendant d'une cellule-œuf est une notion très importante. Suivons attentivement le comportement des chromosomes au cours de quelques divisions cellulaires successives pour bien comprendre comment ce caryotype est maintenu.*

## **1** Chaque division est préparée par la duplication des chromosomes.

Nous avons vu dans les documents précédents que :
● le matériel chromosomique d'une cellule qui se divise est rigoureusement partagé entre les deux cellules-filles, chacune d'elles recevant une moitié de chaque chromosome double ;
● le matériel chromosomique se double pendant l'interphase, ainsi la cellule contient des chromosomes simples en début d'interphase (après une mitose) et des chromosomes doubles en fin d'interphase (juste avant la mitose suivante).

**ⓐ La mitose : une étape dans la vie d'une cellule.**
▼

× 1 700

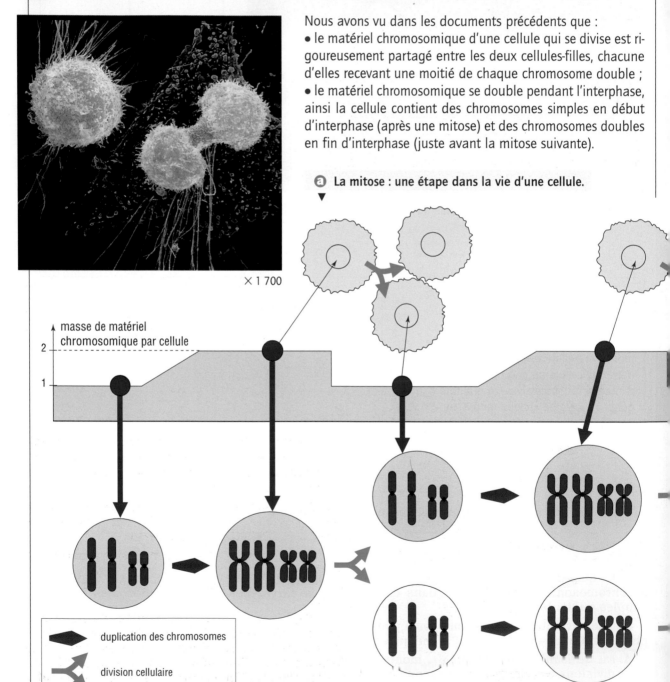

masse de matériel chromosomique par cellule

2

1

◆ duplication des chromosomes

➤ division cellulaire

## ❷ Manipuler pour visualiser l'évolution des chromosomes.

**ⓑ** Manipuler une maquette pour mieux comprendre.

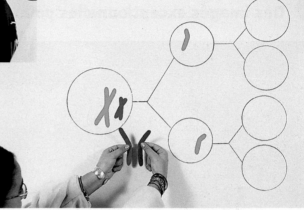

Manipuler une maquette permet de comprendre comment les chromosomes se répartissent entre les deux « cellules-filles ». C'est aussi le moyen de comprendre qu'une duplication des chromosomes est nécessaire pour qu'une nouvelle division soit possible.

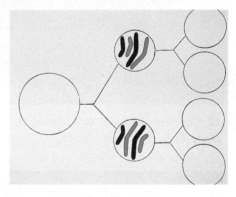

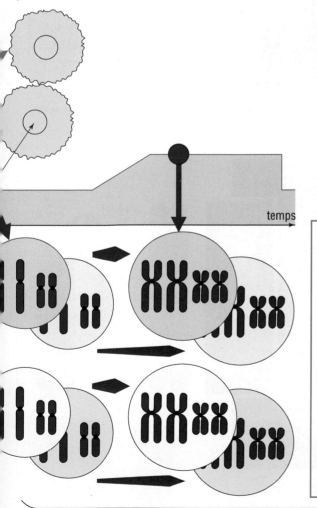

temps

## Ⓐctivités

**1.** Décalquez le graphique ci-contre, puis délimitez approximativement les périodes de mitose et d'interphase dont les durées sont respectivement de 1 heure et 19 heures.

**2.** Pour chacune des photographies présentées ci-dessus, expliquez ce que veulent montrer les élèves qui manipulent les maquettes.

**3.** En utilisant à votre tour des maquettes de chromosomes, reconstituez l'évolution des chromosomes au cours d'une mitose suivie d'une interphase.

**4.** D'après vous, les deux moitiés d'un chromosome double portent-elles les mêmes informations génétiques ? Votre réponse explique-t-elle que chaque cellule d'un individu possède la totalité du programme génétique contenu dans la cellule-œuf ?

# Les chromosomes sont le support des gènes

*Les chromosomes sont le support du patrimoine génétique, c'est-à-dire de l'ensemble des informations héréditaires reçues par un organisme. Peut-on localiser certaines de ces informations ? Sont-elles disposées n'importe comment dans l'ensemble du bagage chromosomique ?*

## 1 Des images exceptionnelles pour repérer des gènes*.

× 4 000

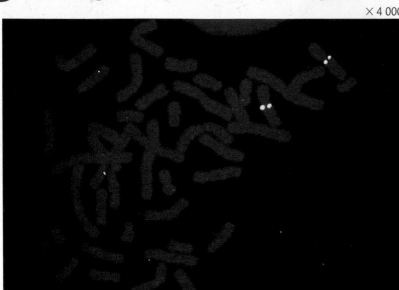

Une sonde est une sorte « d'hameçon moléculaire » capable de se fixer sur un seul gène ; on peut repérer cette sonde dans une cellule en lui « attachant » une substance fluorescente. Pour obtenir la photographie ci-dessous on a déposé sur une cellule en mitose plusieurs sondes capables chacune de « reconnaître » un gène donné mais marquées chacune par une substance fluorescente différente.

ⓐ Des gènes peuvent être repérés sur les chromosomes grâce à des sondes fluorescentes : présentation sommaire de la technique utilisée.

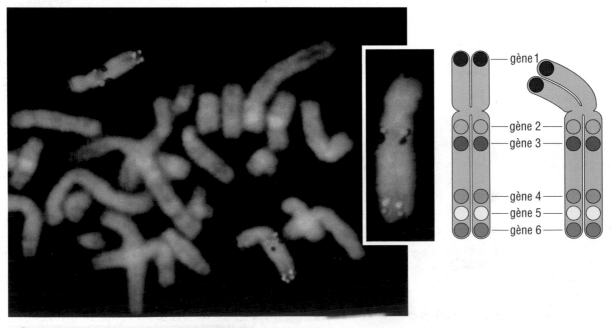

ⓑ Un document à analyser avec précision.

# 2 Le génome* humain : environ 100 000 gènes !

Lancé à la fin des années 80, le programme « génome humain », l'un des plus grands chantiers de la biologie moderne, a pour mission de décrypter notre patrimoine génétique et de localiser les gènes responsables des maladies génétiques.

Une carte du génome humain, carte mise à jour chaque année, répertorie la localisation des principaux gènes connus. Sur cette carte, chaque chromosome est simple et non double comme dans le caryotype, car les deux moitiés d'un chromosome double portent les mêmes informations. Par ailleurs, sur chaque chromosome, la longueur des traits verticaux colorés correspond à la plus ou moins grande précision avec laquelle la localisation d'un gène est connue.

Le document **d** présente la localisation de quelques gènes sur le chromosome X (en réalité le nombre des localisations connues aujourd'hui sur ce chromosome est supérieur à 200).

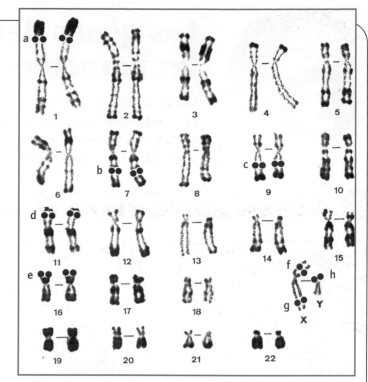

**a.** Gène codant pour le groupe sanguin rhésus.
**b.** Gène dont un mauvais fonctionnement est à l'origine de la mucoviscidose.
**c.** Gène codant pour le groupe sanguin ABO.
**d.** Gène codant pour une partie de la molécule d'hémoglobine.
**e.** Gène codant pour une autre partie de la molécule d'hémoglobine.
**f et g.** Gènes dont un mauvais fonctionnement sont à l'origine de la myopathie de Duchenne (**f**) et de l'hémophilie (**g**).
**h.** Gène qui détermine le sexe masculin.

**c** La localisation de quelques gènes sur le caryotype.

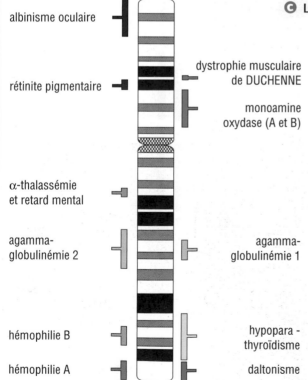

- albinisme oculaire
- rétinite pigmentaire
- dystrophie musculaire de DUCHENNE
- monoamine oxydase (A et B)
- α-thalassémie et retard mental
- agamma-globulinémie 2
- agamma-globulinémie 1
- hémophilie B
- hypopara-thyroïdisme
- hémophilie A
- daltonisme

**d** Aujourd'hui, plus de 2 500 gènes de maladies héréditaires ont été localisés sur les chromosomes.

## Activités

**1.** Deux chromosomes de la photographie **a** présentent des taches jaunes. A quoi correspondent ces taches ?

**2.** Qu'indiquent les taches de couleurs différentes visibles sur deux des chromosomes du document **b** ? Repérez la position de ces couleurs, que constatez-vous ? Quelles conclusions peut-on dégager de cette constatation ?

**3.** A partir des documents de cette double page, expliquez comment 100 000 gènes peuvent être portés par seulement 46 chromosomes.

### LEXIQUE

- **Gène** : portion d'un chromosome qui commande l'expression d'un caractère héréditaire précis (souvent, un caractère n'est pas déterminé par un seul gène mais par plusieurs).
- **Génome** : ensemble des gènes portés par les chromosomes.

# Les gènes déterminent les caractères héréditaires

*Un caractère héréditaire (l'appartenance à tel ou tel groupe sanguin par exemple) est déterminé par un gène. En général, ce gène est présent en deux exemplaires occupant la même position sur chacun des deux chromosomes d'une paire. Ces deux exemplaires sont-ils identiques ?*

## 1 Des versions différentes pour un même gène.

Les laboratoires d'analyses médicales et les centres de transfusion sanguine peuvent déterminer le groupe sanguin d'une personne et lui délivrer une carte de groupe sanguin. Sur cette carte, deux renseignements apparaissent :
- d'une part, l'appartenance à l'un des groupes du système ABO (il en existe quatre : A, B, AB et O) ;
- d'autre part, l'appartenance à l'un des groupes du système Rhésus (il en existe deux : Rhésus positif et Rhésus négatif).

Ces différents groupes correspondent à la présence ou à l'absence de « marqueurs » situés à la surface des globules rouges ; il s'agit de caractères héréditaires.

**ⓐ Les groupes sanguins : un caractère héréditaire.**

L'appartenance d'un individu à l'un ou l'autre des quatre groupes sanguins du système ABO est commandée par un gène situé sur la 9ᵉ paire de chromosomes. Ce gène occupe la même place sur chacun des deux chromosomes homologues mais il peut se présenter sous des versions différentes appelées allèles*.

Il existe trois allèles de ce gène, désignés respectivement par A, B et O. Chaque individu en possède seulement deux (un sur chaque chromosome 9) qui peuvent être, selon le cas, identiques ou différents.

Si les deux allèles sont identiques, le groupe sanguin de la personne est donc celui gouverné par la seule « version » du gène qu'elle possède.

Si les deux allèles sont différents, alors deux cas peuvent se présenter :
- l'un des allèles détermine le groupe en gouvernant la fabrication d'un marqueur sur les globules rouges, il est appelé **allèle dominant,** l'autre ne s'exprime* pas, il est dit **récessif** ;
- les allèles s'expriment tous les deux (à l'analyse de sang, on trouvera donc deux marqueurs différents sur les globules rouges).

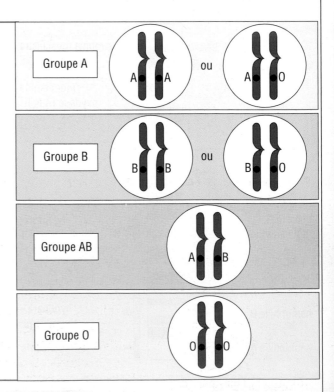

**ⓑ Il existe plusieurs versions du gène qui gouverne le système ABO.**

## ② Dans une cellule, certains gènes ne s'expriment* jamais.

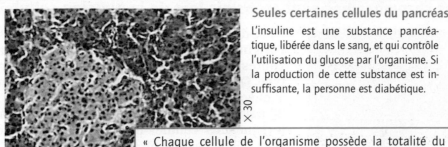
×30

**Seules certaines cellules du pancréas fabriquent l'insuline.**

L'insuline est une substance pancréatique, libérée dans le sang, et qui contrôle l'utilisation du glucose par l'organisme. Si la production de cette substance est insuffisante, la personne est diabétique.

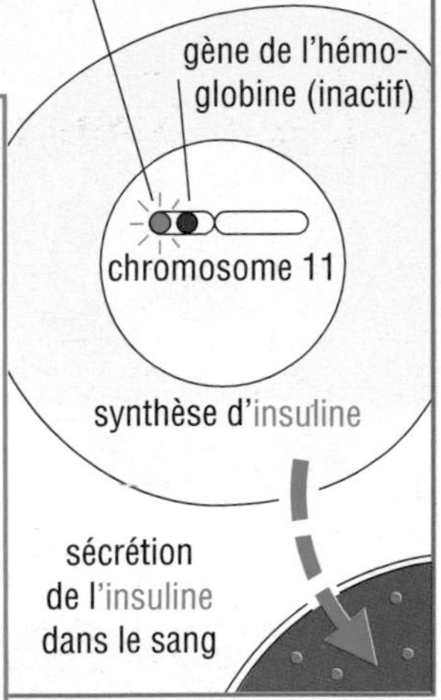

gène de l'insuline (actif)

gène de l'hémoglobine (inactif)

chromosome 11

synthèse d'insuline

sécrétion de l'insuline dans le sang

**Seules certaines cellules de la moelle rouge des os fabriquent de l'hémoglobine.**

×400

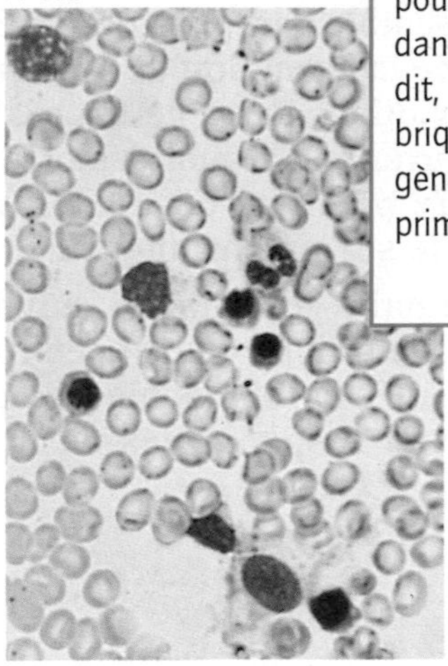

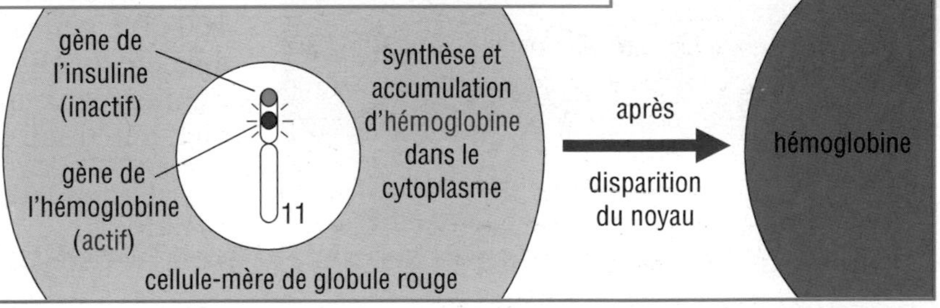

« Chaque cellule de l'organisme possède la totalité du programme qui à l'origine se trouvait dans la cellule-œuf. Cependant, chaque type cellulaire n'active qu'une partie de ce programme. Par exemple, les cellules d'une partie du pancréas fabriquent, et elles seules, une substance, l'insuline, indispensable à une bonne utilisation du glucose par l'organisme. Autre exemple : dans la moelle rouge des os, les cellules précurseurs des globules rouges fabriquent, et elles seules, l'hémoglobine qui va servir à transporter l'oxygène.

Et pourtant, les techniques modernes de la biologie moléculaire permettent de révéler la présence des gènes codant pour l'hémoglobine d'une part, pour l'insuline d'autre part dans les cellules de peau, de foie ou de pancréas. Autrement dit, les cellules de peau, de foie ou de pancréas qui ne fabriquent pas d'hémoglobine, possèdent cependant les gènes qui sont responsables de cette synthèse et qui s'expriment dans les précurseurs des globules rouges... »

Adapté d'après J. Tavlitzki, *12 clés pour la biologie*, Belin Éd.

globule rouge

gène de l'insuline (inactif)

gène de l'hémoglobine (actif)

11

synthèse et accumulation d'hémoglobine dans le cytoplasme

après

disparition du noyau

hémoglobine

cellule-mère de globule rouge

**ⓒ Les cellules de peau, du pancréas... ne fabriquent pas d'hémoglobine.**

## LEXIQUE

• **Allèle** (du grec *allêlos* = l'un, l'autre) : désigne chacune des différentes formes ou versions possibles d'un même gène.

• **Expression d'un gène** : « mécanismes » aboutissant à la présence d'un caractère héréditaire visible ou détectable.

## Ⓐctivités

**1.** Sophie est du groupe A⁺, Guillaume du groupe O⁻. Que signifient ces « sigles » ?

**2.** Le document ⓑ présente, pour les quatre groupes sanguins, les différentes « combinaisons » possibles d'allèles. Trouvez pour chaque allèle s'il est dominant ou récessif.

**3.** Quels allèles peuvent porter les chromosomes n° 9 de Sophie ? Guillaume peut-il posséder l'allèle B ? Justifiez vos réponses.

**4.** L'organisme adulte est formé de nombreuses catégories de cellules spécialisées. En utilisant les informations des documents ci-dessus, proposez une explication à l'origine d'une telle spécialisation.

### DOC 1 DOC 2 DOC 3  Les chromosomes sont transmis lors de la division cellulaire.

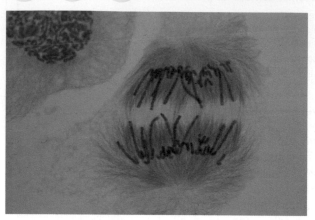

Par divisions successives, la cellule-œuf est à l'origine de toutes les cellules de l'organisme. Toutes ces cellules possèdent le même caryotype. Quand une cellule se divise, elle transmet à chacune des deux cellules-filles un lot de 23 paires de chromosomes simples. Plus tard, lorsque ces cellules-filles se divisent à leur tour, elles possèdent à nouveau 23 paires de chromosomes doubles. Il est donc nécessaire que, pendant l'interphase qui sépare deux divisions successives, les cellules dupliquent chacun de leurs 46 chromosomes.

### DOC 4  Les chromosomes sont le support des gènes.

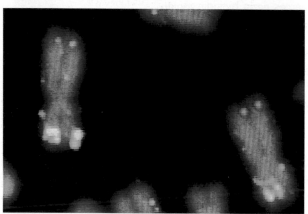

Les chromosomes sont le support du patrimoine génétique ou génome ; tout individu « hérite » de cet ensemble d'informations génétiques au moment de la formation de la cellule-œuf. Chaque information de ce génome s'appelle un gène ; il gouverne la transmission d'un caractère héréditaire précis et occupe un emplacement déterminé sur un chromosome.

Le génome humain comporte environ 100 000 gènes. Des milliers d'entre eux ont déjà été localisés sur les chromosomes, en particulier ceux qui sont responsables de maladies héréditaires.

### DOC 5  Les gènes déterminent les caractères héréditaires.

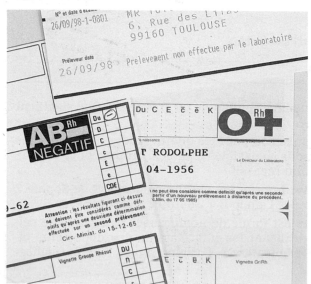

Un caractère héréditaire est déterminé par un gène. Ce gène est présent dans les cellules de l'individu en deux exemplaires ou allèles qui occupent le même emplacement sur chacun des deux chromosomes d'une paire.

Si les deux allèles du gène sont identiques, le caractère héréditaire présenté par l'individu est évidemment celui qui est gouverné par cette unique version du gène.

Si les deux allèles sont différents, le plus souvent l'un des allèles, appelé allèle dominant, détermine seul le caractère présenté par l'individu, l'autre, qualifié de récessif, ne s'exprime pas.

Parfois deux allèles différents s'expriment et cela est apparent dans le caractère présenté par l'individu.

### Ce qu'il faut savoir

Toutes les cellules de l'organisme possèdent le même caryotype. En effet, quand une cellule se divise, elle transmet à chacune des deux cellules-filles un lot de 23 paires de chromosomes simples. Pendant l'interphase qui sépare deux divisions cellulaires successives, les cellules dupliquent chacun de leurs 46 chromosomes.

Les chromosomes sont le support du patrimoine génétique constitué par un ensemble de gènes. Chaque gène gouverne la transmission d'un caractère héréditaire précis et occupe un emplacement déterminé sur un chromosome.

Dans les cellules d'un individu, un gène est toujours présent en deux exemplaires ou allèles qui occupent le même emplacement sur chacun des deux chromosomes d'une paire. Les deux allèles de ce gène peuvent être selon le cas identiques ou différents.

### Les mots-clés

- division cellulaire
- interphase
- gène
- allèle
- expression d'un gène
- allèle dominant
- allèle récessif

### Le schéma bilan

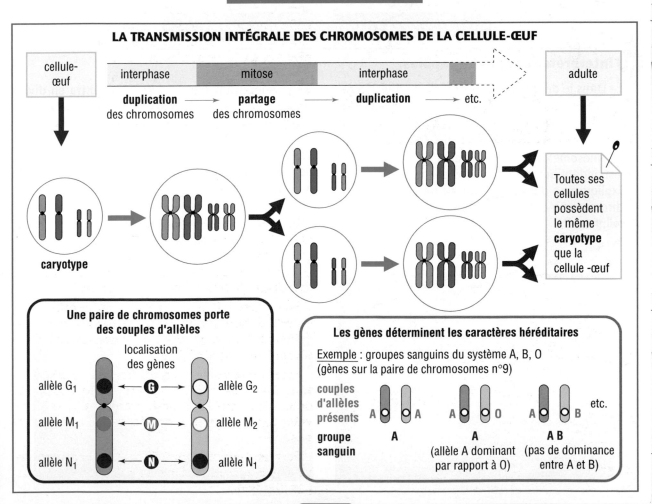

**LA TRANSMISSION INTÉGRALE DES CHROMOSOMES DE LA CELLULE-ŒUF**

cellule-œuf

interphase — mitose — interphase — adulte

**duplication** → **partage** → **duplication** → etc.
des chromosomes  des chromosomes

caryotype

Toutes ses cellules possèdent le même **caryotype** que la cellule-œuf

**Une paire de chromosomes porte des couples d'allèles**

localisation des gènes

allèle G₁ ←→ G ←→ allèle G₂

allèle M₁ ←→ M ←→ allèle M₂

allèle N₁ ←→ N ←→ allèle N₁

**Les gènes déterminent les caractères héréditaires**

Exemple : groupes sanguins du système A, B, O (gènes sur la paire de chromosomes n°9)

couples d'allèles présents : A - A    A - O    A - B    etc.

groupe sanguin : A    A (allèle A dominant par rapport à O)    A B (pas de dominance entre A et B)

## Je teste mes connaissances

**A • Définissez les mots ou expressions :**
Mitose, chromosome double, gène, allèle, expression d'un gène.

**B • Vrai ou faux ?**
Certaines affirmations sont exactes ; recopiez-les. Corrigez ensuite les affirmations inexactes.
**a.** La cellule-œuf est à l'origine de toutes les cellules de l'organisme.
**b.** Les cellules de la peau et les cellules du pancréas ont des caryotypes différents.
**c.** Un gène est une portion de chromosome.
**d.** Les chromosomes homologues sont parfaitement identiques du point de vue génétique.
**e.** Un gène peut être présent dans une cellule normale sous trois versions différentes ou allèles.
**f.** Dans une cellule, les allèles d'un gène peuvent être identiques ou différents.

**C • Expliquez comment...**
**a.** Dans un tissu, on peut reconnaître une cellule en division.

**b.** Évolue le matériel chromosomique entre deux divisions cellulaires.
**c.** Évolue le matériel chromosomique lors de la division cellulaire.
**d.** Plus de 100 000 gènes sont portés par 23 paires de chromosomes.

**D • Retrouvez le mot qui correspond à chaque définition.**
**a.** Portion de chromosome qui gouverne la transmission d'un caractère héréditaire précis.
**b.** Différentes versions possibles d'un gène.

**E • Rédigez une phrase...**
... en utilisant les mots ou expressions pris dans l'ordre.
**a.** Interphase, duplication, chromosomes simples, chromosomes doubles.
**b.** Chromosomes doubles, chromosomes simples, division cellulaire, cellules-filles.
**c.** Gène, position, deux chromosomes d'une paire.

## J'utilise mes connaissances

### 1 Interpréter des photographies.

**1 •** Dans le déroulement normal d'une division cellulaire, le cliché A se place-t-il avant ou après le cliché B ?

**2 •** Faites un dessin légendé pour représenter un chromosome aux deux moments de la mitose correspondant aux deux clichés ci-dessous.
Expliquez ce qui s'est passé au niveau de chaque chromosome entre ces deux étapes de la division cellulaire ?

**3 •** En supposant que la cellule qui entre en division est une cellule humaine à 46 chromosomes, combien de chromosomes possède chacune des cellules-filles issues de cette division ? Que pouvez-vous en déduire à propos du programme génétique de chaque cellule-fille ?

**4 •** Que se passe-t-il entre deux divisions cellulaires successives afin que le nombre de chromosomes reste le même dans toutes les cellules ?

**A**

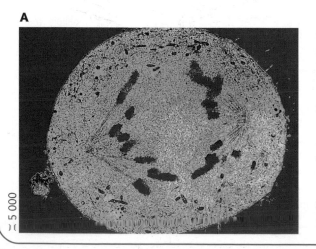

× 5 000

**B**

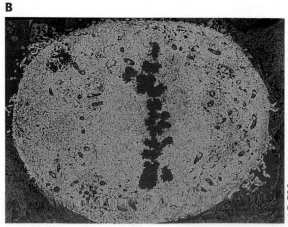

× 5 000

# EXERCICES

## 2 Comprendre l'intérêt d'une coloration spécifique.

La coloration de Feulgen est une coloration spécifique du principal constituant chimique des chromosomes : cela signifie que le colorant se fixe uniquement sur ce constituant. Une telle réaction a été réalisée sur une coupe microscopique de racine d'oignon dans laquelle certaines cellules sont en division (photo ci-contre).

**1 •** À quoi reconnaissez-vous les cellules de la racine qui sont en division ?

**2 •** Dans les cellules qui ne sont pas en train de se diviser, ou cellules en interphase, des chromosomes apparaissent-ils ? Leur constituant chimique principal est-il toujours présent dans la cellule ? Si oui, où est-il localisé ?

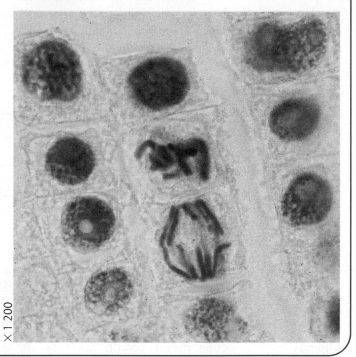

× 1 200

## 3 Compléter un schéma.

Les croquis ci-joints représentent de façon très schématique une cellule à 4 chromosomes :
— en **a** bien avant sa division en deux cellules,
— en **b** et **c** au cours de cette division.

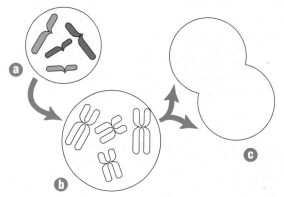

cellule-mère          cellules-filles

**1 •** En comparant l'aspect des chromosomes en **a** et **b**, dites ce qui s'est passé entre ces deux étapes.

**2 •** Recopiez les trois croquis, puis représentez les chromosomes dans les deux cellules-filles.

**3 •** Terminez le coloriage des chromosomes puis comparez les chromosomes des cellules-filles et de la cellule initiale. Que constatez-vous ?

## 4 Raisonner sur les notions de gène et d'allèle.

Le dessin ci-dessous représente une paire de chromosomes homologues où chacun des chromosomes est double. À un emplacement déterminé ont été figurés les allèles d'un gène. Sans préjuger si ces allèles sont identiques (même version du gène) ou différents, ils ont été repérés par les symboles $a_1$, $a_2$, $a_3$ et $a_4$.

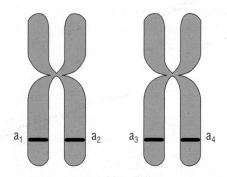

$a_1$        $a_2$        $a_3$        $a_4$

En utilisant vos connaissances, précisez pour les différents couples ($a_1$ et $a_2$ ; $a_1$ et $a_4$ ; $a_3$ et $a_4$ ; $a_2$ et $a_3$) si les deux allèles sont :
– obligatoirement différents,
– obligatoirement les mêmes,
– peuvent être les mêmes ou peuvent être différents.

# EXERCICES

## 5 Expliquer l'appartenance à un groupe sanguin.

Sur une carte de groupe sanguin figurent deux informations : l'appartenance à un groupe sanguin du système ABO (A, B, AB ou O) mais aussi le groupe rhésus : positif (Rh+) ou négatif (Rh–).

Le groupe rhésus est déterminé par un gène situé sur la paire de chromosomes n° 1 au niveau indiqué par la flèche sur l'extrait de caryotype ci-contre. Il existe deux versions de ce gène : l'allèle (+) et l'allèle (–).

**1 •** Dessinez la paire de chromosomes n° 1 puis représentez par des ronds rouges l'emplacement des gènes « rhésus ».

**2 •** Élodie est du groupe rhésus positif mais on est cependant certain qu'elle possède les deux versions du gène rhésus, c'est-à-dire les allèles (+) et (–). Dites quel est l'allèle dominant d'une part, l'allèle récessif d'autre part. Justifiez votre réponse.

**3 •** Julien est du groupe rhésus négatif. Représentez sa paire de chromosomes n° 1 et placez-y les allèles rhésus possibles. Justifiez votre réponse.

Thomas est du groupe rhésus positif. Faites le même travail que pour Julien.

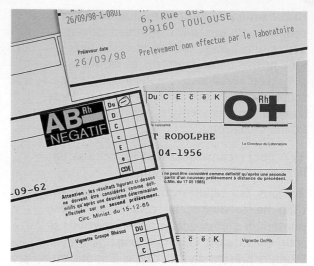

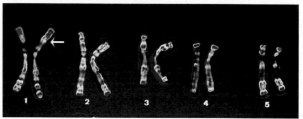

## 6 Extraire des informations d'un texte.

**1 •** Comment se fabriquent les 100 000 milliards de cellules d'un individu ?

**2 •** À l'âge adulte, les divisions cellulaires sont-elles terminées ? Recherchez dans le texte un exemple qui permet de justifier votre réponse.

Recherchez d'autres exemples de renouvellement cellulaire.

**3 •** Résumez en une phrase la caractéristique des neurones de l'adulte soulignée par le texte.

**4 •** Expliquez la dernière phrase du texte.

× 3 500

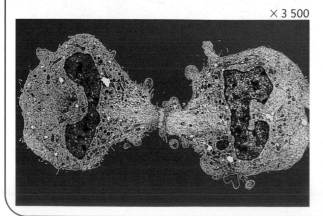

Chez les êtres pluricellulaires, la cellule-œuf engendre par divisions cellulaires successives un organisme formé de milliers, de millions puis de milliards de cellules. On estime qu'un homme en contient plus de 100 000 milliards !

Chez l'adulte, la mitose assure le remplacement des cellules mortes : à chaque minute de la vie d'un homme, un million de cellules de l'intestin grêle est renouvelé. Comme une cellule intestinale vit en moyenne trois à cinq jours, nous changeons d'intestin tous les quatre jours environ... En revanche, les cellules de notre système nerveux, les neurones, peuvent vivre quatre-vingts ans ou plus. Fort heureusement d'ailleurs car chez l'adulte, dont le cerveau comporte quelques dizaines de milliards de neurones qui ont été fabriqués à une certaine période de la vie embryonnaire au rythme époustouflant de trente millions par jour, 100 000 à 300 000 neurones meurent chaque jour et aucun n'est remplacé.

À chaque division cellulaire, une cellule-mère donne naissance à deux cellules-filles qui, non seulement sont identiques entre elles, mais également identiques à la cellule-mère.

*Extrait de « Au cœur de la vie, la cellule »* Collection Explora Cité des Sciences et de l'Industrie Presses Pocket.

# EXERCICES

**7** **Comprendre l'origine d'une maladie génétique.**

× 6 000

La drépanocytose, qui affecte plusieurs millions de personnes surtout dans les populations originaires d'Afrique tropicale, est une maladie héréditaire correspondant à une anomalie des globules rouges du sang. Les globules normaux (photographie A) ont une forme de disque un peu déprimé dans sa partie centrale. Ils contiennent un pigment rouge, l'hémoglobine, indispensable au transport du dioxygène.

Chez les sujets atteints de drépanocytose, l'hémoglobine est anormale et les globules rouges prennent une forme de faucille (photographie B) ; des troubles graves de la circulation s'observent.

Cette maladie est d'origine génétique et résulte de l'altération d'un des gènes nécessaires à la synthèse de l'hémoglobine, celui situé sur les chromosomes n° 11. Ce gène, conventionnellement appelé A lorsqu'il gouverne la synthèse d'une hémoglobine normale, est appelé S lorsqu'il est altéré.

**1 •** Sachant que l'allèle A est dominant par rapport à l'allèle S, indiquez quels sont les allèles portés par la paire de chromosomes n° 11 d'un individu atteint de drépanocytose.

**2 •** Quels peuvent être les allèles portés par un individu non malade ? Y a-t-il une seule possibilité ? Justifiez votre réponse.

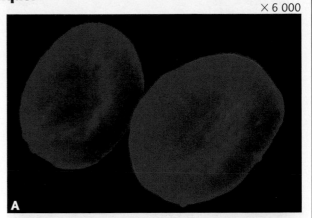

**A**

**B**

× 6 000

---

**8** **Réfléchir sur le cas des gènes portés par les chromosomes sexuels.**

Cet enfant est atteint de la myopathie de Duchenne, maladie caractérisée par une dégénérescence progressive des muscles et par des paralysies de plus en plus graves. Cette maladie génétique frappe essentiellement des garçons (à la naissance, un garçon sur 5 000 environ). Le gène responsable est situé sur le bras court du chromosome sexuel X ; il n'existe pas d'allèle de ce gène sur le chromosome Y. La version anormale du gène est récessive par rapport à l'allèle normal dominant.

**1 •** Représentez les chromosomes sexuels de ce garçon ; localisez le gène responsable de la maladie et précisez quel allèle est présent. Même travail pour un garçon non atteint de cette maladie.

**2 •** Représentez les chromosomes sexuels d'une fille ; localisez le gène et indiquez quels allèles peut posséder une fille non atteinte (deux cas sont possibles). Justifiez votre réponse.

**3 •** Quels devraient être les allèles présents sur les chromosomes sexuels d'une fille atteinte de cette maladie ?

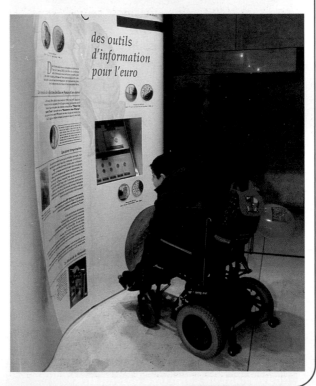

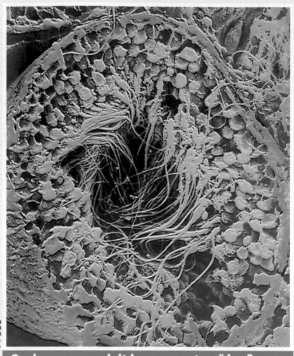

× 500

**Quel organe produit les spermatozoïdes ?**

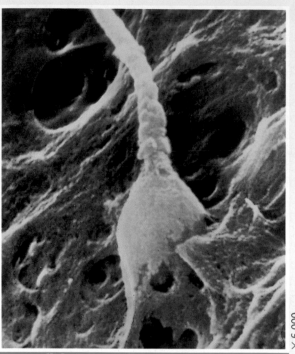

× 6 000

**Une cellule + une cellule = une cellule. Que signifie cette addition bizarre ?**

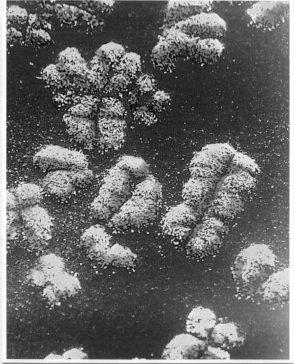

**Rappelez le nom de l'information génétique gouvernant un caractère héréditaire.**

## Ce que nous savons
### déjà

● Les gamètes mâles ou spermatozoïdes
se forment dans les testicules.

● Les gamètes femelles ou ovules se forment
dans les ovaires.

● La fécondation réunit un spermatozoïde
et un ovule pour produire une cellule-œuf.

● Les enfants possèdent des caractères
hérités de leurs parents, les gènes
gouvernant ces caractères étant portés
par les chromosomes.

# 3 Chaque individu est unique

**DE NOUVEAUX PROBLÈMES A RÉSOUDRE**

● Comment les chromosomes, support des informations héréditaires, sont-ils transmis des parents aux enfants ?

● Cette transmission permet-elle d'expliquer les anomalies chromosomiques ?

● Pourquoi des frères et sœurs, qui ont les mêmes parents, n'ont pas hérité des mêmes caractères ?

● Comment ces mécanismes de transmission peuvent-ils aboutir à une si grande diversité des êtres humains ?

# L'équipement chromosomique des gamètes

*Il arrive fréquemment qu'un enfant ressemble davantage à son père qu'à sa mère ou inversement. Cela signifie-t-il qu'il a reçu plus de chromosomes de l'un que de l'autre ? Ou bien, au contraire, ovule et spermatozoïde transmettent-ils le même nombre de chromosomes ?*

## 1 L'équipement chromosomique des spermatozoïdes et des ovules.

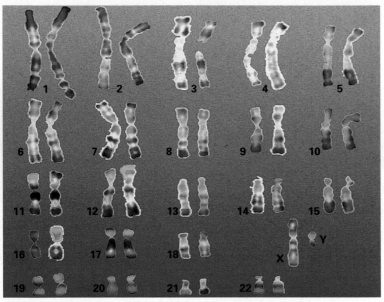

**a** Caryotype d'une cellule banale de l'organisme.

Chez l'homme, la production de spermatozoïdes se déroule de manière continue : elle débute à la puberté et se poursuit durant toute la vie.

Chez la femme, les ovules se forment avant la naissance mais restent en attente dans chaque ovaire ; c'est seulement à partir de la puberté (et jusqu'à la ménopause) qu'un ovule est libéré au cours de chaque cycle.

Quel que soit le moment où ils sont produits, les gamètes mâles ou femelles se forment toujours à partir de divisions successives de certaines cellules des glandes génitales qui possèdent, comme toutes les cellules de l'organisme, 23 paires de chromosomes.

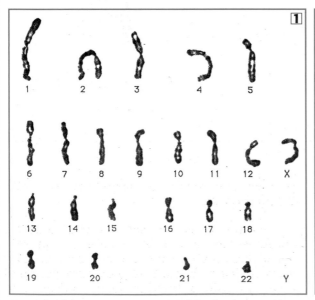

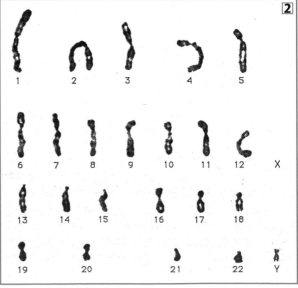

**b** Les spermatozoïdes présentent soit le caryotype **1**, soit le caryotype **2**.

## ② A la fécondation, chaque gamète apporte son lot de chromosomes.

La photographie ⓑ ①️ (ou la photographie ⓑ ②️) n'a pas été réalisée directement sur un spermatozoïde, car les chromosomes n'y sont pas visibles, mais sur une cellule-œuf avant que les chromosomes apportés par le spermatozoïde ne se « mélangent » à ceux de l'ovule. A ce moment, les chromosomes ont été dupliqués ce qui explique qu'ils soient doubles sur les photographies alors qu'ils sont simples dans le spermatozoïde.

Le schéma ci-dessous illustre la reconstitution du caryotype d'une cellule-œuf lors de la fécondation pour deux paires de chromosomes ; il en est évidemment de même pour toutes les autres paires d'homologues du caryotype.

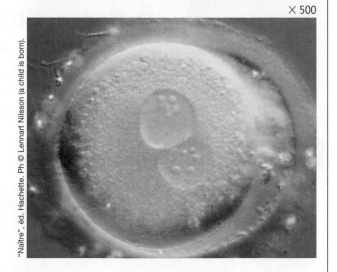

× 500

"Naître", éd. Hachette. Ph © Lennart Nilsson (a child is born).

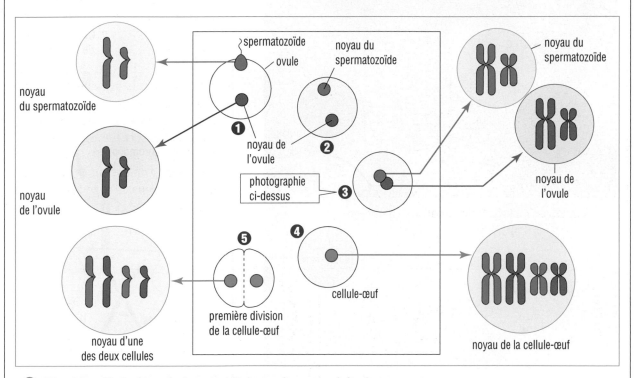

ⓒ 23 + 23 = 46. La fécondation rétablit le nombre normal de chromosomes.

## 🅐 ctivités

**1.** Le caryotype ⓐ est-il celui d'un homme ou d'une femme ? Justifiez votre réponse.

**2.** Quelle ressemblance et quelle différence y a-t-il entre le caryotype ⓑ ①️ et le caryotype ⓑ ②️ ? Comparez ces caryotypes au caryotype ⓐ (nombre de chromosomes, ressemblances, différences).

**3.** Le caryotype ⓑ ②️ pourrait-il être le caryotype d'un ovule ? Justifiez votre réponse.

Quel est le chromosome sexuel dans le caryotype d'un ovule ?

**4.** Pourquoi, sur le schéma ci-dessus, les chromosomes de la cellule-œuf sont représentés de deux couleurs différentes ? En reprenant les données de la page 32, expliquez pourquoi nous possédons toujours deux allèles d'un même gène et précisez quelle est l'origine de ces allèles.

# Réponses
# à deux questions

*La double page précédente a montré que chaque gamète ne reçoit qu'un chromosome de chacune des paires de la cellule qui lui a donné naissance. Cette nécessaire séparation des chromosomes homologues lors de la formation des gamètes permet de répondre à deux questions encore en suspens : Pourquoi naît-on fille ou garçon ? Pourquoi existe-t-il des anomalies chromosomiques ?*

## 1 Pourquoi naît-on fille ou garçon ?

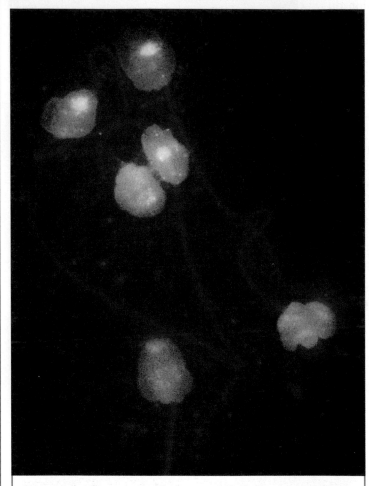

Deux sondes fluorescentes (voir page 30), l'une verte capable de se fixer sur le chromosome Y et sur lui seul, l'autre rouge capable de se fixer uniquement sur le chromosome X, ont été déposées sur un frottis de spermatozoïdes.

ⓐ Deux types de spermatozoïdes.

ⓑ Pour comprendre comment le sexe de l'enfant est déterminé. ▶

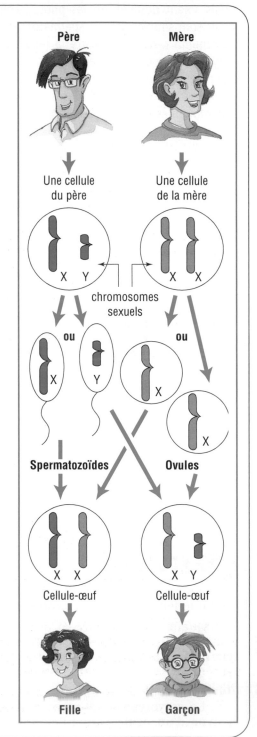

## ❷ Pourquoi existe-t-il des anomalies chromosomiques ?

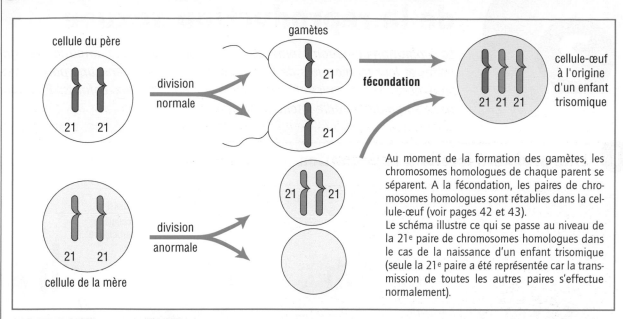

gamètes

cellule du père

division normale

fécondation

cellule-œuf à l'origine d'un enfant trisomique

21  21  21

Au moment de la formation des gamètes, les chromosomes homologues de chaque parent se séparent. A la fécondation, les paires de chromosomes homologues sont rétablies dans la cellule-œuf (voir pages 42 et 43).
Le schéma illustre ce qui se passe au niveau de la 21e paire de chromosomes homologues dans le cas de la naissance d'un enfant trisomique (seule la 21e paire a été représentée car la transmission de toutes les autres paires s'effectue normalement).

cellule de la mère

division anormale

**ⓒ** L'origine de la trisomie 21.

Le syndrome de Klinefelter affecte des sujets de sexe masculin. Ces individus sont stériles en raison d'un très faible développement des testicules. Ils présentent parfois un développement exagéré des seins. En outre, leur niveau mental est souvent inférieur à la normale.
Le caryotype ci-contre révèle l'anomalie chromosomique associée à ce syndrome.

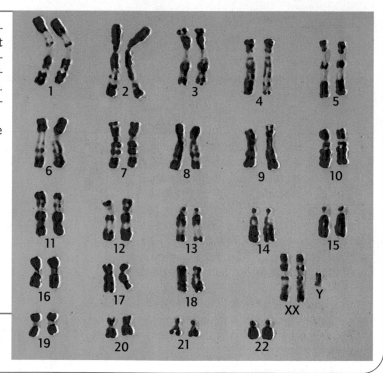

**ⓓ** Une autre anomalie chromosomique : le syndrome de Klinefelter.

## Ⓐctivités

**1.** Que révèle la photographie ⓐ ?

**2.** En utilisant le document ⓑ, dites dans quel cas il se forme un enfant de sexe masculin, un enfant de sexe féminin. Quel est le gamète qui détermine le sexe de l'enfant à naître ? Comment peut-on expliquer qu'il naisse à peu près autant de filles que de garçons ?

**3.** A l'aide du document ⓒ, expliquez l'origine de la trisomie 21.

**4.** Quelle anomalie présente le caryotype ⓓ ? Quelle peut être l'origine de cette anomalie ? Proposez deux solutions.

# La double loterie génétique de la reproduction sexuée

*La séparation des chromosomes de chaque paire lors de la formation des gamètes et leur réunion lors de la fécondation fait intervenir une part de hasard dans la transmission des gènes des parents aux enfants. Pourquoi parle-t-on d'une double loterie génétique ?*

## ❶ Une première loterie à la formation des gamètes.

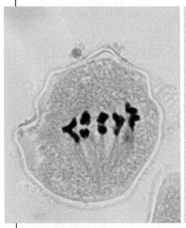

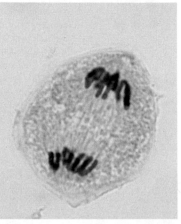

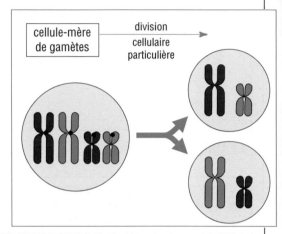

**ⓐ** Au cours de la formation des gamètes, une division particulière sépare les deux chromosomes de chaque paire.

Dans le système ABO, trois allèles nommés A, B et O déterminent la présence dans la population de quatre groupes différents : A, B, AB et O. Rappelons que les allèles A et B sont dominants par rapport à O (on peut aussi dire que O est récessif par rapport à A ou par rapport à B). En revanche, il n'y a pas de dominance entre A et B, si bien qu'un individu qui possède ces deux allèles est de groupe AB.

En ce qui concerne le groupe Rhésus, il y a seulement deux allèles possibles (+ et –), l'allèle + étant dominant par rapport à l'allèle –.

Les deux allèles d'un gène sont situés en vis-à-vis sur deux chromosomes homologues. Ainsi, en ne considérant qu'un seul gène, une personne qui possède deux allèles différents produit deux types de gamètes, chacun ne contenant que l'un ou l'autre des allèles.

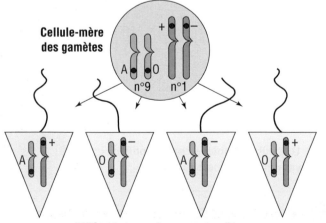

**Gamètes produits par un homme de groupe A (+) et qui possède les allèles O et (–)**

**Différents types de spermatozoïdes**

Les chromosomes représentés ici sont des chromosomes simples, car, nous l'avons vu pages 30 et 31, les deux moitiés d'un chromosome double portent exactement les mêmes allèles.

**ⓑ** La formation des gamètes : une loterie qui donne des spermatozoïdes (ou des ovules) aux allèles différents. A titre d'exemple : la transmission des groupes sanguins.

## 2 Une deuxième loterie à la fécondation.

Sur ces maquettes, pour simplifier au maximum, deux chromosomes seulement sont représentés dans chacun des gamètes. Il y a donc 4 spermatozoïdes et 4 ovules différents.
Combien, dans ce cas, de cellules-œuf différentes sont-elles possibles ? Faites le calcul.

**ⓒ** La fécondation offre de nombreuses possibilités. Le travail sur une maquette permet de s'en rendre compte.

Au moment de la fécondation, les paires d'homologues se reforment dans la cellule-œuf. Plusieurs types de combinaisons sont alors possibles. Certaines combinaisons peuvent être à l'origine d'enfants ayant des caractères qui ne s'expriment pas chez les parents. Le dessin ci-contre présente quelques combinaisons possibles dans le cas d'un couple dont le père est A+ et la mère B+ mais qui possèdent tous deux les allèles récessifs O et Rhésus−.

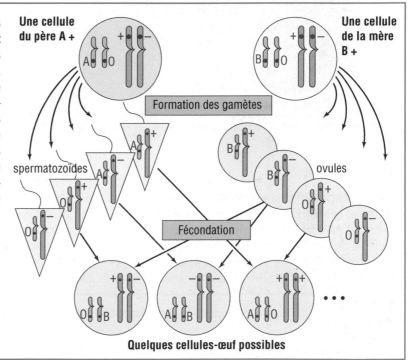

Une cellule du père A +

Une cellule de la mère B +

Formation des gamètes

spermatozoïdes

ovules

Fécondation

Quelques cellules-œuf possibles

**ⓓ** La fécondation est une vraie loterie, avec des lots très différents !

## Activités

**1.** Reproduisez le schéma **ⓐ** et, en utilisant le même code de couleurs, proposez d'autres répartitions chromosomiques possibles. Combien y en a-t-il ?

**2.** Sur un schéma similaire à **ⓑ**, représentez les différents types de gamètes produits par un parent qui serait de groupe AB⁻.

**3.** D'après les documents **ⓐ** et **ⓒ**, pourquoi dit-on qu'une première loterie chromoso-

mique intervient lors de la formation, des gamètes et une deuxième à la fécondation ?

**4.** Le document **ⓓ** représente seulement quelques combinaisons chromosomiques dans les cellules-œuf pouvant être produites par deux parents appartenant aux groupes sanguins indiqués. Représentez deux autres combinaisons chromosomiques possibles et dites, dans chaque cas, quel serait le groupe sanguin de l'enfant.

# La double loterie génétique permet de comprendre

**4**

*Comment expliquer qu'une maladie héréditaire puisse apparaître chez un enfant alors que cette maladie n'est connue ni dans la famille de son père ni dans celle de sa mère ? Pourquoi sommes-nous tous différents les uns des autres ?*

**1** **L'« apparition » d'une maladie héréditaire chez un enfant.**

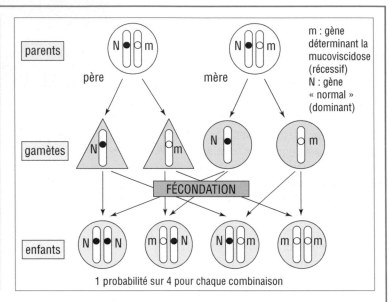

La **mucoviscidose** est la plus fréquente des maladies héréditaires mortelles (1 malade pour 2 500 naissances environ). C'est une maladie dramatique associant des troubles digestifs et des troubles respiratoires qui touche aussi bien les filles que les garçons. Elle est due à « l'altération » d'un gène localisé sur les chromosomes homologues n° 7. La forme anormale de ce gène est récessive par rapport au gène normal. Ainsi, un enfant ne peut être atteint de mucoviscidose que s'il a hérité de ses parents de deux versions anormales du gène. Les personnes porteuses d'un seul allèle anormal ne sont pas malades mais peuvent transmettre cet allèle à leurs descendants.

**ⓐ** Comprendre pourquoi deux parents apparemment normaux peuvent avoir un enfant atteint.

Des études ont montré qu'une personne sur 25 est porteuse de ce gène anormal récessif. Ainsi, dans un couple,
– le risque que le père soit porteur est de 1 sur 25 ;
– le risque que la mère soit porteuse est aussi de 1 sur 25 ;
– le risque que le père et la mère soient tous deux porteurs est de
**1 sur 25 x 1 sur 25 = 1 sur 625.**
Si les deux parents sont porteurs, le document ⓐ a montré qu'ils avaient 1 risque sur 4 d'avoir un enfant atteint. Ainsi, pour connaître le risque final d'avoir un enfant atteint dans un couple pris au hasard, il faut multiplier le risque que les deux parents soient porteurs du gène (1 sur 625) par le risque qu'ils ont d'avoir un enfant atteint s'ils sont réellement tous deux porteurs (1 sur 4), soit finalement :
**1 sur 625 x 1 sur 4 = 1 sur 2 500.**
Ceci correspond bien à la fréquence des naissances d'enfants atteints indiquée plus haut.

**ⓑ** Pour ceux qui veulent aller plus loin.

## ❷ Le fait que chaque être humain est unique.

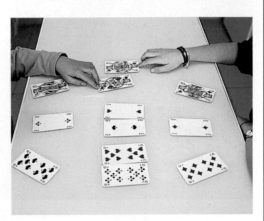

Benoît possède trois paires de cartes noires qui symbolisent les trois premières paires de chromosomes homologues paternels. Elodie possède un jeu similaire rouge qui symbolise les mêmes paires de chromosomes maternels. Ces chromosomes homologues portent des milliers de gènes avec des allèles souvent différents : aussi sont-ils représentés dans le jeu par des symboles différents (pique et trèfle d'une part, carreau et cœur d'autre part).

Chaque enfant dépose sur la table une carte de chaque paire afin de représenter la formation des gamètes des deux parents. Les six cartes rassemblées reconstituent les paires de chromosomes de la cellule-œuf. Deux combinaisons possibles sont photographiées ci-contre : en existe-t-il d'autres ?

**ⓒ** Comprendre l'intervention du hasard dans la transmission des caractères héréditaires.

« Un ovule ou un spermatozoïde ne contient que l'un ou l'autre des deux chromosomes d'une même paire d'homologues. En ne considérant que la répartition entre les gamètes de 3 paires d'homologues, 8 sortes de spermatozoïdes (ou d'ovules) différents peuvent se former. En effet, il y a 2 possibilités pour la 1re paire, 2 possibilités pour la 2e paire, 2 possibilités pour la 3e paire, soit $2 \times 2 \times 2 = 2^3 = 8$ possibilités.

Cette distribution au hasard des chromosomes se produit pour chacune des 23 paires, il y a donc $2^{23} = 8,3$ millions de spermatozoïdes différents possibles et $2^{23} = 8,3$ millions d'ovules différents possibles. Comme il faut être deux pour faire un bébé, un père et une mère, cela veut dire que chacun des deux sexes produit ses gamètes avec une fréquence égale : plus de 8 millions de possibilités chacun. D'où, et c'est le deuxième niveau où joue l'aléatoire de la loterie de l'hérédité, il y a une chance sur environ $7^{13}$ pour que l'on retrouve les mêmes combinaisons génétiques ($7^{13} = 8,3$ millions x 8,3 millions = 70 mille milliards !). »

D'après J. Tavlitzki, *12 clés pour la Biologie*, Belin Ed.

**ⓓ** Chaque être humain est unique.

## Ⓐctivités

**1.** Pourquoi peut-on dire que la mucoviscidose est une maladie génétique* ?

**2.** D'après le document **ⓐ**, trouvez quel est le risque d'avoir un enfant atteint lorsque les deux parents sont porteurs du gène défectueux.

**3.** En vous aidant du document **ⓓ**, recherchez combien de types de gamètes puis d'œufs différents peuvent être produits lorsqu'une cellule contient trois paires de chromosomes homologues.

**4.** Pourquoi peut-on dire que chaque être humain est unique ?

### LEXIQUE

• **Maladie génétique :** maladie héréditaire due à un gène anormal.
• **Thérapie génique :** méthode qui consiste à introduire dans des cellules malades la version normale du gène défectueux en vue de traiter la maladie.

La fait que chaque être humain est unique.

### DOC 1 DOC 2 Reproduction sexuée et transmission des chromosomes.

Chromosome X et chromosome Y observés au MEB.

Au cours de sa formation, chaque gamète reçoit au hasard un chromosome de chacune des paires du caryotype, soit 23 chromosomes. A la fécondation, les 23 chromosomes apportés par le spermatozoïde et les 23 contenus dans l'ovule sont rassemblés et forment les 23 paires de chromosomes de la cellule-œuf, support du programme génétique du nouvel individu.

Ce mode de transmission des chromosomes permet de comprendre pourquoi il naît à peu près autant de filles que de garçons. En effet, en ce qui concerne les chromosomes sexuels :
– l'ovule contient toujours un chromosome X ;
– un spermatozoïde contient soit X, soit Y et ceci avec une égale probabilité.

La réunion au hasard d'un spermatozoïde et d'un ovule produit donc statistiquement 50 % d'œufs possédant XX et 50 % d'œufs avec XY.

Des accidents lors de la transmission des chromosomes sont à l'origine d'anomalies chromosomiques. C'est ainsi qu'une trisomie 21 est le résultat de l'union d'un gamète normal (avec un seul chromosome 21) et d'un gamète anormal (avec deux chromosomes 21).

### DOC 3 DOC 4 La reproduction sexuée crée au hasard un nouveau programme.

Frères et sœurs d'une même famille.

Lors de la reproduction sexuée, la transmission des gènes des parents aux enfants peut être assimilée à une double loterie.

• Au moment de la formation des gamètes, la séparation des chromosomes de chaque paire est une première loterie : en effet, un gamète ne recevant que l'un ou l'autre des chromosomes d'une paire, il ne reçoit que l'un ou l'autre des deux allèles de chacun des gènes portés par cette paire de chromosomes.

• Au moment de la fécondation, le hasard intervient à nouveau : pour une paire donnée de chromosomes, la cellule-œuf reçoit l'un ou l'autre des chromosomes paternels et l'un ou l'autre des chromosomes maternels de cette paire.

Cette double loterie se répète évidemment pour les 23 paires de chromosomes qui portent chacune des milliers de couples d'allèles. Ainsi, chaque individu formé par reproduction sexuée hérite au hasard d'un nouveau programme génétique.

### Ce qu'il faut savoir

Chaque gamète humain contient 23 chromosomes, un de chaque paire. A la fécondation, la cellule-œuf possède à nouveau 23 paires de chromosomes. La séparation des chromosomes homologues à la formation des gamètes permet de comprendre pourquoi il naît à peu près autant de filles que de garçons.

La transmission des gènes des parents aux enfants peut être assimilée à une double loterie intervenant à la formation des gamètes d'une part, à la fécondation d'autre part.

– Chaque gamète reçoit au hasard l'un ou l'autre des chromosomes de chaque paire ; il ne reçoit donc que l'un ou l'autre des deux allèles de chacun des gènes.

– La cellule-œuf réunit au hasard deux gamètes parmi les millions de gamètes différents possibles : un programme génétique nouveau est ainsi créé.

### Les mots-clés

● hasard ● détermination génétique du sexe ● double loterie génétique ● gamètes tous différents ● programme génétique nouveau

### Le schéma bilan

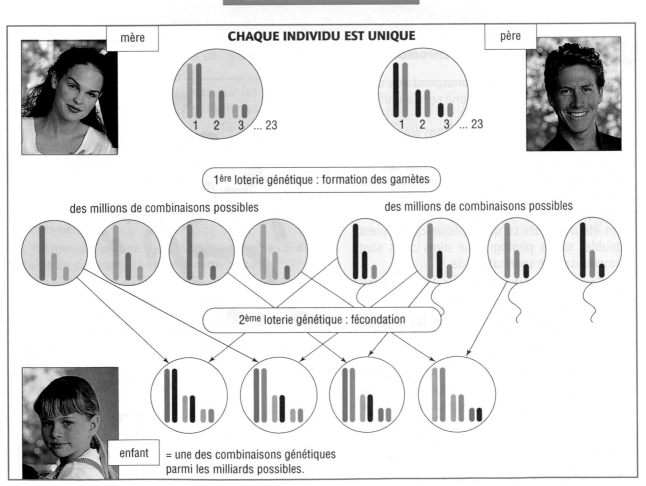

CHAQUE INDIVIDU EST UNIQUE

mère — 1 2 3 ... 23 — 1 2 3 ... 23 — père

1ère loterie génétique : formation des gamètes

des millions de combinaisons possibles — des millions de combinaisons possibles

2ème loterie génétique : fécondation

enfant = une des combinaisons génétiques parmi les milliards possibles.

## 4 Comprendre l'intérêt d'un test de dépistage chez les nouveaux-nés.

La phénylcétonurie est une maladie génétique qui se traduit par de graves troubles mentaux chez l'enfant non soigné. Cette maladie est liée à l'impossibilité pour l'organisme atteint d'utiliser un acide aminé présent dans les protéines que nous mangeons, la phénylalanine. Cet acide aminé s'accumule dans le sang et se transforme en substances toxiques pour les cellules nerveuses, d'où les troubles constatés. Le dépistage s'effectue systématiquement à la naissance grâce à un test simple réalisé sur quelques gouttes de sang prélevées au talon du nouveau-né (test de Guthrie : photographie ci-contre). Lorsque le test est positif (un cas sur 15 000 naissances en France), un régime alimentaire strict (sans phényla-lanine) est mis en place de façon à empêcher les lé-sions du cerveau à l'origine des troubles.

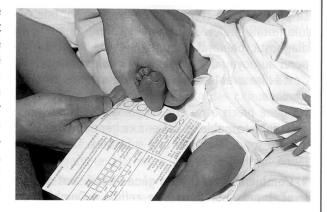

Dans la population française, une personne sur 60, apparemment normale, possède néanmoins l'allèle anormal responsable de la maladie. Le gène est porté par le chromosome 12.

**1.** Un individu porteur d'un seul allèle anormal n'est pas malade. Cet allèle est-il dominant ou ré-cessif par rapport à l'allèle normal ?

**2.** Soit un couple de parents qui sont tous deux porteurs d'un seul allèle anormal. Peuvent-ils avoir des enfants atteints de cette maladie ? Pour ré-pondre à cette question, recopiez le tableau de rencontre des différents types de gamètes. Complétez d'abord ce tableau en représentant les chromosomes 12 de chaque enfant puis indiquez

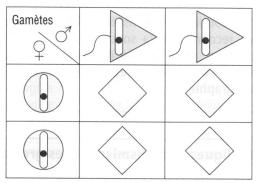

les allèles portés sur les chromosomes aussi bien dans les gamètes que chez les enfants (allèle nor-mal : N, allèle anormal : a).

**3.** Quel risque un enfant de ce couple a-t-il de pré-senter un test de Guthrie positif ?

## 5 Utiliser les informations fournies par un arbre généalogique.

Le gène responsable de la vision des couleurs est localisé sur le chromosome X. Ce gène est absent du chromosome Y. Un garçon ne possède donc qu'un al-lèle alors qu'une fille en possède deux.

La version normale de ce gène (allèle N) est domi-nante par rapport à la version anormale, responsable du daltonisme, notée d.

L'arbre généalogique est celui d'une famille dont cer-tains membres, représentés en noir, sont daltoniens.

**1.** Quel est le sexe des individus daltoniens ? Tous les individus de ce sexe sont-ils atteints ?

**2.** Dans le cas présenté, quelle personne de la gé-nération II a transmis l'anomalie à certains en-fants de la génération III.

**3.** Représentez les chromosomes sexuels et indi-quez les allèles portés par chacun d'eux pour les individus suivants :

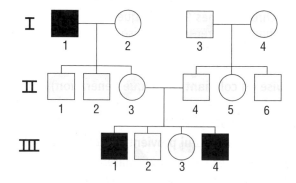

- génération I, individu 1,
- génération II, individu 3 et 4,
- génération III, individu 1 et 2.

**4.** Dans la génération suivante (IV), à quelle(s) condition(s) peut-on envisager la naissance d'une fille daltonienne ? d'un garçon daltonien ?

# E X E R C I C E S

## 6 Observer un document exceptionnel.

Sur un frottis de spermatozoïdes, on a déposé deux sondes fluorescentes, l'une rouge qui se fixe exclusivement sur le chromosome X, l'autre verte qui se fixe exclusivement sur le chromosome Y (voir p. 44). On ne tiendra pas compte dans cet exercice des taches jaunes qui apparaissent dans les spermatozoïdes et qui correspondent à un autre marquage.

**1. Comment interprétez-vous le fait que la plupart des spermatozoïdes présentent soit une tache rouge, soit une tache verte ? Quel résultat prévoyez-vous si on procédait à un comptage de ces deux types de spermatozoïdes sur un très grand nombre d'entre eux ?**

**2. Sur ce document, un des spermatozoïdes (le plus gros, indiqué par une flèche) présente à la fois une tache rouge et une tache verte : comment pouvez-vous expliquer ce fait ?**

**3. Quel serait le caryotype d'un enfant provenant de la fécondation d'un ovule normal par ce spermatozoïde ?**

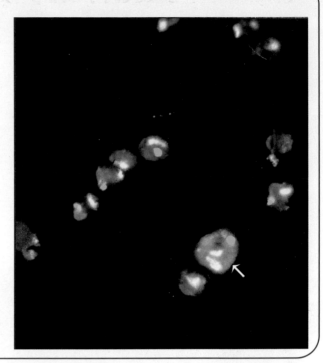

## 7 Analyser un document scientifique.

La technique des « empreintes génétiques » est un moyen fiable utilisé depuis plusieurs années pour identifier génétiquement un individu. Cette technique permet, à partir du matériel chromosomique d'une ou de quelques cellules, d'obtenir un document qui se présente comme une succession de traits plus ou moins rapprochés. Cette empreinte, semblable à une espèce de « code barre », est caractéristique de l'individu qui a fourni la cellule. Le document présente les empreintes génétiques respectives de deux parents et de leur enfant.

**1. En observant attentivement la disposition des bandes dans ces trois empreintes, démontrez que l'emplacement de ces bandes est bien un caractère héréditaire. Précisez votre explication en utilisant vos connaissances sur la transmission des chromosomes de parents à enfant.**

**2. Lorsque deux enfants d'un couple sont jumeaux, on constate que parfois leurs empreintes génétiques sont identiques, parfois elles diffèrent. Proposez une explication à cette observation.**

**3. A votre avis, que montrerait la comparaison des empreintes génétiques d'un enfant et de ses parents adoptifs ?**

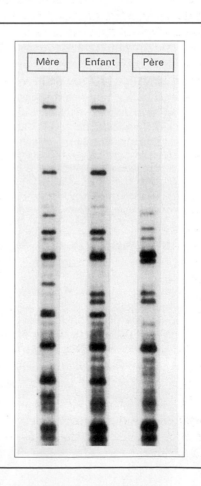

Mère | Enfant | Père

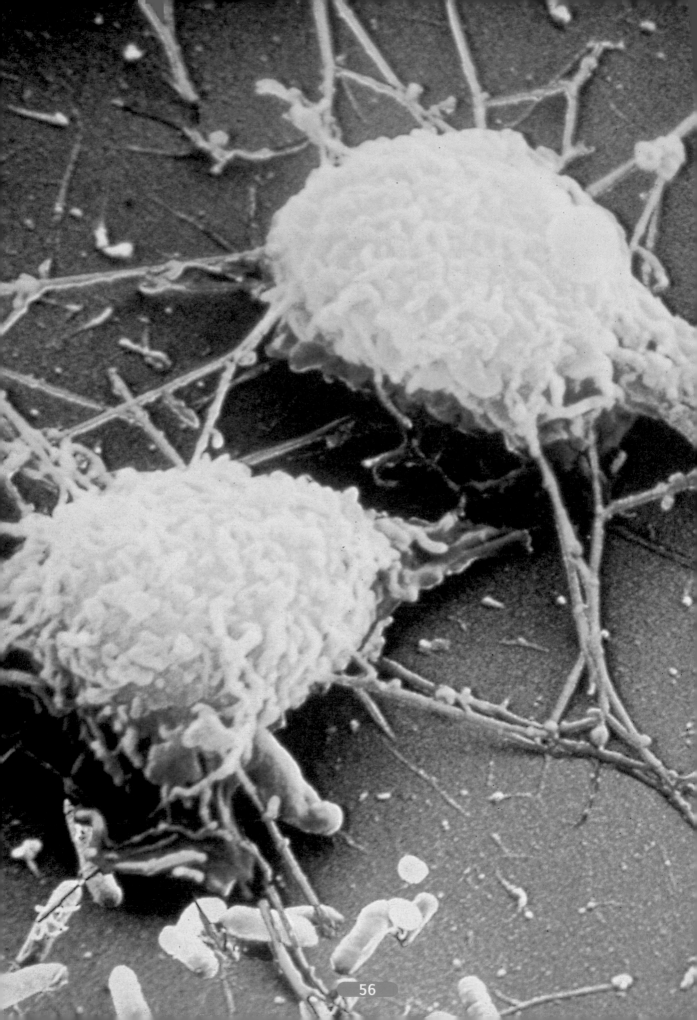

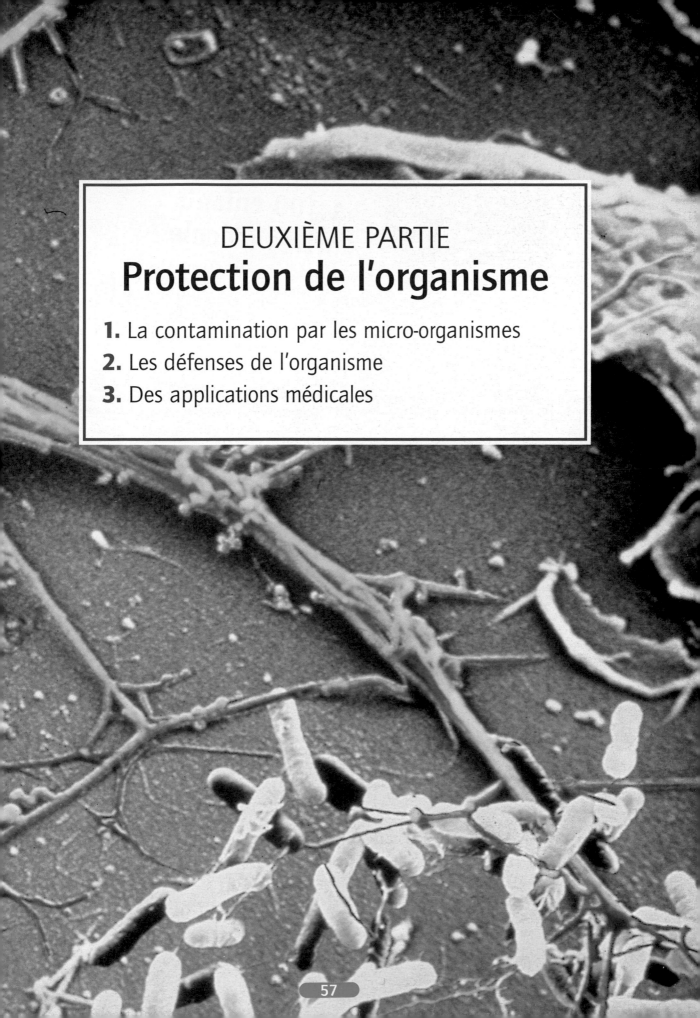

# DEUXIÈME PARTIE
# Protection de l'organisme

**1.** La contamination par les micro-organismes
**2.** Les défenses de l'organisme
**3.** Des applications médicales

POUR FAIRE LE POINT AVANT D'ABORDER LE CHAPITRE 1 • POUR FAIRE LE POINT AVANT D'ABORDER LE CHAPITRE 1

UN ENFANT SUCCOMBE À UNE MÉNINGITE

■ LILLE. — Un p...
matin, à une méningit...
pitalisé, dans la nuit, ...
lasse de l'école pri...
ainsi que ses pr...
fant, ont ...

**Méningite foudroyante**

Un petit garçon de 8 ans a succombé hier matin à une méningite foudroyante alors qu'il avait été hospitalisé dans la nuit au CHR d'Amiens.

■ **Méningite : 1.100 enfants privés d'école**

Six écoles de Plan-de-Cuques ...eillant 1.100 enfants ont été ...hier après le décès di- ...écolier de 7 ans ...méningite. ...ecins de la Direction ...atale des affaires sani- ...ociales (DDASS) et de ...e sont rendus aux

**Qu'est-ce qu'un microbe ? Que signifie le mot « contagieux » ? Citez des maladies contagieuses.**

**Pourquoi est-il important de se laver les mains plusieurs fois par jour ?**

**Quelle maladie évoque cet objet ?**

## Ce que nous savons
## déjà

● De nombreuses maladies sont dues à des microbes ; ce sont aussi des microbes qui sont responsables de l'infection d'une plaie.

● Certaines maladies sont contagieuses, c'est-à-dire peuvent être transmises d'une personne malade à d'autres personnes de son entourage.

● Parmi ces maladies contagieuses, certaines, comme le SIDA, sont transmises lors des rapports sexuels.

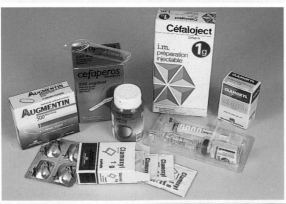

**Qu'est-ce qu'un antibiotique ?**

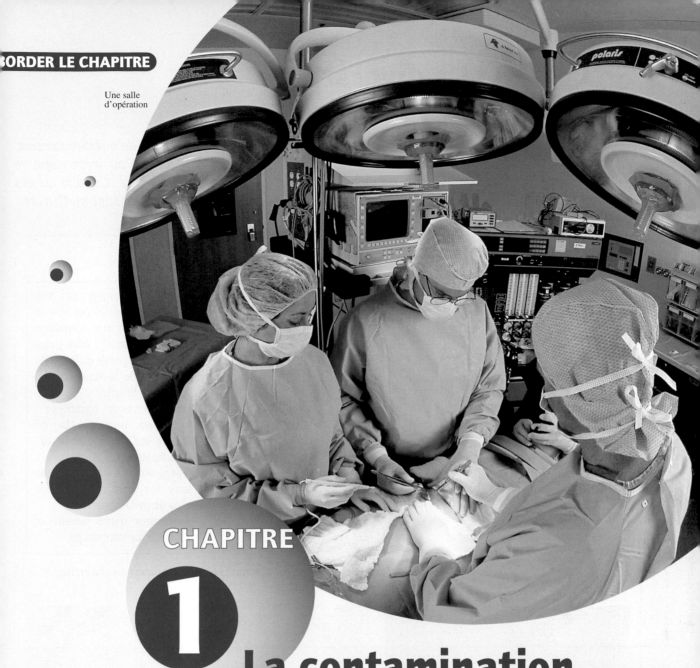

Une salle
d'opération

CHAPITRE

# 1

# La contamination
# par les micro-organismes

● Que sont les microbes ? Comment pénètrent-ils dans un
organisme ? Comment se comportent-ils à l'intérieur de l'organisme ?

● Quelles sont les principales maladies qui, comme le SIDA, peuvent
être transmises lors de rapports sexuels ?

● Comment se protéger contre les risques de contamination et d'infection par les microbes ?

**DE NOUVEAUX**
**PROBLÈMES**
**A RÉSOUDRE**

# La diversité des microbes

*Pris dans un sens large, le mot microbe\* est synonyme de micro-organisme, c'est-à-dire un être vivant invisible à l'œil nu. Observé au microscope, le monde des microbes se révèle d'une diversité prodigieuse. Certains de ces micro-organismes sont responsables de maladies, d'autres sont inoffensifs.*

**1** **Observation de microbes non pathogènes\*.**

× 1 000

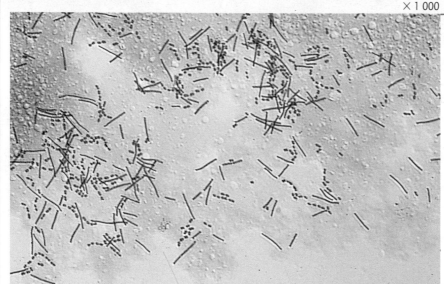

Un yaourt contient des milliards de bactéries qui sont à l'origine de la transformation du lait en yaourt : elles transforment une partie du sucre du lait en acide lactique, ce qui fait cailler le lait.

Pour observer ces bactéries :
– prélevez une goutte du liquide qui surnage à la surface du yaourt,
– déposez cette goutte sur une lame et ajoutez une goutte de bleu de méthylène,
– recouvrez d'une lamelle et observez au microscope.

**ⓐ** Bactéries\* lactiques du yaourt : bacilles lactiques en forme de bâtonnets et streptocoques en chaînettes.

×400

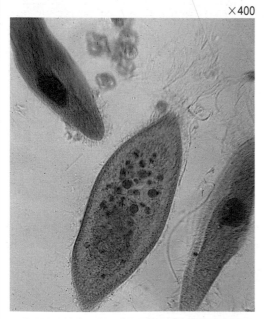

**ⓑ** Ces protozoaires (animaux unicellulaires) abondants dans l'eau stagnante sont des paramécies.

×1 200

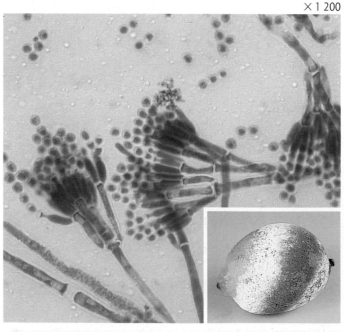

**ⓒ** Ce pénicillium (moisissure) est un champignon qui porte des spores disposées en pinceaux.

## 2 De nombreux microbes sont pathogènes.

×400 000          ×10 000

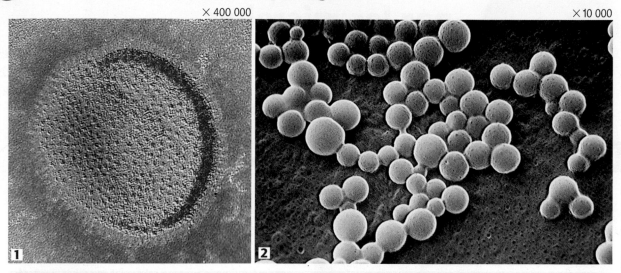

**ⓓ** Deux exemples de micro-organismes pathogènes : **1** – Virus* de la grippe ; **2** – Staphylocoques dorés (bactéries responsables d'un grand nombre d'infections cutanées comme abcès, furoncles...).

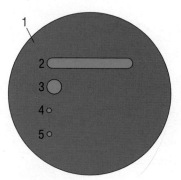

1. Globule rouge (7,5 µm)
2. Bacille du tétanos (4 µm)
3. Staphylocoque (1 µm)
4. Virus de la grippe (0,12 µm)
5. Virus du SIDA (0,11 µm)

A la même échelle, la paramécie de la page précédente mesure 1 mètre de long.

**ⓔ** Tailles de quelques microbes.

| Maladies | Agents pathogènes | Symptômes de la maladie |
|---|---|---|
| **Grippe** | Plusieurs virus *influenza* | Fièvre élevée, courbatures et inflammation des voies respiratoires. |
| **Tuberculose** | Bacille de Koch | Forme pulmonaire : toux sèche, fièvre prolongée, développement de nodules puis de cavités dans les poumons. |
| **Tétanos** | Bacille de Nicolaïer qui sécrète une toxine | La toxine agit sur le système nerveux : contractures douloureuses des muscles masticateurs puis de l'ensemble des muscles du corps. |
| **Poliomyélite** | Virus | Paralysies dues à la destruction des cellules nerveuses. |
| **Mycoses** | Champignons parasites | Lésions pouvant affecter la peau, le cuir chevelu, la muqueuse buccale... |
| **Paludisme** | Plasmodium (protozoaire) | Le parasite se multiplie dans les globules rouges, les détruit, provoquant des anémies et des accès de fièvre. |

### LEXIQUE

● **Microbe** : être vivant invisible à l'œil nu (synonyme de micro-organisme).

● **Pathogène** : qui provoque une maladie (du grec *pathos* = souffrance, *gennân* = engendrer).

● **Bactérie** : être vivant à structure cellulaire simple (un chromosome dans le cytoplasme). Selon la forme de la cellule, on parle de bacille (petit bâtonnet) ou de coque (petite boule). Ces cellules sont souvent associées, par exemple en grappes (staphylocoques), en chapelets (streptocoques).

● **Virus** : microbe de très petite taille, visible uniquement au microscope électronique ; ne peut se développer qu'à l'intérieur d'une cellule vivante.

### Ⓐctivités

**1.** Réalisez la préparation proposée en ⓐ et faites un dessin légendé de votre observation.

**2.** Qu'appelle-t-on un microbe ? En vous aidant des documents de cette double page, citez les principales catégories de microbes et tentez de les classer en fonction de leurs tailles respectives.

**3.** Les micro-organismes sont-ils toujours dangereux pour l'homme ? Justifiez votre réponse en recherchant des exemples.

# La contamination par les microbes

*Les microbes sont partout présents dans notre environnement : on peut les observer dans l'air que nous respirons, dans l'eau ou les aliments que nous absorbons, à la surface même de notre peau. Pour autant, peuvent-ils pénétrer aisément dans notre organisme ?*

## ❶ Les voies de pénétration des microbes dans l'organisme.

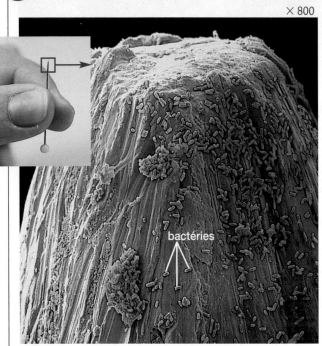

× 800

bactéries

Nous vivons au contact de microbes dont beaucoup sont pathogènes. La peau constitue un premier rempart s'opposant à la pénétration des microbes dans l'organisme. En effet, l'épiderme, couche superficielle, est recouvert d'un film, légèrement acide, d'eau et de sébum* qui nous protège contre les microbes. Toutefois, ces derniers peuvent franchir cette barrière au niveau de la moindre égratignure ou piqûre.

× 120

épiderme

derme*

**ⓐ La peau est une barrière naturelle efficace contre les microbes. Elle peut cependant être franchie.**

Les voies digestives, respiratoires, urinaires et génitales sont tapissées de muqueuses* qui représentent une voie d'entrée fréquente pour les microbes. Cependant, malgré sa finesse, cette barrière empêche elle aussi le plus souvent la pénétration des microbes dans l'organisme. En effet, les muqueuses produisent de nombreuses substances chimiques ; l'une d'elles, le lysozyme, attaque la paroi cellulaire de nombreuses bactéries et les détruit.

Par ailleurs, la muqueuse des voies respiratoires, très exposée aux poussières et aux microbes en suspension dans l'air, produit un fluide épais, le mucus, qui « piège » les micro-organismes avant qu'ils n'atteignent les alvéoles pulmonaires. En outre, cette muqueuse est tapissée de cils vibratiles dont les battements refoulent vers l'extérieur le mucus et tout ce qu'il a retenu.

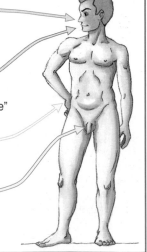

**Voie respiratoire**
- virus de la grippe
- virus de la rubéole
- bacille de la tuberculose

**Voie digestive**
- salmonelles
- virus de la "grippe intestinale"
- bacille du choléra

**Voie cutanée**
- bacille du tétanos
- parasite du paludisme

**Voie génitale**
- bactérie de la syphilis
- virus du S.I.D.A.
- virus de l'hépatite B

**ⓑ Les muqueuses sont les voies de pénétration préférentielles pour les microbes.**

## **2** La transmission des microbes d'un individu à un autre.

On n'attrape pas la grippe parce qu'on a pris froid mais parce qu'on a été en contact avec une personne déjà contaminée, même si elle ne présente pas encore les symptômes de la grippe. Le virus, très contagieux, pénètre dans l'organisme par les voies respiratoires. En effet, lorsque le malade parle, tousse, éternue ou se mouche, il projette dans l'atmosphère de fines goutte-lettes porteuses de virus qui peuvent être inhalées par l'entourage.

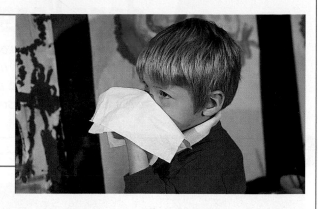

**ⓒ** Comment se transmet la grippe ?

## Forces du changement : Avec les jeunes, en campagne contre le SIDA

Campagne mondiale contre le SIDA 1998

**ⓓ** Une transmission sexuelle ou une transmission par le sang.

De nombreux microbes se transmettent par l'eau de boisson et les aliments. En France, le risque de conta-mination par l'eau est faible car l'eau du robinet est potable, c'est-à-dire dépourvue de microbes patho-gènes.

En revanche, les **intoxications alimentaires** sont fré-quentes (plus de 10 000 déclarées chaque année en France) et certaines peuvent être mortelles. Elles se traduisent souvent par une gastro-entérite (fièvre, coliques, diarrhée, vomissements...) et sont dues à des bactéries qui se sont introduites dans les aliments et y prolifèrent :

– soit par manque d'hygiène dans la préparation de l'aliment,

– soit en raison de mauvaises conditions de conserva-tion.

Les intoxications les plus fréquentes sont dues :

– à des **staphylocoques** (dans la viande, les poissons, les crèmes ou pâtisseries),

– à des **salmonelles** (dans les œufs, la volaille, les coquillages...).

Les gastro-entérites qui surviennent en hiver sont sou-vent dues à un virus (« grippe intestinale ») et n'ont rien à voir avec des aliments contaminés.

**ⓔ** De nombreux microbes se transmettent par les aliments et par l'eau de boisson.

## **A**ctivités

**1.** Expliquez comment l'organisme s'oppose à la pénétration des microbes.

**2.** Citez des cas où les microbes parviennent à franchir les barrières naturelles de l'organisme.

**3.** Recherchez à partir des documents ci-dessus les principaux modes de transmission des microbes.

**4.** A l'aide des documents des pages 70 et 71, recherchez ce que signifie MST. Quelles sont les MST les plus fréquentes ? Quel microbe est responsable dans chaque cas ? Pourquoi une personne atteinte d'une MST doit-elle prévenir son (ou sa) partenaire ?

### LEXIQUE

• **Sébum** : produit gras sécrété par les glandes sébacées de la peau.

• **Muqueuse** : mem-brane qui tapisse les cavités de l'organisme et dont la surface est toujours humide.

# La prolifération des microbes dans l'organisme

*Les microbes qui réussissent à franchir les barrières naturelles de l'organisme se retrouvent dans un milieu où ils vont proliférer, c'est-à-dire se multiplier. Comment se fait cette prolifération, en particulier pour les bactéries et les virus, microbes responsables des infections\* les plus fréquentes ?*

## 1 La prolifération des bactéries.

× 3 000

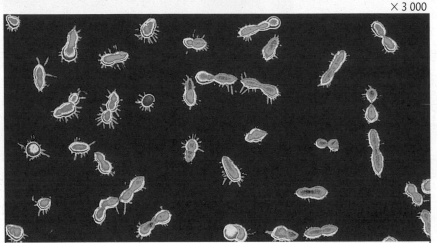

A l'intérieur de l'organisme, les bactéries trouvent des conditions favorables à leur prolifération : température, humidité, alimentation.
Toutes les bactéries n'ont pas les mêmes besoins, notamment en dioxygène. Pour certaines, le dioxygène est indispensable : ce sont des bactéries aérobies. D'autres, comme le bacille tétanique, ne peuvent vivre que dans un milieu privé de dioxygène : elles sont dites anaérobies.

### L'invasion ou le poison

Une fois installé dans l'organisme, le microbe va pouvoir exercer son action pathogène et provoquer une infection\*. Chez les bactéries, on distingue deux grands modes d'action :
– les microbes (streptocoques par exemple) se multiplient et envahissent l'organisme : c'est une **septicémie\*** ou infection généralisée, souvent mortelle ;
– les microbes (bacilles tétaniques par exemple) restent localisés près du point d'entrée dans l'organisme et sécrètent des toxines responsables des symptômes de la maladie : c'est une **toxémie**.

**ⓐ Dans des conditions de vie favorables, les bactéries se multiplient.**

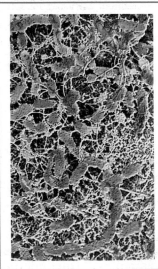

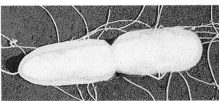

× 10 000

bactérie

Placée dans des conditions optimales, une bactérie se divise en deux toutes les vingt minutes.

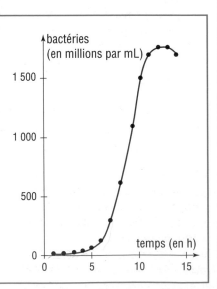

**ⓑ Les bactéries ont un pouvoir de multiplication étonnant (photo : salmonelles sur un morceau de viande).**

## ❷ La prolifération des virus.

× 10 000

× 100 000

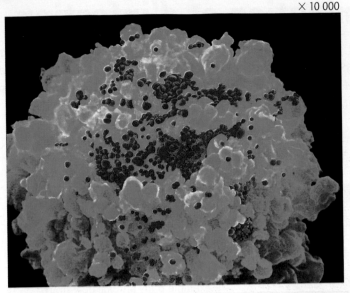
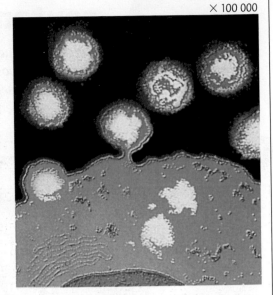

**ⓒ** Du lymphocyte parasité s'échappent de nombreux virus du SIDA.

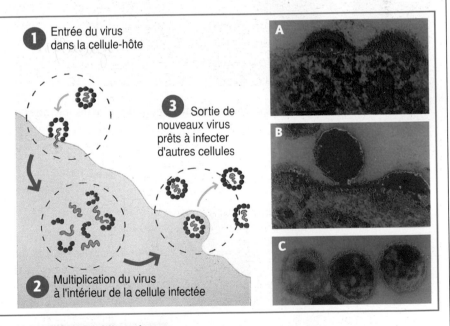

L'action des virus sur l'organisme est plus complexe que celle des bactéries. Ce sont en effet des parasites intracellulaires. Ils injectent leur information génétique dans une cellule qu'ils utilisent alors pour se multiplier. Dans le cas le plus simple, la multiplication peut se produire quelques minutes après la pénétration du matériel génétique dans la cellule.

En se multipliant dans les cellules, les virus ont sur celles-ci des effets allant du simple changement de forme à la destruction totale.

**①** Entrée du virus dans la cellule-hôte

**③** Sortie de nouveaux virus prêts à infecter d'autres cellules

**②** Multiplication du virus à l'intérieur de la cellule infectée

**ⓓ** Les virus sont des parasites intracellulaires obligatoires.

## Ⓐctivités

**1.** Qu'est-ce qu'une infection ? Expliquez pourquoi les microbes prolifèrent rapidement dans l'organisme.

**2.** Les streptocoques et le bacille tétanique peuvent provoquer deux infections différentes. Précisez lesquelles et expliquez en quoi consiste chacune d'elles.

**3.** Comment s'effectue la prolifération des virus dans l'organisme ? En quoi est-elle différente de celle des bactéries ?

**4.** A l'aide des documents ⓒ et ⓓ, expliquez comment le VIH prolifère dans l'organisme.

# Limiter les risques de contamination et d'infection

*Chacun sait que « mieux vaut prévenir que guérir », c'est-à-dire éviter, dans la mesure du possible, la pénétration de microbes dans l'organisme. Quelles méthodes utilise-t-on pour cela ? Si, malgré ces précautions, une infection se déclare, comment lutter contre des microbes « installés » dans l'organisme ?*

## 1 Empêcher la pénétration des microbes dans l'organisme.

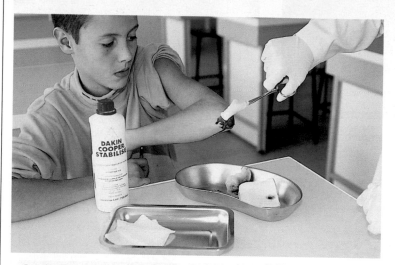

### LEXIQUE

• **Asepsie** (a : privatif, grec *sêpsis* : putréfaction) : méthode préventive visant à protéger l'organisme de toute contamination microbienne, par exemple dans un bloc opératoire.

• **Antisepsie** (*anti* : contre) : méthode curative qui consiste à détruire les microbes, qui se sont par exemple déposés dans une plaie, grâce à des antiseptiques (alcool à 70°, eau oxygénée...).

ⓐ L'antisepsie* consiste à désinfecter une plaie pour détruire les microbes qui la souillent et éviter ainsi leur pénétration dans l'organisme.

ⓑ En milieu hospitalier, les mesures d'asepsie* sont très rigoureuses et permettent d'opérer dans un environnement dépourvu de microbes.

En 1878, Pasteur s'adresse ainsi aux chirurgiens de l'Académie des Sciences :

« Cette eau, cette éponge, cette charpie avec lesquelles vous lavez ou vous recouvrez une plaie y déposent des germes qui ont une facilité extrême de propagation dans les tissus...

... Si j'avais l'honneur d'être chirurgien, pénétré comme je le suis des dangers auxquels exposent les germes des microbes répandus à la surface de tous les objets, particulièrement dans les hôpitaux, non seulement je ne me servirais que d'instruments d'une propreté parfaite, mais après avoir nettoyé mes mains avec le plus grand soin, et les avoir soumises à un flambage rapide, je n'emploierais que de la charpie, des bandelettes, des éponges préalablement exposées dans un air porté à la température de 130° à 150° ; je n'emploierais jamais qu'une eau qui aurait subi la température de 110° à 120°.

De cette manière, je n'aurais à craindre que les germes en suspension dans l'air autour du lit du malade... ».

ⓒ Un texte historique à analyser.

# ② Lutter contre la prolifération des bactéries grâce aux antibiotiques*.

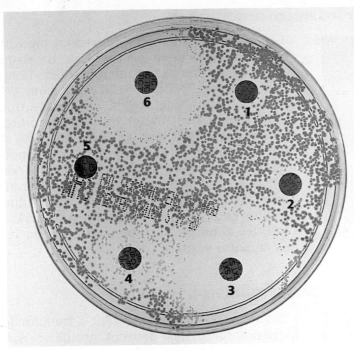

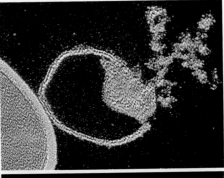

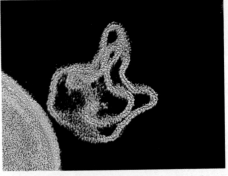

**1.** Amoxicilline + acide clavulamique.  **2.** Amoxicilline.  **3.** Sulfaméthoxazole.
**4.** Colistine.  **5.** Céfalotine.  **6.** Ticarcilline.

ⓓ Un antibiogramme : sur une culture d'une souche bactérienne, plusieurs pastilles imprégnées chacune d'un antibiotique différent ont été déposées.

ⓔ Sous l'action d'un antibiotique, la bactérie, ici un staphylocoque doré, « explose ».

## La découverte médicale la plus importante du 20e siècle

En 1928, un bactériologiste anglais, Alexander Fleming, observe une culture de staphylocoques qui l'intrigue. La culture a été accidentellement contaminée par une moisissure Penicillium et les bactéries ont été en partie détruites. Fleming prépare alors un filtrat de moisissure, qu'il nomme pénicilline, et constate que cette solution a un fort pouvoir bactéricide et une faible toxicité pour l'homme. La pénicilline est purifiée en 1940 et le premier patient atteint de septicémie à staphylocoques est traité en 1941.

Depuis cette découverte, plus d'une centaine d'antibiotiques ont été produits, chacun efficace contre un nombre d'espèces de bactéries plus ou moins grand. Depuis quelques années, on observe toutefois avec inquiétude qu'un certain nombre de souches bactériennes deviennent résistantes aux antibiotiques disponibles ; ainsi, certaines maladies comme la tuberculose, sont en recrudescence et redeviennent préoccupantes. La recherche pharmaceutique est de ce fait « condamnée » à découvrir sans cesse de nouveaux antibiotiques.

## Activités

**1.** A l'aide du texte de Pasteur et de la photographie ⓑ, dites quels sont les moyens d'asepsie utilisés en milieu hospitalier.

**2.** Citez les moyens d'asepsie et d'antisepsie utilisés à l'infirmerie du collège pour soigner une plaie.

**3.** Quel a été le premier antibiotique découvert ? Par qui ? Quel est le rôle des antibiotiques ?

**4.** Pourquoi réalise-t-on un antibiogramme ? En utilisant la photographie ⓓ, indiquez le (ou les) antibiotique(s) qu'il faut utiliser pour combattre cette souche bactérienne.

## LEXIQUE

• **Antibiotique** (*bios* : vie) : substance produite par des champignons (moisissures), des bactéries ou synthétisée en laboratoire et qui a la propriété d'empêcher la prolifération des bactéries et parfois de les détruire. Un antibiotique est inefficace contre les virus.

## DOC 1  DOC 2  La contamination par les micro-organismes.

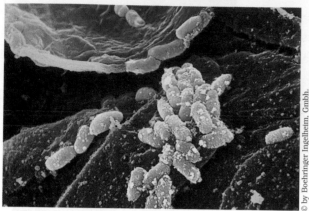

Peau couverte de bactéries (au MEB).

© by Boehringer Ingelheim, Gmbh.

Les micro-organismes sont partout présents dans l'environnement de l'homme. Le risque d'une pénétration de ces microbes dans l'organisme est donc permanent. Il suffit pour cela que les « barrières naturelles » (peau et surtout muqueuses) soient franchies. Ces micro-organismes présentent une extrême diversité de taille, de forme et aussi de propriétés biologiques. Certains sont inoffensifs, d'autres sont responsables d'infections qui peuvent se transmettre d'un individu à un autre. Cette transmission peut se faire selon le cas par l'air, l'eau, les aliments, les objets, le sang ou lors des rapports sexuels.

## DOC 3  La prolifération des microbes dans l'organisme.

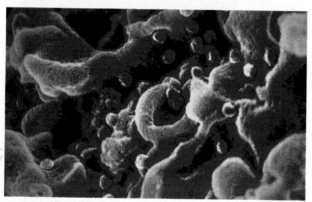

Virus du SIDA (VIH) infectant un lymphocyte.

Les microbes qui réussissent à franchir les barrières naturelles peuvent proliférer dans l'organisme. La plupart des bactéries se multiplient dans la lymphe, c'est-à-dire dans le liquide qui baigne l'ensemble de nos cellules. Certaines bactéries, comme le streptocoque, ont tendance à envahir l'organisme et peuvent être à l'origine d'une infection généralisée ou septicémie. D'autres, comme le bacille tétanique, restent localisées au point d'entrée mais sécrètent des toxines qui diffusent dans l'ensemble de l'organisme et sont responsables des symptômes de la maladie.

## DOC 4  Limiter les risques de contamination et d'infection.

Récolte de seringues usagées.

Les risques de contamination (pénétration) et d'infection (prolifération) sont limités par la pratique de l'asepsie, c'est-à-dire l'ensemble des mesures prises pour qu'une plaie ou un objet soient débarrassés des microbes présents à leur surface : par exemple, stérilisation des instruments et des gants utilisés par le médecin, utilisation de produits antiseptiques (alcool, eau de Javel...).

L'utilisation du préservatif permet d'éviter une contamination par les microbes responsables de maladies sexuellement transmissibles comme le virus du SIDA.

En cas d'infection par des bactéries pathogènes, l'utilisation d'antibiotiques appropriés permet de les détruire. Rappelons qu'un antibiotique est sans effet contre les virus car ces derniers sont protégés à l'intérieur de nos cellules.

### Ce qu'il faut savoir

Partout présents dans notre environnement, les micro-organismes sont très variés : bactéries, virus, levures... La contamination de l'organisme, c'est-à-dire l'entrée de microbes qui franchissent les « barrières naturelles » (peau et surtout muqueuses), est donc un risque permanent.

A l'intérieur de l'organisme, les microbes peuvent proliférer : c'est l'infection. Les risques de contamination et d'infection sont limités par la pratique de l'asepsie : stérilisation des instruments médicaux, des gants ..., utilisation de produits antiseptiques (alcool, eau de Javel...). L'utilisation du préservatif permet de se protéger contre les maladies sexuellement transmissibles.

Les antibiotiques permettent de stopper une infection par des bactéries pathogènes.

### Les mots-clés

- micro-organismes
- barrière naturelle
- contamination
- infection
- asepsie
- antisepsie
- antiseptique
- antibiotique

### Le schéma bilan

**LES MICROBES, DES AGRESSEURS TRÈS VARIÉS**

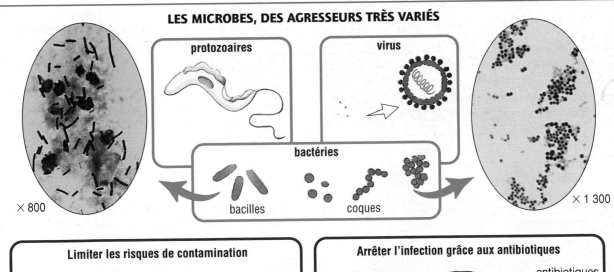

protozoaires

virus

bactéries

bacilles          coques

× 800

× 1 300

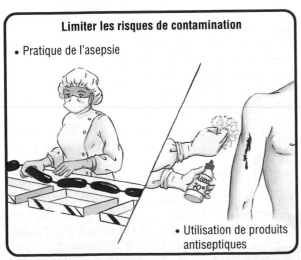

**Limiter les risques de contamination**

- Pratique de l'asepsie

- Utilisation de produits antiseptiques

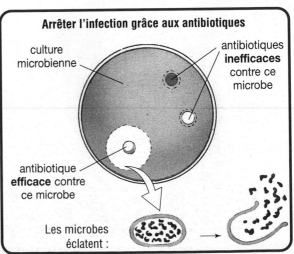

**Arrêter l'infection grâce aux antibiotiques**

culture microbienne

antibiotiques **inefficaces** contre ce microbe

antibiotique **efficace** contre ce microbe

Les microbes éclatent :

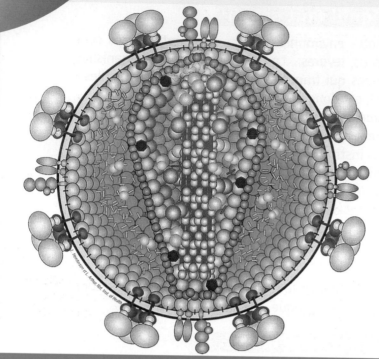

**Maquette du virus du SIDA**

Les MST (**M**aladies **S**exuellement **T**ransmissibles) sont des maladies infectieuses transmises principalement à l'occasion de relations sexuelles (certaines de ces maladies, comme le SIDA ou les hépatites, peuvent aussi être transmises par le sang).
La plupart des MST sont bénignes si elles sont traitées à temps. En revanche, certaines, comme le SIDA, sont extrêmement graves.
Le nombre de personnes contaminées est en augmentation constante (350 millions de nouveaux cas de MST chaque année dans le monde, plusieurs centaines de milliers en France).

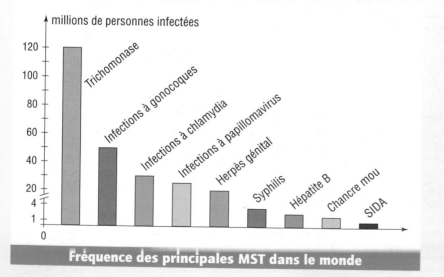

**Fréquence des principales MST dans le monde**

| | Maladie (et germe responsable) |
|---|---|
| **B A C T É R I E S** | **Chlamydiose** (due à Chlamydia) |
| | **Gonococcie** ou "chaudepisse" (due au Gonocoque) |
| | **Syphilis** ou "vérole" (due au Tréponème) |
| **V I R U S** | **Herpès génital** (dû au virus de l'herpès) |
| | **Condylomes génitaux** (dus au Papillomavirus) |
| | **Hépatites B ou C** (dues à des virus) |
| | **SIDA** (dû au VIH) |
| | **Trichomonase** (due à un protozoaire flagellé : Trichomonas) |
| | **Mycose génitale** (due à une levure : Candida) |

# maladies sexuellement transmissibles

| | Principales manifestations | | Traitement / Complications |
|---|---|---|---|
| | chez l'**homme** | chez la **femme** | |
| cellule infectée — colonie de bactéries | • Picotements ou brûlures de l'urètre. <br> • Parfois, écoulement clair à l'extrémité de la verge. | • Souvent, aucun symptôme. <br> • Parfois, pertes blanches et démangeaisons vulvaires. | • Antibiotiques. <br> • Sans traitement précoce, risque de stérilité par atteinte d'organes génitaux profonds. |
| 1 µm | • Inflammation aiguë de l'urètre (brûlures intenses à l'émission d'urine). <br> • Écoulement de pus. | • Peu de symptômes. <br> • Parfois, légères pertes vaginales. | • Antibiotiques. <br> • Mêmes risques de stérilité que pour chlamydiose en l'absence de traitement précoce. |
| 5 µm | • Apparition d'un chancre (plaie indolore et purulente) sur les organes génitaux, l'anus ou la bouche 2 à 6 semaines après la contamination. <br> • 3 mois plus tard, apparition de taches roses sur le corps. | | • Antibiotiques. <br> • Sans traitement, des années plus tard, atteintes nerveuses et viscérales (qui peuvent être mortelles). |
| entrée du virus dans une cellule / plication rus dans cellule fectée / sortie de nombreux virus | • Petites lésions douloureuses, souvent groupées en bouquets. Elles surviennent par poussées, disparaissent en quelques jours et peuvent récidiver. | | • Médicaments antiviraux. <br> • Chez la femme enceinte, danger grave de contamination de l'enfant à la naissance. |
| | • Condylomes (verrues en forme de "crête de coq") sur la verge ou l'anus. | • Condylomes sur le col utérin, le vagin, la vulve ou l'anus. | • Destruction locale des lésions. <br> • Risque de cancer du col de l'utérus. |
| | • Dans 90 % des cas, peu ou pas de symptômes malgré une hépatite (infection du foie). Dans 10% des cas, apparition d'une jaunisse et d'une grande fatigue. | | • Vaccin pour protéger les sujets sains. <br> • Risque d'évolution vers cirrhose et/ou cancer du foie. |
| "capsule" / information génétique | • Maladie sans symptômes nets pendant des années puis maladies opportunistes. | | • Médicaments bloquant la multiplication du virus. <br> • Pas de vaccin. |
| 10 µm | • Pas de symptômes ou faible écoulement au niveau de la verge. | • Pertes vaginales avec brûlures et démangeaisons. | • Antibiotiques. <br> • Peu de complications. |
| | • Rougeur du gland. <br> • Démangeaisons. | • Pertes vaginales avec brûlures souvent intenses. | • Traitement local. <br> • Récidives fréquentes. |

# EXERCICES

**A. Définissez les mots ou expressions :**
Micro-organisme, contamination, infection, asepsie, antiseptique, antibiotique.

**B. Vrai ou faux ?**
Certaines affirmations sont exactes ; recopiez-les. Corrigez ensuite les affirmations inexactes.
**a.** L'air et l'eau contiennent des microbes.
**b.** Les bacilles sont des bactéries de forme sphérique.
**c.** Toutes les bactéries sont pathogènes.
**d.** Les virus sont obligatoirement parasites de cellules vivantes.
**e.** La grippe est provoquée par une bactérie pathogène.
**f.** Les virus sont détruits par les antibiotiques.
**g.** Un antiseptique est un produit chimique qui tue les microbes.

**C. Quelle différence y a-t-il entre...**
**a.** Microbe pathogène et microbe non pathogène ?
**b.** Bactérie et virus ?
**c.** Bacille et coque ?
**d.** Septicémie et toxémie ?
**e.** Asepsie et antisepsie ?

**D. Retrouvez le mot...**
... qui correspond à chaque définition.
**a.** Bactérie ayant la forme d'un bâtonnet.
**b.** Micro-organisme de très petite taille, parasite obligatoire d'une cellule vivante.
**c.** Infection généralisée due à l'invasion du sang par des bactéries pathogènes.
**d.** Accumulation dans le sang de toxines, par exemple d'origine microbienne.
**e.** Méthode permettant de protéger l'organisme de toute contamination.
**f.** Méthode permettant de détruire les microbes présents au niveau d'une plaie.

**E. Expliquez comment...**
**a.** Les micro-organismes peuvent se transmettre d'un individu à un autre.
**b.** Les micro-organismes peuvent proliférer dans l'organisme.
**c.** Agit un antibiotique.
**d.** Éviter une contamination par les microbes responsables des maladies sexuellement transmissibles.

**F. Questions à réponse courte.**
**a.** Quels sont les quatre principaux types de micro-organismes ?
**b.** Quelles sont les voies de pénétration des microbes dans l'organisme ?
**c.** Qu'est-ce qu'une infection microbienne ?
**d.** A quoi sert un antibiogramme ?

## 1 Observer une photographie.

La photographie ci-contre présente le travail dans une salle de conditionnement de produits alimentaires (charcuterie). Ce conditionnement s'effectue dans une salle froide dont l'air est filtré.

**1.** Quelles précautions sont prises pour éviter la contamination des aliments conditionnés ?

**2.** S'agit-il d'asepsie ou d'antisepsie ? Justifiez votre réponse.

# EXERCICES

## 2 Comprendre un problème de santé publique.

Les bactéries envahissent les hôpitaux ; elles provoquent de graves maladies (appelées infections nosocomiales) qui frappent actuellement un patient hospitalisé sur dix.

**1.** En vous aidant du croquis, retrouvez quels sont les organes les plus touchés par les infections nosocomiales (maladies transmises en milieu hospitalier).

**2.** Recherchez dans le texte quels sont les micro-organismes responsables de ces maladies et quels sont les traitements normalement capables de les vaincre.

> « Les micro-organismes infectieux le plus souvent retrouvés sont des bactéries (Escherichia coli ou colibacille, staphylocoque doré, pseudomonas, entérocoque) et des champignons, c'est-à-dire tout un arsenal de germes et de moisissures qui peuplent les hôpitaux.
>
> Mais comment germes et moisissures peuvent-ils se multiplier à ce point ? Après la Seconde Guerre mondiale, l'arrivée des antibiotiques et des vaccins permit d'espérer que les maladies infectieuses étaient vaincues. Pendant quarante ans, les règles d'hygiène se sont relâchées. Et les microbes sont revenus dans les hôpitaux.
>
> Cette nouvelle flore microbienne est cependant différente de celle qu'ont connu les hôpitaux avant l'apparition des antibiotiques. Ces médicaments ont éliminé les germes sensibles, et ceux qui subsistent sont de plus en plus résistants aux antibiotiques. »

**3.** Pour quelles raisons ces maladies sont-elles actuellement en recrudescence ? Que faudrait-il faire pour les éviter ?

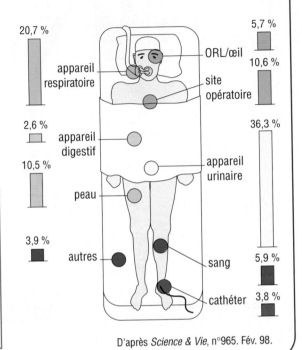

D'après *Science & Vie*, n°965. Fév. 98.

## 3 Comprendre l'importance du respect d'une prescription médicale.

Madame Dubois a une angine. Son médecin lui a prescrit pour une durée de huit jours un antibiotique de la famille des pénicillines : le texte ci-contre est un extrait de la notice jointe à chaque boîte de ce médicament.

Après trois jours de traitement, Madame Dubois, n'ayant plus mal à la gorge et la fièvre étant tombée, pense qu'elle est guérie et interrompt le traitement.

**1.** En vous aidant de la notice et en utilisant vos connaissances, dites quel est le mode d'action de ce médicament.

**2.** Même avec une amélioration rapide de son état de santé, Madame Dubois a-t-elle raison d'interrompre son traitement ? Pourquoi ? Quelles sont les conséquences possibles de sa décision ?

**3.** Pour des symptômes semblables, Madame Dubois pourra-t-elle reprendre ce même médicament sans l'avis du médecin ? Pourquoi ?

### ANTIBIOTIQUES

Ce médicament appartient à la famille des antibiotiques. Il a pour rôle de combattre l'infection dont vous êtes atteint en détruisant les microbes qui en sont la cause.

1° Votre médecin a choisi cet antibiotique et non un autre parce qu'il convient *précisément* à votre cas et à votre maladie *actuelle*. Vous ne devez donc pas l'utiliser à l'avenir sans l'avis de votre médecin pour combattre une maladie *même semblable en apparence*.

2° Pour être efficace, cet antibiotique doit être utilisé *régulièrement*, aux doses prescrites, *et aussi longtemps que votre médecin vous l'aura conseillé*.

En effet, la disparition de la fièvre, ou de tout autre symptôme, ne signifie pas que l'infection a disparu et que vous êtes complètement guéri. *Si vous arrêtiez le traitement avant son terme*, une rechute *pourrait se produire*. Mais augmenter les doses prescrites ne l'accélèrerait pas pour autant.

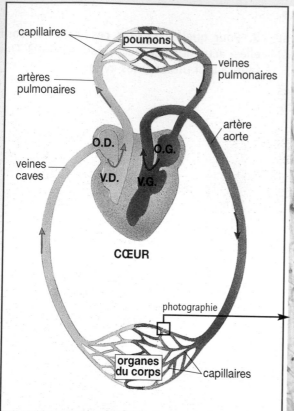

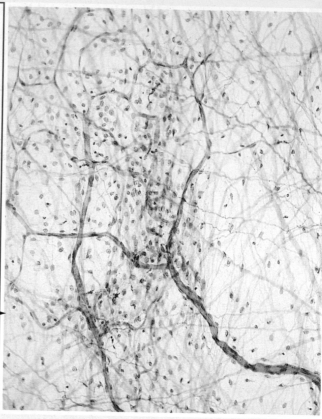

**Quelles caractéristiques de l'appareil circulatoire évoquent ce schéma et cette photographie ?**

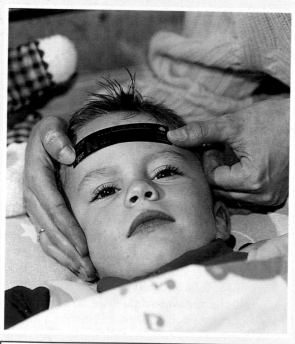

Même sans l'intervention du médecin, de nombreuses maladies infectieuses guérissent spontanément en quelques jours.

**Quelle propriété de l'organisme peut on en déduire ?**

# Ce que nous savons
## déjà

● Le sang circule dans un système clos de vaisseaux qui se ramifient en fins capillaires au sein de tous les organes.

● Le sang apporte le dioxygène et les nutriments à toutes les cellules de l'organisme et emporte les déchets produits par leur fonctionnement.

● L'organisme possède des systèmes de défense lui permettant de lutter efficacement contre certains microbes.

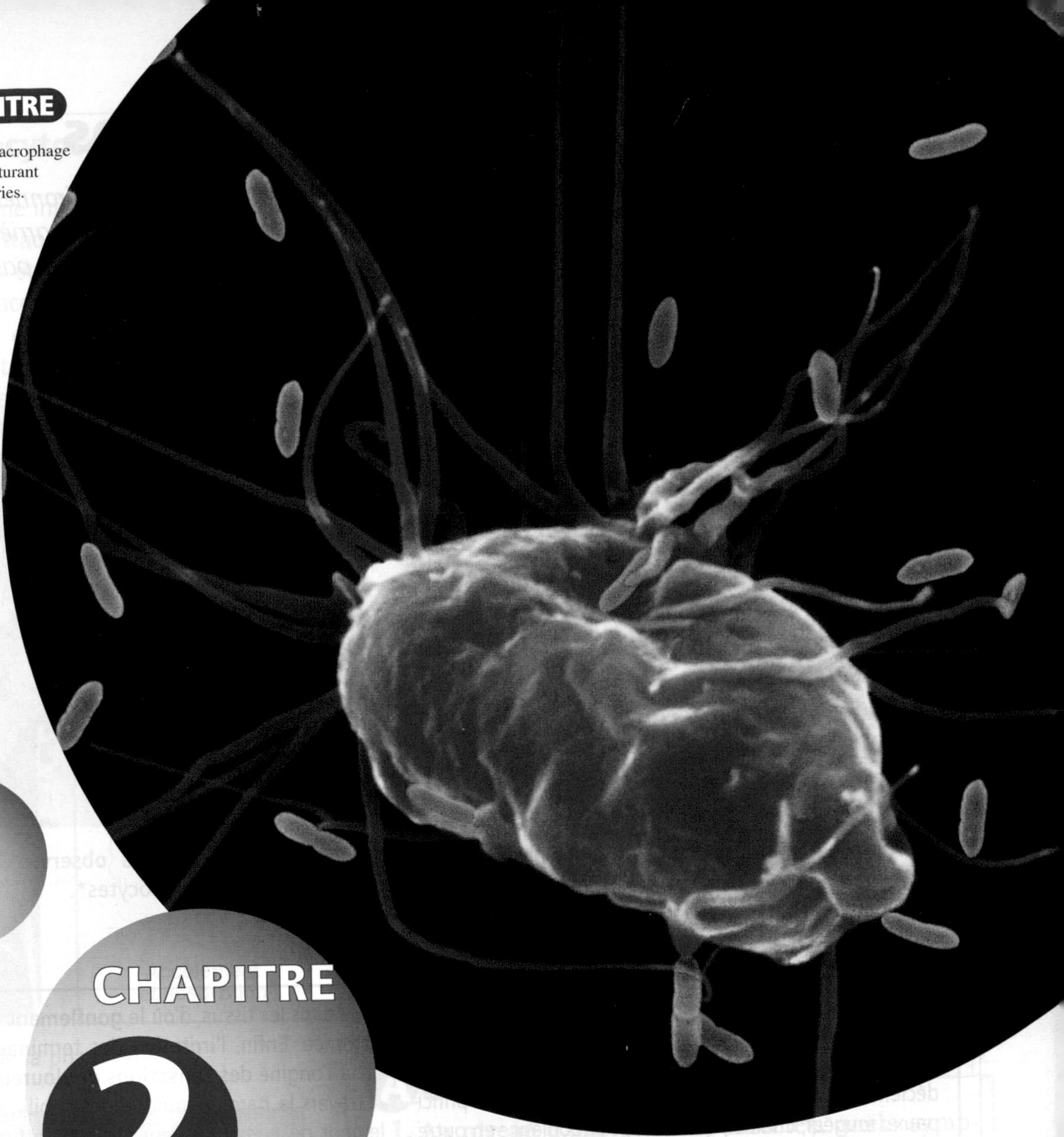

Macrophage
capturant
des bactéries.

## CHAPITRE

# 2

# Les défenses de l'organisme

● L'organisme se défend spontanément contre les agressions, notamment d'origine microbienne. Ce système de défense est appelé système immunitaire. De quoi s'agit-il ?

● Quelle est la localisation de ce système immunitaire dans l'organisme ? Quel est en particulier le rôle du sang ?

● Les mécanismes de défense mis en œuvre sont-ils les mêmes contre tous les microbes ?

**DE NOUVEAUX PROBLÈMES A RÉSOUDRE**

# La défense par des cellules tueuses

*Les lymphocytes B sont spécialisés dans la production d'anticorps plasmatiques spécifiques des antigènes détectés. Dans l'organisme, la panoplie des mécanismes de défense immunitaire est complétée par une autre catégorie de lymphocytes : les lymphocytes T. Comment interviennent ces derniers ?*

## **1** Des cellules de défense : les lymphocytes T tueurs.

× 1 800

Contrairement aux lymphocytes B qui libèrent des anticorps capables de se fixer sur un antigène présent dans le milieu intérieur (sang ou lymphe), les lymphocytes T peuvent se transformer en cellules tueuses qui détruisent des cellules reconnues comme étrangères ou anormales en venant directement à leur contact. Les cellules attaquées peuvent être :
– des cellules de l'organisme infectées par un virus ou par une bactérie intracellulaire (comme le bacille tuberculeux) ;
– des cellules cancéreuses ;
– des cellules greffées provenant d'un donneur incompatible.

Le scénario de l'attaque est le suivant : le lymphocyte tueur entre en contact avec la cellule cible*, libère une substance chimique qui perfore la membrane de la cellule attaquée, puis il se détache et part à la recherche d'une autre proie. Moins de deux heures plus tard, la cellule cible est détruite. On donne à ce mécanisme le nom évocateur de « **baiser de la mort** ».

Lymphocytes tueurs **(1)** attaquant une cellule cancéreuses **(2)**.

Cellule cancéreuse **(2)** en cours de destruction.

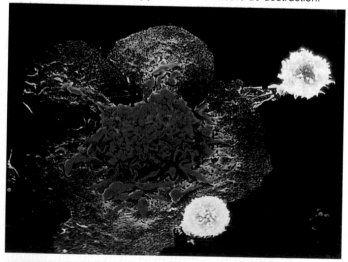

**ⓐ** Deux stades de la destruction d'une cellule cancéreuse par des lymphocytes tueurs.

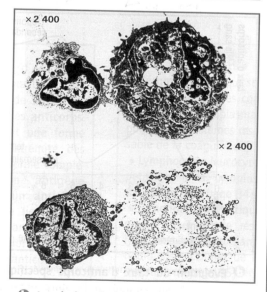

× 2 400

× 2 400

**ⓑ** Le « baiser de la mort ».

# De la reconnaissance de la cellule cible à sa destruction.

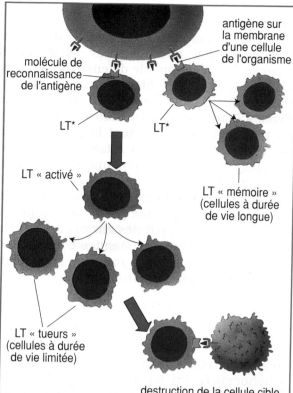

antigène sur la membrane d'une cellule de l'organisme

molécule de reconnaissance de l'antigène

LT*    LT*

LT « activé »

LT « mémoire » (cellules à durée de vie longue)

LT « tueurs » (cellules à durée de vie limitée)

destruction de la cellule cible

\* Les lymphocytes qui deviendront des cellules tueuses et ceux qui deviendront des cellules « mémoire » appartiennent à deux catégories différentes de lymphocytes T.

Les lymphocytes B détectent directement les antigènes qui circulent dans les liquides de l'organisme. Les lymphocytes T, en revanche, ne « reconnaissent » un antigène que s'il est présenté à la surface d'une cellule.

Les lymphocytes T peuvent ainsi détecter :
– une cellule infectée par un microbe,
– un phagocyte ayant absorbé et digéré un « intrus ».

Les lymphocytes T peuvent également reconnaître une cellule greffée, provenant d'un donneur, car sa surface membranaire est différente de celle des cellules de l'organisme receveur.

Les lymphocytes T ayant ainsi reconnu un antigène sont activés ; certains deviennent des cellules tueuses, à durée de vie limitée, capables de lyser les cellules cibles.

D'autres, à durée de vie plus longue, constitueront des cellules « mémoire » car elles « mémorisent » l'entrée de cet antigène dans l'organisme.

**©** Les principales étapes de la défense par des cellules tueuses.

**ⓓ** Comme pour la défense par les anticorps, il existe également dans ce cas une mémoire immunitaire. Elle n'est pas assurée par les lymphocytes tueurs mais par d'autres lymphocytes T.

| Expériences de greffes de peau | | Résultats de la greffe |
|---|---|---|
| Première greffe de peau de A sur B | souris A    souris B | Rejet du greffon\* au bout de 10 à 12 jours |
| Deuxième greffe quelques semaines plus tard | souris A    souris B | Rejet du greffon\* au bout de 2 à 3 jours |

\*Le rejet du greffon est dû à la destruction des cellules greffées par les cellules tueuses.

# Activités

**1.** Où sont situés les antigènes reconnus par les lymphocytes T ? Dans quels cas un lymphocyte T va-t-il se transformer en cellule tueuse ?

**2.** Repérez sur les clichés **ⓑ** le lymphocyte tueur et expliquez comment il élimine la cellule cible ?

**3.** En utilisant les expériences **ⓓ**, dites pourquoi on peut parler de mémoire immunitaire dans la défense par les cellules tueuses. Quelle est la particularité des lymphocytes T qui assurent cette mémoire ?

### Les cellules du système immunitaire

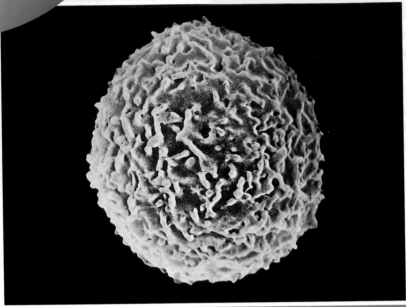

**Leucocyte observé au MEB**

Chez un malade atteint d'une angine, le médecin constate une inflammation importante de la gorge ainsi qu'un gonflement des ganglions lymphatiques au niveau du cou. Par ailleurs, une analyse de sang montre une augmentation évidente du nombre des globules blancs ou leucocytes. Cette augmentation est liée à la mise en alerte des systèmes de défense de l'organisme dont les acteurs principaux sont les leucocytes.

| Évolution du nombre de leucocytes | | Lymphocytes | Phagocytes | Total des leucocytes |
|---|---|---|---|---|
| Nombre de cellules par mm³ de sang | Sujet non malade | 1 900 | 5 100 | 7 000 |
| | Sujet atteint d'une angine | 2 100 | 13 200 | 15 300 |

**Une comparaison intéressante**

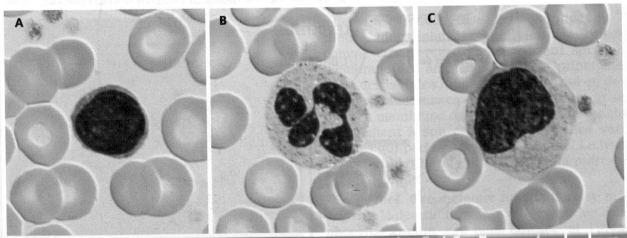

**Leucocytes observés au microscope optique : A – Lymphocyte ; B et C – Deux sortes de phagocytes. Leur noyau est coloré en rouge violacé, leur cytoplasme est peu coloré**

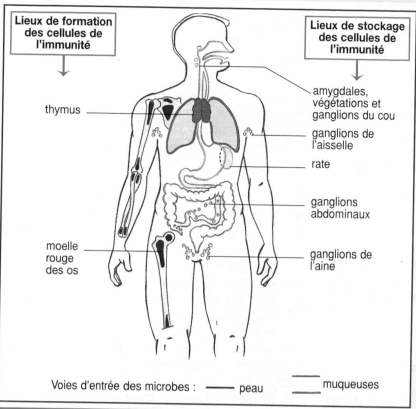

| Lieux de formation des cellules de l'immunité | Lieux de stockage des cellules de l'immunité |

- thymus
- moelle rouge des os
- amygdales, végétations et ganglions du cou
- ganglions de l'aisselle
- rate
- ganglions abdominaux
- ganglions de l'aine

Voies d'entrée des microbes : —— peau ___ muqueuses

**Les principaux organes lymphoïdes**

## Les organes du système immunitaire

Les organes lymphoïdes primaires (ou centraux) sont la moelle osseuse rouge et le thymus. Ce sont les sites où se fabriquent les cellules du système immunitaire et où elles « apprennent » à reconnaître les agresseurs de l'organisme ou antigènes.

Les organes lymphoïdes secondaires (ou périphériques) correspondent aux autres organes mentionnés sur le dessin ci-contre. C'est là que les lymphocytes s'accumulent et qu'ils peuvent réagir à une éventuelle pénétration d'un antigène dans le milieu intérieur de l'organisme.

Les ganglions lymphatiques représentent une « ligne de défense » importante de l'organisme, notamment contre les agressions microbiennes.

C'est ainsi qu'en cas d'infection d'une plaie au niveau d'un membre inférieur, on observe un gonflement des ganglions situés dans la région de l'aine. De même, en cas d'infection d'un membre supérieur, ce sont les ganglions de l'aisselle qui gonflent et deviennent douloureux.

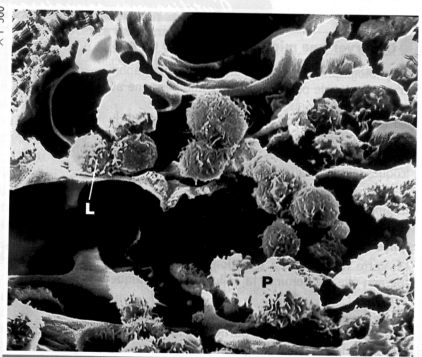

× 1 500

L

P

**Cellules immunitaires observées au MEB dans un ganglion lymphatique. L – lymphocyte ; P – phagocyte**

### DOC 1 — Le système immunitaire peut être gravement déficient.

Le système immunitaire peut parfois être gravement déficient dès la naissance : c'est une immunodéficience innée, heureusement très rare, qui correspond à une production anormale des cellules immunitaires par la moelle osseuse. On peut tenter de rétablir les défenses immunitaires par une greffe de moelle osseuse, à condition de trouver un donneur compatible.

Certaines immunodéficiences ne sont pas innées mais peuvent être acquises : c'est le cas lors de l'infection par le virus du SIDA qui détruit certaines cellules immunitaires. Lorsque ces dernières deviennent trop peu nombreuses, les défenses immunitaires « s'effondrent » et des maladies qualifiées d'opportunistes surviennent.

### DOC 2 — Aider l'organisme à se défendre grâce à la vaccination.

La vaccination est un traitement préventif. Le plus souvent, on vaccine en injectant à un sujet des microbes (ou des toxines microbiennes) qui ont été modifiés de façon telle qu'ils ne sont plus dangereux mais déclenchent néanmoins une production d'anticorps et de cellules mémoire spécifiques. Quelques semaines plus tard, le sujet est alors vacciné : en cas d'infection par le même microbe virulent, son système immunitaire réagit très efficacement et empêche l'infection. L'immunité ainsi acquise par l'organisme est spécifique et durable car l'organisme maintient la production de ces anticorps.

### DOC 3 — Aider l'organisme à se défendre grâce à la sérothérapie.

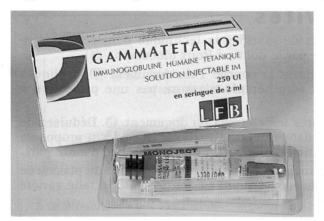

La vaccination n'est pas efficace pour aider un organisme déjà malade suite à l'infection par un microbe dangereux. Il faut alors utiliser des anticorps « tout prêts » que l'on trouve dans le sérum de personnes immunisées contre cette maladie. C'est le principe de la sérothérapie (mot qui signifie soigner avec du sérum).

Comme un vaccin, un sérum est spécifique d'un microbe déterminé. L'injection de sérum procure une immunité immédiate mais de courte durée car les anticorps injectés sont éliminés assez rapidement et ne sont toujours pas produits par l'organisme ainsi traité.

### Ce qu'il faut savoir

Le système immunitaire est parfois déficient. Cette immunodéficience est souvent acquise (cas des malades atteints du SIDA), mais elle peut aussi se manifester dès la naissance (immunodéficience innée).

Même chez le sujet non immunodéficient, des pratiques médicales visent à aider l'organisme à se défendre : c'est le cas de la vaccination et de la sérothérapie. La vaccination est un traitement préventif : le sujet « apprend » à produire anticorps et cellules mémoire efficaces contre un microbe déterminé. L'immunité ainsi acquise par l'organisme quelques semaines après la vaccination est spécifique et durable. La sérothérapie consiste à soigner un sujet malade en lui injectant le sérum de personnes déjà immunisées contre cette maladie et contenant donc des anticorps spécifiques. L'organisme malade reçoit ainsi une protection immédiate mais de courte durée.

### Les mots-clés
- immunodéficience
- vaccination
- sérothérapie

### Le schéma bilan

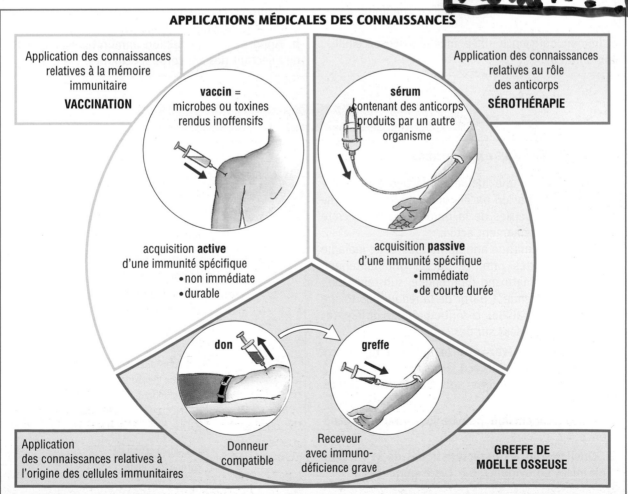

**APPLICATIONS MÉDICALES DES CONNAISSANCES**

Application des connaissances relatives à la mémoire immunitaire
**VACCINATION**

**vaccin** = microbes ou toxines rendus inoffensifs

acquisition **active** d'une immunité spécifique
- non immédiate
- durable

Application des connaissances relatives au rôle des anticorps
**SÉROTHÉRAPIE**

**sérum** contenant des anticorps produits par un autre organisme

acquisition **passive** d'une immunité spécifique
- immédiate
- de courte durée

Application des connaissances relatives à l'origine des cellules immunitaires

**don**

**greffe**

Donneur compatible

Receveur avec immuno-déficience grave

**GREFFE DE MOELLE OSSEUSE**

# EXERCICES

**A. Définissez les mots ou expressions :**

Immunodéficience innée, immunodéficience acquise, vaccination, sérothérapie.

**B. Vrai ou faux ?**

Certaines affirmations sont exactes ; recopiez-les. Corrigez ensuite les affirmations inexactes.

**a.** Le virus du SIDA provoque une déficience du système immunitaire.

**b.** Un sujet séropositif ne peut pas transmettre le virus du SIDA.

**c.** Un vaccin protège l'organisme car il contient des anticorps.

**d.** La sérothérapie procure une protection immédiate mais de courte durée.

**C. Exprimez une idée importante...**

... en rédigeant une phrase utilisant chaque groupe de mots pris dans l'ordre.

**a.** Vaccination, production d'anticorps, injection d'antigène.

**b.** Sérothérapie, protection immédiate, injection d'anticorps.

**c.** SIDA, infection virale, déficience immunitaire acquise.

**d.** Immunodéficience innée, moelle osseuse, cellules immunitaires.

**D. Expliquez pourquoi...**

**a.** les enfants atteints d'une immunodéficience innée sont placés dans une bulle stérile.

**b.** le SIDA se manifeste par des maladies opportunistes.

**E. Questions à réponse courte.**

**a.** A quelles découvertes sont associés les noms de Jenner, de Pasteur, de Roux ?

**b.** Quand doit-on utiliser un vaccin ?

**c.** Quand doit-on utiliser un sérum ?

**d.** Pourquoi le système immunitaire réagit-il plus vite quand il rencontre le même antigène pour la deuxième fois ?

**F. Quelle différence y a-t-il entre...**

**a.** une immunodéficience innée et une immunodéficience acquise ?

**b.** un vaccin et un sérum ?

**c.** une immunité passive et une immunité active ?

**G. Retrouvez le mot qui correspond à chaque définition.**

**a.** Renforcer les défenses immunitaires en déclenchant la production d'anticorps.

**b.** Apporter une protection immunitaire immédiate en injectant des anticorps spécifiques.

**1 Interpréter des expériences.**

La diphtérie est une maladie infectieuse et contagieuse causée par un bacille qui reste localisé au niveau des muqueuses de la gorge mais qui sécrète une toxine extrêmement active.

Grâce à la vaccination antidiphtérique, cette maladie est devenue très rare. Le vaccin antidiphtérique contient de l'anatoxine diphtérique, substance non pathogène obtenue à partir de la redoutable toxine diphtérique. Le tableau ci-contre présente différentes expériences réalisées sur des cobayes.

**1.** Comment pouvez-vous expliquer que les cobayes du lot 3 ont survécu, alors que ceux du lot 2 sont morts ? Comment agit l'anatoxine diphtérique ?

**2.** Quelle conclusion pouvez-vous tirer de l'expérience 4 ?

**3.** Quelles sont les caractéristiques de la vaccination mises en évidence par ces expériences ?

| Lots de cobayes | Expériences | Résultats |
|---|---|---|
| 1 | Injection de toxine diphtérique | Mort des cobayes |
| 2 | Injection d'anatoxine diphtérique et, le même jour, injection de toxine diphtérique | Mort des cobayes |
| 3 | Injection d'anatoxine diphtérique et, 15 jours plus tard, injection de toxine diphtérique | Survie des cobayes |
| 4 | Injection d'anatoxine diphtérique et, 15 jours plus tard, injection de toxine tétanique | Mort des cobayes |

# EXERCICES

## 2 Comprendre les conséquences de l'infection par le VIH.

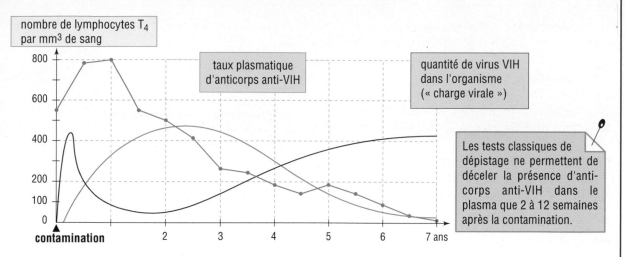

nombre de lymphocytes T₄ par mm³ de sang

taux plasmatique d'anticorps anti-VIH

quantité de virus VIH dans l'organisme (« charge virale »)

Les tests classiques de dépistage ne permettent de déceler la présence d'anticorps anti-VIH dans le plasma que 2 à 12 semaines après la contamination.

contamination

Le SIDA est une maladie qui évolue de façon différente selon les sujets. Le graphique ci-dessus a été réalisé à partir de résultats d'analyses effectuées pendant 7 ans chez une personne contaminée par le VIH.

**1.** Rappelez le lieu de multiplication du VIH dans l'organisme.

**2.** A partir de quel moment une personne est-elle contagieuse, c'est-à-dire peut transmettre le virus du SIDA ? Rappelez ce que signifie « séropositivité » et précisez quand cette personne devient sé-

ropositive. Comment expliquez-vous que la séropositivité n'apparaisse pas immédiatement ?

**3.** Pendant la première année, comment réagit l'organisme vis-à-vis du virus ? Comment évolue alors le nombre de virus ?

**4.** A partir de la deuxième année, comment évolue la quantité de virus dans l'organisme ? Et la quantité de lymphocytes T₄ ? Proposez une explication.

**5.** Connaissant le rôle des lymphocytes T₄, recherchez pourquoi le taux d'anticorps diminue progressivement à partir de la deuxième année.

## 3 Comprendre la notice d'un médicament.

Le document ci-contre est un extrait de la notice jointe à un vaccin.

**1.** En utilisant cette notice, dites quels sont les agents vaccinants contenus dans ce vaccin. Quelles maladies permet-il d'éviter ?

**2.** Que provoque l'injection de ce vaccin dans l'organisme ? A-t-il une action préventive ou curative ?

**3.** Le virus de la grippe évolue et se modifie d'une année à l'autre. Comprenez-vous pourquoi la vaccination contre la grippe doit être répétée chaque année ?

**4.** Chez un sujet adulte déjà vacciné contre le tétanos, ce vaccin constitue un rappel. Expliquez l'importance d'un rappel de vaccination.

### TET-GRIP
Souches 98-99
**Vaccin tétanique et grippal inactivé à virion fragmenté**

Composition :

- Anatoxine tétanique purifiée, obtenue par inactivation de la toxine par la formaldéhyde ;

- Antigènes de virus grippaux, obtenus par cultures sur œufs de différentes souches de virus*, puis fragmentation des virus par l'Octoxynol-9, enfin inactivation par la formaldéhyde et purification.

* souches virales présentes dans le vaccin :
- A/SYDNEY/5/97 (H3N2)
- A/BEIJING/262/95 (H1N1)
- B/BEIJING/184/93

Le vaccin est conforme aux recommandations de l'OMS (dans l'hémisphère nord) et à la décision de la Communauté Européenne pour la saison 1998-99.

# TROISIÈME PARTIE
# Activité des cellules et échanges avec le milieu

**A quoi voit-on qu'il vient de courir ?**

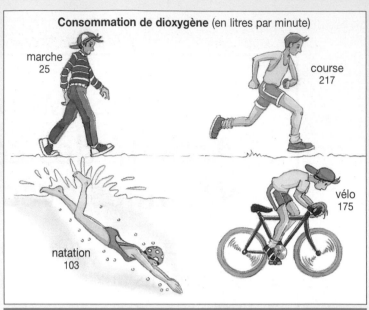

Consommation de dioxygène (en litres par minute)

marche 25

course 217

natation 103

vélo 175

**Comment expliquez-vous ces différences ?**

× 950

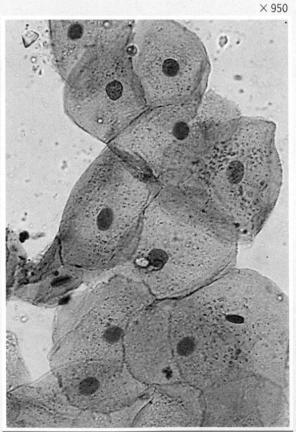

Dessinez l'une des cellules et indiquez ses différentes parties.

**On dit que le sucre est le carburant des muscles. Que signifie cette expression ?**

# Ce que nous savons
## déjà

● Les aliments que nous mangeons servent à la fois de matériaux de construction et de « combustible » (c'est-à-dire de source d'énergie) pour notre organisme.

● Comme les autres organes du corps, les muscles puisent dans le sang le dioxygène et les nutriments qu'ils consomment en permanence. Ils y rejettent du dioxyde de carbone et d'autres déchets.

● Ces échanges augmentent nettement lorsque les muscles sont en activité.

● Les êtres vivants sont constitués de cellules qui ont toutes la même organisation générale.

# 1

# Activité et besoins des cellules

● Le fonctionnement de l'organisme dépend de cellules spécialisées. En quoi consiste cette spécialisation ? Qu'appelle-t-on « tissus » ?

● Pourquoi les cellules, quelle que soit leur spécialisation, ont-elles toutes des besoins de matière et d'énergie ?

● Les besoins des cellules sont-ils constants ou subissent-ils des variations ?

● Quelles relations y a-t-il entre les besoins de l'organisme en dioxygène et en nutriments et les besoins des cellules en activité ?

**DE NOUVEAUX
PROBLÈMES
A RÉSOUDRE**

# Les organes sont constitués de cellules spécialisées

*Vous avez vu en classe de 6e que les êtres vivants sont constitués de cellules et que ces dernières possèdent une organisation commune. Cependant une cellule musculaire ne ressemble pas exactement à une cellule de foie ou de pancréas. En quoi consiste la spécialisation des cellules ?*

## 1 Des cellules différentes selon les tissus*.

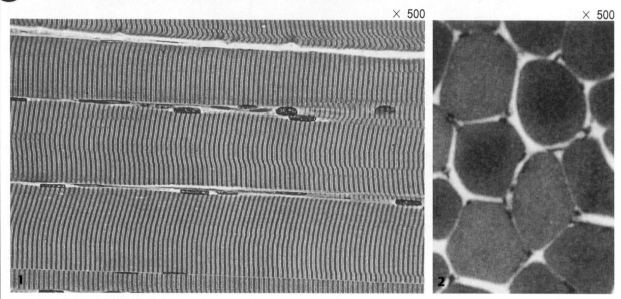

× 500                                                           × 500

**a** Coupe microscopique dans un muscle. **1** – Coupe longitudinale. **2** – Coupe transversale.

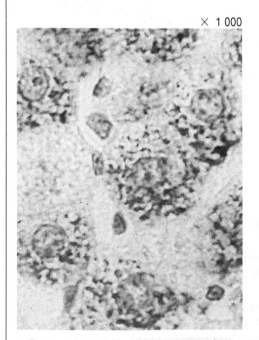

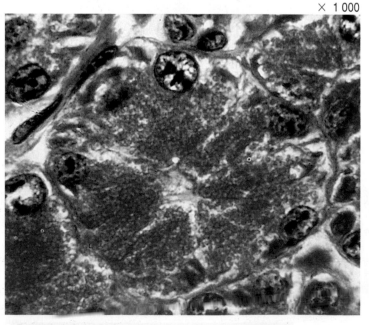

× 1 000                                                         × 1 000

**b** Coupe microscopique dans le foie.          **c** Coupe dans une glande digestive : le pancréas.

# ② Chaque tissu a des fonctions spécifiques.

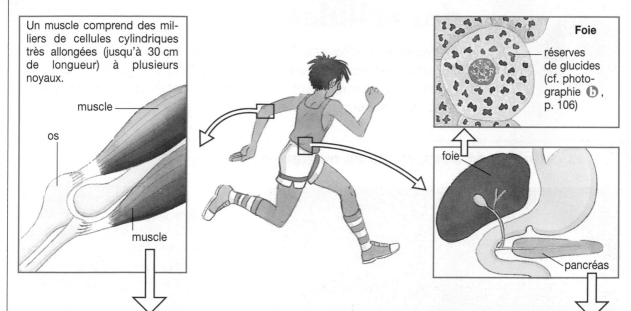

Un muscle comprend des milliers de cellules cylindriques très allongées (jusqu'à 30 cm de longueur) à plusieurs noyaux.

muscle

os

muscle

**Foie**

réserves de glucides (cf. photographie ⓑ, p. 106)

foie

pancréas

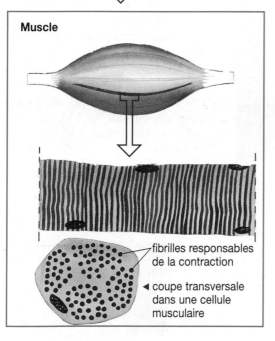

**Muscle**

fibrilles responsables de la contraction

◄ coupe transversale dans une cellule musculaire

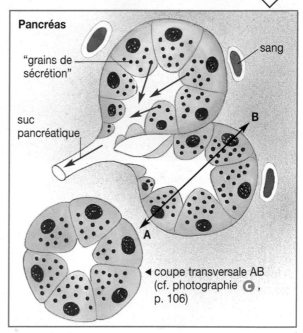

**Pancréas**

"grains de sécrétion"

suc pancréatique

sang

B

A

◄ coupe transversale AB (cf. photographie ⓒ, p. 106)

ⓓ Chaque type de cellule est spécialisé, c'est-à-dire exerce une fonction particulière.

---

## LEXIQUE

• **Tissu** : ensemble de cellules présentant une structure semblable et remplissant une fonction commune.

• **Organe** : le cœur, le foie, le pancréas, les muscles... sont des organes.

## Ⓐctivités

**1.** Décalquez une cellule de la photographie ⓐ et légendez votre dessin.

**2.** Quelle est la fonction d'une cellule musculaire ? Quelles caractéristiques en relation avec cette fonction, présente une cellule d'un muscle ?

**3.** Comparez la photographie ⓒ avec le schéma ⓓ correspondant. Expliquez quelle est la fonction des cellules du pancréas.

**4.** A l'aide de l'ensemble des documents, justifiez le titre « Les organes* sont constitués de cellules spécialisées ».

# Les besoins des cellules

*Pour fonctionner, chacune des cellules de notre corps, quelle que soit sa spécialisation, a besoin de matière et besoin d'énergie. A quoi sert la matière ? A quoi sert l'énergie ? Pourquoi les besoins sont-ils permanents ? Pourquoi les besoins augmentent-ils avec l'activité ?*

## 1 Les cellules ont des besoins en matière et en énergie.

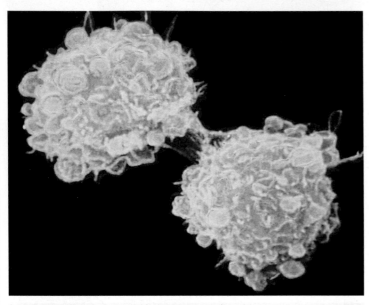

**ⓐ** Quand une cellule se divise, elle doit au préalable « construire » de la matière vivante nouvelle ; elle a donc besoin de « matériaux de construction ».

• Les globules rouges du sang ne vivent en moyenne que 120 jours. Il s'en forme 150 à 200 milliards par jour dans la moelle rouge des os.

• Les globules blancs du sang sont remplacés en permanence tout au long de la vie.

• Les cellules de l'épiderme de la peau se renouvellent constamment : un épiderme se renouvelle totalement en quelques dizaines de jours.

• Les cellules de nombreux organes sont périodiquement remplacées : les cellules du foie sont renouvelées en 10 jours, celles des muscles en 150 jours et les cellules intestinales ne vivent que 36 heures !

**ⓑ** Même chez l'adulte la plupart des cellules se renouvellent.

« Même chez un adulte, tous les constituants cellulaires sont renouvelés. Il y a constamment destruction et reconstruction de molécules, destruction et reconstitution de structures cellulaires ; elle se font et se défont. Si vous voulez une image, on peut prendre celle d'un mur qui serait constamment démoli et reconstruit. Vu de loin, le mur apparaît stable comme tout mur qui se respecte. Si vous vous en rapprochez, vous constaterez que cette stabilité, qui est réelle, est sous-tendue par une instabilité. C'est-à-dire que des briques sont à tout instant ôtées et remplacées par d'autres qui leur sont identiques. »

D'après J. Tavlitzki, *« 12 clés pour la biologie »*, Éd. Belin.

**ⓒ** Certaines cellules subsistent pendant tout la vie (cellules nerveuses, cellules cardiaques) : même dans ces cellules, il y a renouvellement des molécules.

| entrées | | sorties |
|---|---|---|
| • dioxygène<br>• aliments |  | • dioxyde de carbone<br>• déchets de l'urine |

Chaque cellule de mon corps :
- utilise des nutriments pour construire de nouvelles molécules ;
- produit l'énergie nécessaire à son activité.

**ⓓ** Les échanges avec le milieu extérieur sont en relation avec les besoins des cellules.

## ❷ Les besoins des cellules varient avec l'activité.

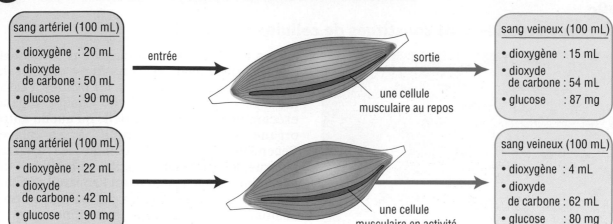

**sang artériel (100 mL)**
- dioxygène : 20 mL
- dioxyde de carbone : 50 mL
- glucose : 90 mg

entrée →

une cellule musculaire au repos

sortie →

**sang veineux (100 mL)**
- dioxygène : 15 mL
- dioxyde de carbone : 54 mL
- glucose : 87 mg

**sang artériel (100 mL)**
- dioxygène : 22 mL
- dioxyde de carbone : 42 mL
- glucose : 90 mg

→

une cellule musculaire en activité

→

**sang veineux (100 mL)**
- dioxygène : 4 mL
- dioxyde de carbone : 62 mL
- glucose : 80 mg

**ⓔ Une comparaison intéressante.**

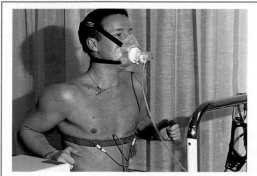

Dans un service de médecine sportive on a enregistré les variations de la consommation de dioxygène d'une part, de la fréquence cardiaque d'autre part chez un sujet de 21 ans mesurant 1,70 m et pesant 68 kg. Au cours de l'enregistrement, le sportif réalise un effort soutenu en courant sur un tapis roulant qui défile de plus en plus rapidement sous ses pieds.

| Temps (minutes) | Vitesse (en km/h) | Consommation moyenne de dioxygène (en mL/min) | Fréquence cardiaque |
|---|---|---|---|
| De 0 à 1 | 0 | 322 | 79 |
| De 1 à 2 | 0 | 322 | 79 |
| De 2 à 3 | 0 | 322 | 79 |
| De 3 à 4 | 0 | 322 | 79 |
| De 4 à 5 | 0 | 323 | 79 |
| De 5 à 6 | 10 | 1 202 | 116 |
| De 6 à 7 | 10 | 2 467 | 158 |
| De 7 à 8 | 11 | 2 763 | 170 |
| De 8 à 9 | 11 | 2 841 | 175 |
| De 9 à 10 | 12 | 2 997 | 181 |
| De 10 à 11 | 12 | 3 043 | 186 |
| De 11 à 12 | 13 | 3 130 | 191 |
| De 12 à 13 | 13 | 3 181 | 195 |
| De 13 à 14 | 14 | 3 196 | 201 |
| De 14 à 15 | 0 | 2 767 | 196 |
| De 15 à 16 | 0 | 2 119 | 178 |
| De 16 à 17 | 0 | 990 | 132 |
| De 17 à 18 | 0 | 455 | 105 |

**ⓕ Travail musculaire et consommation de dioxygène.**

## 🅐ctivités

**1.** Chez un enfant en cours de croissance, il y a construction de nouvelle matière. Et chez un adulte de poids constant, qu'en est-il ? Les documents ⓑ et ⓒ vous permettent de répondre et de justifier votre réponse.

**2.** En utilisant le document ⓔ, précisez la nature des échanges entre une cellule musculaire et le sang. Comment expliquez-vous les différences constatées entre cellule au repos et cellule musculaire au travail ?

**3.** Comment varie la consommation en dioxygène du sportif au cours de l'expérience présentée en ⓕ ? Quelle est, d'après vous, la cause de cette variation ?

**4.** Pourquoi, d'après vous, la consommation de dioxygène augmente-t-elle avec l'activité musculaire ?

**5.** Quel est l'intérêt des variations du rythme cardiaque observées en ⓕ ?

## DOC 1 — Les organes sont constitués de cellules spécialisées.

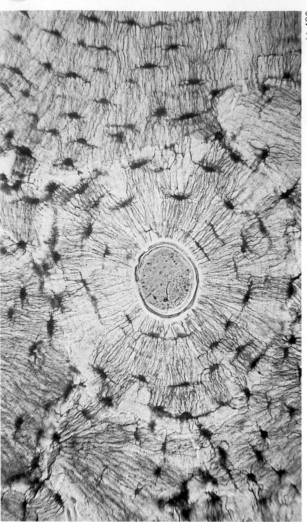

× 480

Vous avez vu, dans les classes précédentes, que le corps humain est constitué d'organes (le cœur, les muscles, les reins, les ovaires, l'estomac...) : c'est un organisme. Chaque organe exécute une activité essentielle qu'aucun autre organe ne peut accomplir à sa place. Cependant des organes comme les ovaires, l'utérus, les trompes, le vagin... constituent un ensemble appelé appareil (ici l'appareil génital) caractérisé non seulement par sa disposition anatomique mais surtout par la fonction qu'il remplit dans l'organisme. On distingue ainsi l'appareil digestif, l'appareil respiratoire, l'appareil musculaire...

L'observation de coupes microscopiques réalisées dans les différents organes du corps montre qu'ils sont tous constitués de cellules. Ces cellules présentent une organisation générale commune (elles ont un noyau, du cytoplasme...) mais elles se distinguent facilement les unes des autres : elles sont spécialisées, c'est-à-dire qu'elles présentent des caractéristiques en rapport avec leur fonction. On évalue à $10^{17}$ le nombre de cellules d'un organisme humain et on distingue environ 200 types cellulaires différents. Les cellules qui présentent la même spécialisation constituent ce que l'on appelle un tissu (tissu musculaire, tissu nerveux...). Un organe est composé de plusieurs types de tissus : au moins deux, mais souvent davantage.

*Photographie* : tissu osseux.

## DOC 2 — Les cellules ont des besoins permanents.

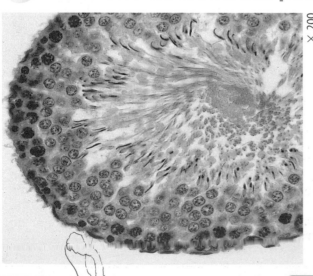

× 200

Quelle que soit sa spécialisation, chaque cellule de l'organisme a, en permanence, besoin de matière et d'énergie pour :
– réaliser la construction de matière nouvelle ;
– assurer les dépenses énergétiques liées à la vie de la cellule.

Ces besoins augmentent avec l'activité de la cellule. Ainsi une cellule musculaire qui se contracte ou une cellule pancréatique au cours de son activité sécrétoire ont des besoins beaucoup plus importants qu'au repos. Ceci se traduit au niveau de l'organisme par une augmentation de la consommation, en dioxygène notamment.

*Photographie* : coupe microscopique de testicule.

### Ce qu'il faut savoir

**L**a spécialisation des cellules permet à chaque organe d'avoir une fonction spécifique qu'aucun autre organe ne peut accomplir à sa place. Un ensemble de cellules qui présentent une structure semblable et remplissent une même fonction constitue un tissu.

Le fonctionnement de l'organisme dépend du fonctionnement de ces cellules spécialisées.

Pour accomplir leur fonction et se renouveler, toutes les cellules ont des besoins de matière et d'énergie. Les échanges entre l'organisme et le milieu extérieur permettent de satisfaire ces besoins et d'éliminer les déchets produits.

### Les mots-clés

- organe
- organisme
- cellule spécialisée
- tissu
- activité
- besoins de matière et d'énergie
- échanges avec le milieu

### Le schéma bilan

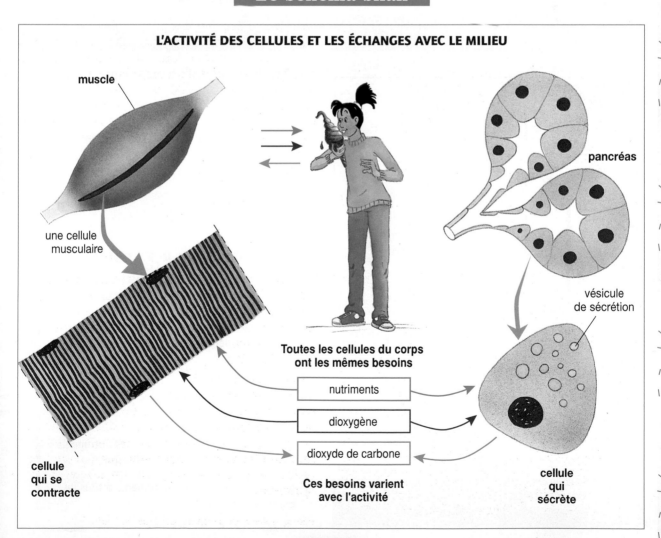

**L'ACTIVITÉ DES CELLULES ET LES ÉCHANGES AVEC LE MILIEU**

muscle

une cellule musculaire

cellule qui se contracte

pancréas

vésicule de sécrétion

cellule qui sécrète

**Toutes les cellules du corps ont les mêmes besoins**

nutriments

dioxygène

dioxyde de carbone

**Ces besoins varient avec l'activité**

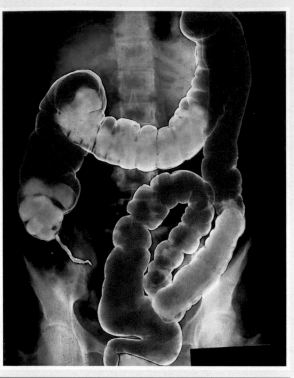

Quelle partie du tube digestif reconnaissez-vous ?

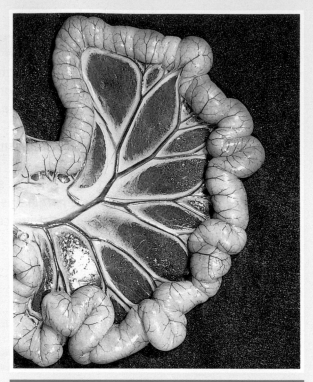

Une riche irrigation sanguine : est-ce important ?

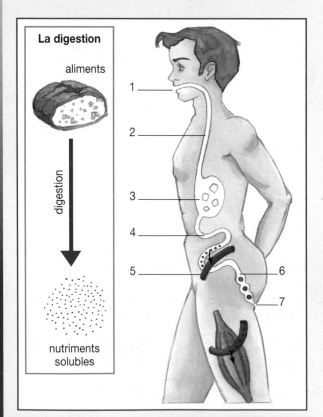

**La digestion**

aliments

digestion

nutriments solubles

1

2

3

4

5

6

7

Légendez ce schéma et exprimez en quelques phrases les idées importantes qui y sont illustrées.

## Ce que nous savons déjà

● Les nutriments utilisés en permanence par les organes, et notamment les muscles, proviennent de la digestion des aliments.

● Dans le tube digestif, les sucs digestifs (salive, suc pancréatique...) assurent une transformation progressive des aliments en nutriments solubles.

● Au niveau de l'intestin grêle, les nutriments passent dans le sang : c'est l'absorption.

● Le sang distribue les nutriments à tous les organes du corps.

# CHAPITRE

# 2

# Des aliments aux nutriments

● Quel est le rôle exact des sucs digestifs dans la digestion ?

● Comment des aliments « solides » peuvent-ils devenir « liquides » et que contiennent ces « liquides » produits au cours de la digestion ?

● Comment l'organisation de l'intestin grêle favorise-t-elle l'absorption, c'est-à-dire le passage de substances dans le sang ?

● Pourquoi parle-t-on de surface d'échange adaptée ?

# Un exemple de digestion « in vitro »

*Au cours de la digestion, les aliments sont transformés en nutriments. En quoi consiste cette transformation ? La réalisation d'une expérience de digestion « in vitro » permet de répondre à cette question. La plus simple à mettre en œuvre est la digestion de l'empois d'amidon*.*

## 1 Le protocole expérimental.

**ⓐ On vient de déposer une goutte d'eau iodée sur une tranche de pain. Elle permet de mettre en évidence le principal constituant du pain : voir p. 170.**

Si on mastique assez longtemps (une dizaine de minutes environ) de la mie de pain, elle s'imprègne de salive et prend une saveur sucrée. D'où vient cette saveur ? L'expérience ci-dessous de digestion « in vitro » de l'amidon permet de répondre à cette question.

**L'expérience**

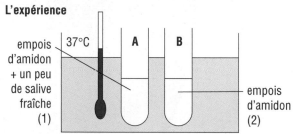

empois
d'amidon
+ un peu
de salive
fraîche
(1)

37°C    A    B

empois
d'amidon
(2)

(1) La salive peut être remplacée par de l'amylase achetée en pharmacie.
(2) Pour préparer l'empois d'amidon, il suffit de mettre une pincée d'amidon « pur » de laboratoire dans de l'eau distillée. En agitant le mélange, on obtient un liquide blanchâtre : le lait d'amidon. On porte alors le lait d'amidon à ébullition et on obtient un liquide sirupeux un peu trouble : l'empois d'amidon.

| | Tube | Test à l'eau iodée | Test à la liqueur de Fehling |
|---|---|---|---|
| $t_0$ | A | + | – |
| | B | | |
| $t_0$ +10 min | A | | |
| | B | | |

**ⓑ Expérience de digestion « in vitro* » de l'empois d'amidon.**

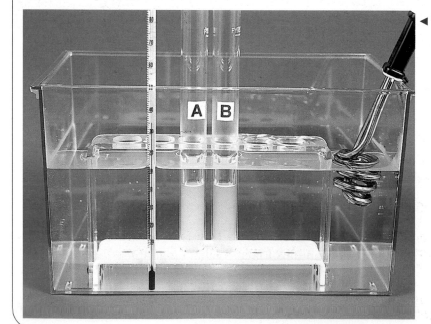

A  B

---

### LEXIQUE

• **Expérience « in vitro »** : expérience réalisée en dehors de l'organisme, dans des tubes de verre.
• **Amidon** : glucide présent dans de nombreux aliments d'origine végétale (pain, pâtes, riz, farine, pommes de terre, haricots...).
• **Suc digestif** : la salive est un suc digestif sécrété par des glandes digestives (les glandes salivaires). Autres exemples de sucs digestifs : le suc pancréatique, le suc gastrique.

## 2 Des résultats à analyser.

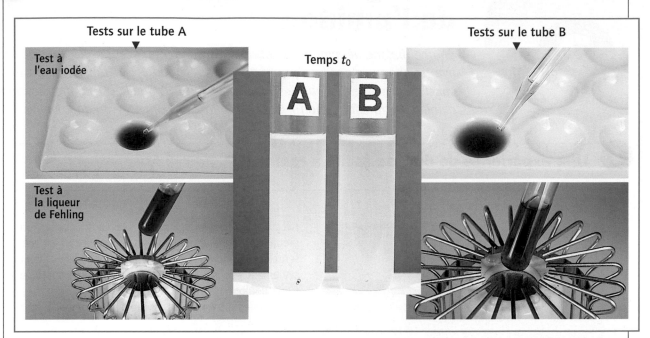

Tests sur le tube A

Test à l'eau iodée

Test à la liqueur de Fehling

Temps $t_0$

A B

Tests sur le tube B

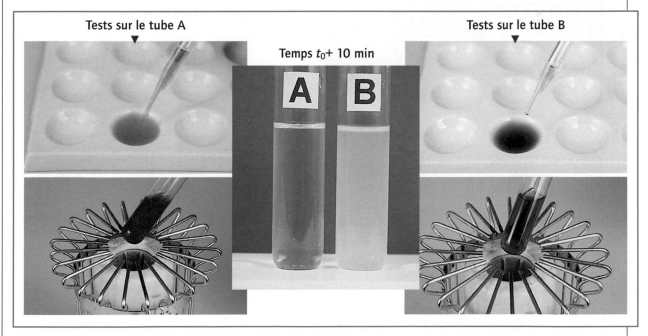

Tests sur le tube A

Temps $t_0$ + 10 min

A B

Tests sur le tube B

**C** Pour interpréter ces résultats, reportez-vous à la page 170.

## Activités

**1.** Quelle substance chimique est mise en évidence par l'expérience **a** ?

**2.** Formulez une hypothèse pour expliquer l'apparition d'un goût sucré lorsqu'on mastique longuement un morceau de pain.

**3.** Le tube B de l'expérience **b** est appelé tube témoin. En quoi est-il utile à l'expérience ? Pourquoi met-on les tubes A et B au bain-marie à 37 °C?

**4.** Au temps $t_0$ + 10 min, (doc **c**), les deux tubes ont-ils le même aspect ? Quelle hypothèse peut-on faire ? Que révèlent les tests ?

**5.** Complétez le tableau de la page ci-contre à l'aide du document **c**. Dans cette expérience, qu'est devenu l'amidon ? Faites une phrase pour le préciser.

# La digestion de l'amidon

*En une dizaine de minutes à la température du corps, et en présence de salive fraîche ou d'amylase pharmaceutique, l'amidon se transforme en une substance sucrée. De quelle substance s'agit-il ? Quelle est la signification d'une telle transformation ? Quel est le rôle de l'amylase ou de la salive ?*

## 1 Une expérience de dialyse facile à réaliser.

### A. Le montage expérimental.

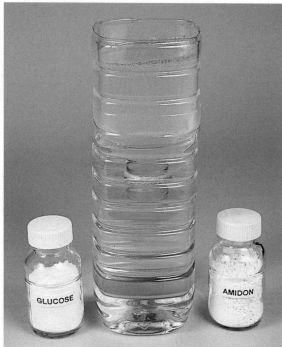

Avec des bouteilles en matière plastique coupées, on prépare trois appareils identiques à celui qui est présenté sur la photographie. Ces trois appareils diffèrent seulement par la nature de la membrane M ligaturée sur le goulot.

$M_1$ : feuille de cellophane assouplie par trempage dans de l'eau distillée ;

$M_2$ : papier filtre ;

$M_3$ : feuille en matière plastique.

**Au début de l'expérience**

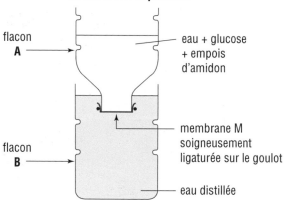

flacon A → eau + glucose + empois d'amidon

membrane M soigneusement ligaturée sur le goulot

flacon B → eau distillée

### B. Les résultats.

Une heure après le début de l'expérience, on prélève du liquide dans le flacon B de chacun des trois montages et on fait les tests de coloration à l'eau iodée et à la liqueur de Fehling. Le tableau présente les résultats observés.

| Montages | Eau iodée | Liqueur de Fehling |
|----------|-----------|--------------------|
| $M_1$ | négatif* | positif** |
| $M_2$ | positif | positif |
| $M_3$ | négatif | négatif |

\* : pas de coloration bleue    \*\* : précipité rouge (voir p. 170)

**Pour interpréter les résultats,** il faut savoir que :

• Une membrane de cellophane présente une multitude de pores extrêmement fins, décelables seulement au microscope électronique.

• Le papier filtre présente de nombreux pores nettement plus gros que ceux d'une feuille de cellophane.

• Une feuille de matière plastique ne présente pas de pores et est donc totalement imperméable.

ⓐ Les molécules d'amidon et les molécules de glucose n'ont pas la même taille.

## ② Le rôle de la salive.

### L'amidon

- Une molécule d'amidon est formée de nombreuses molécules de glucose liées les unes aux autres : c'est donc une très grosse molécule (ou macromolécule*).

- Le nombre de molécules de glucose varie de 200 à 3 000 selon qu'il s'agit de l'amidon de la pomme de terre, du blé, du maïs, du riz...

- En raison de la grande taille de sa molécule, l'amidon n'est pas soluble dans l'eau. L'empois d'amidon a un aspect gélatineux.

### Le glucose et le maltose

- Les deux molécules ont une saveur sucrée ; pour cela, on les appelle des sucres.

- Ce sont de petites molécules solubles dans l'eau.

- Le maltose est formé de deux molécules de glucose.

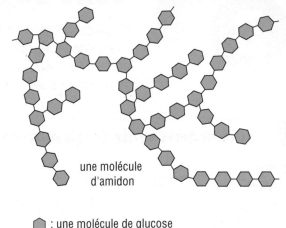

une molécule d'amidon

⬡ : une molécule de glucose

⬡–⬡ : une molécule de maltose

**ⓑ** Présentation des principaux glucides : l'amidon, le maltose, le glucose.

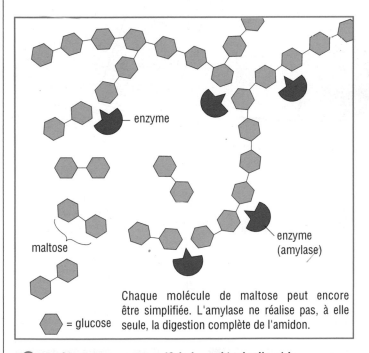

enzyme

maltose

enzyme (amylase)

= glucose

Chaque molécule de maltose peut encore être simplifiée. L'amylase ne réalise pas, à elle seule, la digestion complète de l'amidon.

**ⓒ** Un découpage progressif de la molécule d'amidon.

### Quel rôle joue l'enzyme* ?

La salive contient une enzyme (l'amylase salivaire) qui permet un début de digestion de l'amidon. Dans un tube qui contient de l'empois d'amidon sans salive, des molécules de sucre apparaissent cependant au bout de quelques jours. Quelques dizaines d'années plus tard, tout l'amidon aurait disparu.

Ainsi l'enzyme accélère considérablement une réaction qui pourrait se produire spontanément sans elle, mais qui serait extrêmement lente. Certaines réactions chimiques sont ainsi accélérées plusieurs milliards de fois par la présence d'une enzyme.

Les chimistes appellent catalyseurs les substances qui, à faible dose, accélèrent ainsi les réactions chimiques. Un catalyseur n'étant pas modifié peut resservir indéfiniment.

**ⓓ** Une enzyme : un catalyseur biologique.

## Ⓐctivités

**1.** Analysez les résultats de l'expérience **ⓐ**. Quelle substance traverse la feuille de cellophane ? Quelles substances traversent le papier filtre ? Comment expliquez-vous ces résultats ? Illustrez votre explication par un schéma.

**2.** Les informations **ⓑ** confirment-elles vos explications ?

**3.** Pourquoi dit-on que la digestion de l'amidon est une simplification moléculaire ? Quel est le rôle des enzymes digestives ?

# Les autres macromolécules sont aussi digérées

**3**

*Sur l'emballage de très nombreux aliments figure la composition chimique. Il est facile de constater que l'on trouve toujours les trois mêmes composants : protides, glucides, lipides. L'amidon et les sucres tels que le glucose et le maltose sont des glucides. Que sont les protides et les lipides ?*

## 1 Trois grands groupes de macromolécules.

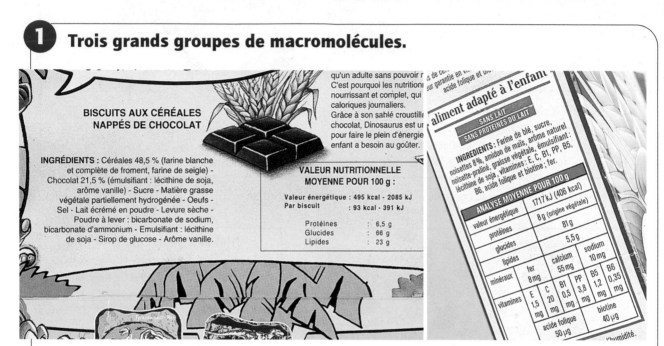

BISCUITS AUX CÉRÉALES
NAPPÉS DE CHOCOLAT

**INGRÉDIENTS :** Céréales 48,5 % (farine blanche et complète de froment, farine de seigle) - Chocolat 21,5 % (émulsifiant : lécithine de soja, arôme vanille) - Sucre - Matière grasse végétale partiellement hydrogénée - Oeufs - Sel - Lait écrémé en poudre - Levure sèche - Poudre à lever : bicarbonate de sodium, bicarbonate d'ammonium - Emulsifiant : lécithine de soja - Sirop de glucose - Arôme vanille.

VALEUR NUTRITIONNELLE
MOYENNE POUR 100 g :

Valeur énergétique : 495 kcal - 2085 kJ
Par biscuit : 93 kcal - 391 kJ

| | |
|---|---|
| Protéines | : 6,5 g |
| Glucides | : 66 g |
| Lipides | : 23 g |

qu'un adulte sans pouvoir n
C'est pourquoi les nutrition
nourrissant et complet, qui
caloriques journaliers.
Grâce à son sablé croustill
chocolat, Dinosaurus est ur
pour faire le plein d'énergie
enfant a besoin au goûter.

aliment adapté à l'enfant

SANS LAIT
SANS PROTÉINES DU LAIT

**INGRÉDIENTS :** Farine de blé, sucre, noisettes 8%, amidon de maïs, arôme naturel noisette-praliné, graisse végétale, émulsifiant : lécithine de soja, vitamines : E, C, B1, PP, B5, B6, acide folique et biotine ; fer.

ANALYSE MOYENNE POUR 100 g

| | | | |
|---|---|---|---|
| valeur énergétique | 1717 kJ (406 kcal) | | |
| protéines | 8 g (origine végétale) | | |
| | 81 g | | |
| glucides | 5,5 g | | |
| lipides | | | |
| minéraux | fer 8mg | calcium 55 mg | sodium 10 mg |
| vitamines | E 1,5 mg | C 20 mg | B1 0,5 mg | PP 3,8 mg | B5 1,2 mg | B6 0,35 mg |
| | acide folique 50 µg | | biotine 40 µg |

**a** Deux étiquettes d'aliments. On retrouve toujours les mêmes grands groupes de constituants.

- Les protides sont tous constitués d'**acides aminés**.
- Il existe 20 acides aminés différents (chacun d'eux porte un nom).
- Une protéine est formée de l'enchaînement d'un grand nombre d'acides aminés (en général, de quelques centaines à quelques milliers). Une protéine est donc une macromolécule.
- Chaque protéine est spécifique ; elle se distingue de toutes les autres par :
- le nombre total d'acides aminés qui la constitue ;
- le nombre de chacun des acides aminés ;
- l'ordre dans lequel sont placés ces acides aminés.

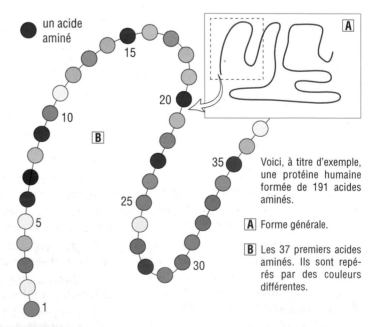

un acide aminé

**A**

**B**

Voici, à titre d'exemple, une protéine humaine formée de 191 acides aminés.

**A** Forme générale.

**B** Les 37 premiers acides aminés. Ils sont repérés par des couleurs différentes.

**b** Les protéines : des protides à très grosses molécules.

## ❷ La digestion* des macromolécules de protides et de lipides.

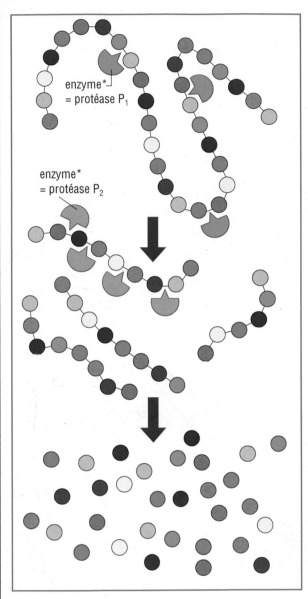

enzyme*
= protéase P₁

enzyme*
= protéase P₂

**ⓒ** Quelle que soit la protéine digérée, on obtient toujours des acides aminés à la fin de la digestion.

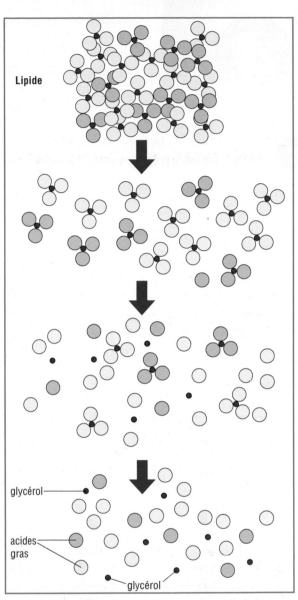

Lipide

glycérol

acides gras

glycérol

**ⓓ** La simplification des lipides, sous l'action des lipases, aboutit à la libération d'acides gras et de glycérol.

---

### LEXIQUE

• **Digestion** : ensemble des transformations mécaniques (broyage) et chimiques subies par les aliments dans le tube digestif.

• **Digestion chimique** : transformation chimique des aliments sous l'action des enzymes. Les grosses molécules sont dissociées en petites molécules solubles.

• **Spécificité d'une enzyme** : une enzyme ne catalyse qu'une réaction précise.

### Ⓐctivités

**1.** En prenant comme exemple une protéine, expliquez ce qu'est une macromolécule.

**2.** En quoi consiste la digestion d'une protéine ? Quelles enzymes interviennent dans cette digestion ?

**3.** Que signifie l'expression : « la digestion fait perdre aux protéines leur spécificité » ?

**4.** Dans la digestion des lipides retrouve-t-on une simplification moléculaire ? Justifiez votre réponse.

**5.** Pourquoi dit-on que les enzymes :
– sont des catalyseurs ?
– ont un rôle spécifique ?

# Les nutriments

*Nous avons vu précédemment ce qu'est la digestion chimique de l'amidon, celle des protéines et celle des lipides. Au terme de la digestion, que trouve-t-on dans l'intestin grêle ? Tous les aliments ont-ils été digérés ? Que sont exactement les nutriments ? Dans quelle partie du tube digestif sont-ils absorbés ?*

**1** **Les nutriments\*, résultat de la digestion des aliments.**

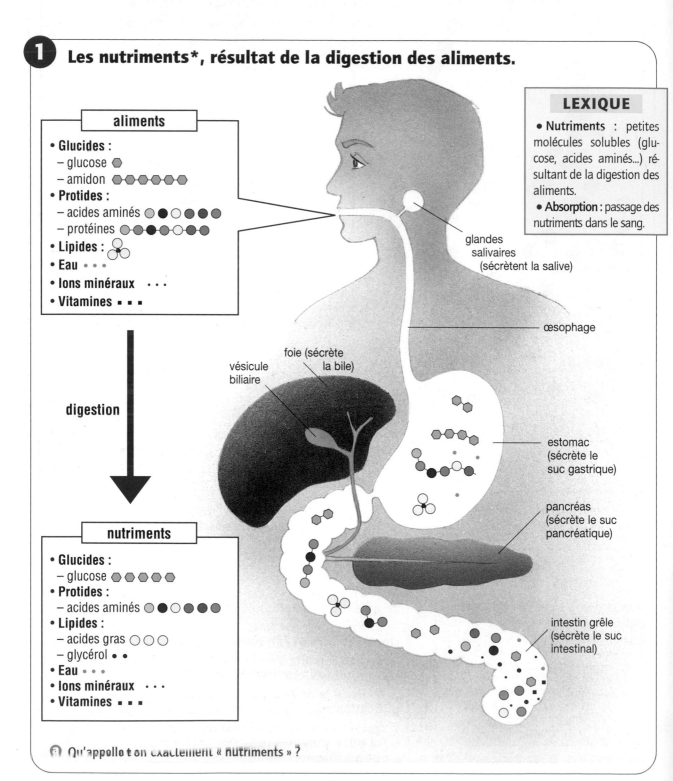

**aliments**

- **Glucides :**
  – glucose
  – amidon
- **Protides :**
  – acides aminés
  – protéines
- **Lipides :**
- **Eau** · · ·
- **Ions minéraux** · · ·
- **Vitamines** ▪ ▪ ▪

**digestion**

**nutriments**

- **Glucides :**
  – glucose
- **Protides :**
  – acides aminés
- **Lipides :**
  – acides gras ○ ○ ○
  – glycérol • •
- **Eau** · · ·
- **Ions minéraux** · · ·
- **Vitamines** ▪ ▪ ▪

**LEXIQUE**

- **Nutriments** : petites molécules solubles (glucose, acides aminés...) résultant de la digestion des aliments.
- **Absorption** : passage des nutriments dans le sang.

glandes salivaires (sécrètent la salive)

œsophage

foie (sécrète la bile)

vésicule biliaire

estomac (sécrète le suc gastrique)

pancréas (sécrète le suc pancréatique)

intestin grêle (sécrète le suc intestinal)

**a** Qu'appelle-t-on exactement « nutriments » ?

120

## ➋ Le devenir des nutriments après la digestion.

### Au cours d'une journée, nous consommons environ :

- Protides : 80 g
- Lipides : 100 g
- Glucides : 320 g
- Ions minéraux : 10 g
- Eau : 1,5 L

À l'aide d'une sonde qui passe par l'œsophage et traverse l'estomac, on prélève un peu du contenu du tube digestif à différentes distances de la bouche chez un homme en cours de digestion.

Ainsi, pour un repas de composition connue, on calcule les pourcentages de protides, lipides, glucides encore présents dans l'intestin à telle ou telle distance de la bouche.

Longueur de l'intestin grêle : 600 cm.

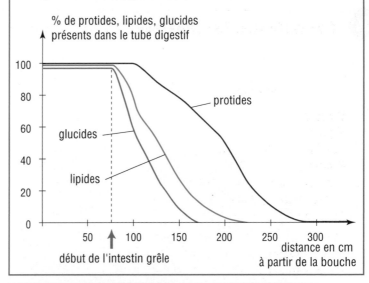

### Analyse chimique des matières fécales rejetées en 24 h

| | |
|---|---|
| Poids total . . . . . . . . . . . . . . | 150 g |
| Eau . . . . . . . . . . . . . . . . . . . . . | 117 g |
| Amidon . . . . . . . . . . . . . . . . . . | traces |
| Lipides . . . . . . . . . . . . . . . . . | 2 g |
| Protides . . . . . . . . . . . . . . . . . | traces |
| Colorants biliaires* . . . . . . . . | 250 mg |
| Cellulose non digérée . . . . . . . | 20 g |
| Bactéries intestinales** . . . . . | 11 g |

\* c'est la bile qui donne leur couleur aux selles.
\*\* les bactéries qui pullulent dans notre gros intestin se multiplient rapidement. Elles constituent une part importante de nos selles.

ⓑ **Une comparaison intéressante.**

ⓒ **Une méthode pour étudier l'absorption\* intestinale.**

| | Entre les repas | Juste après la digestion d'un repas |
|---|---|---|
| Glucose | 0,8 | 1,5 à 1,8 |
| Acides aminés | 0,5 | 15 |
| Lipides simples | 4 à 7 | 20 |

ⓓ **Teneur en nutriments (en g/L) du sang ayant irrigué l'intestin.**

Le gros intestin est le siège :
– d'une importante absorption d'eau : ainsi les résidus de la digestion deviennent de plus en plus solides et forment la matière fécale ;
– de transformations chimiques d'une partie de la cellulose (la moitié environ) sous l'action de bactéries de la flore intestinale (ces fermentations bactériennes produisent du glucose qui est réabsorbé) ;
– de putréfaction des protides avec production de produits malodorants.

ⓔ **Les multiples fonctions du gros intestin.**

## Activités

**1.** D'après le document ⓐ, faites la liste des molécules qui subissent une digestion chimique et une liste de celles qui n'en subissent pas.

**2.** La cellulose est formée de fibres qui ne sont que partiellement digérées ; elle favorise le transit intestinal : de quoi s'agit-il ? Voir exercice 3, p. 127.

**3.** Comparez la taille des molécules introduites dans la bouche avec la taille des molécules contenues dans l'intestin grêle à la fin de la digestion. Déduisez-en le rôle de la diges-

tion. Citez les nutriments résultant de la digestion des aliments.

**4.** Quelles molécules présentes dans les aliments ne retrouve-t-on pas dans les selles ? Que sont-elles devenues ?

**5.** Comment évolue la quantité de glucides, lipides, protides dans l'intestin grêle ? Comment expliquez-vous la disparition progressive de ces constituants ? Le document ⓓ confirme-t-il votre explication ?

# L'intestin grêle : une structure adaptée à l'absorption

*La paroi de l'intestin grêle présente un certain nombre de caractéristiques qui favorisent le passage des nutriments de la cavité de l'intestin dans le sang et la lymphe. Ces caractéristiques font de l'intestin grêle une surface d'échanges remarquablement adaptée à l'absorption. Voici quelques documents pour découvrir ces adaptations.*

**1** **Dix millions de villosités.**

× 40

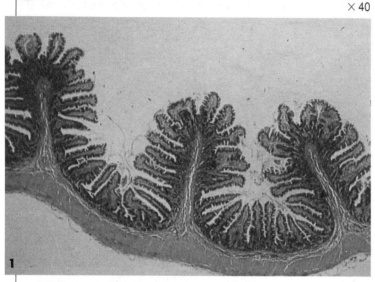

× 200

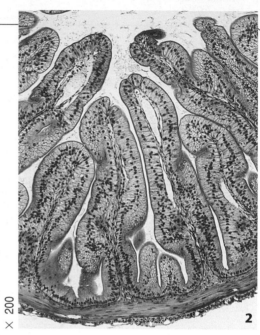

**ⓐ** Plis circulaires et villosités* sont visibles sur ces coupes d'intestin grêle.

× 200

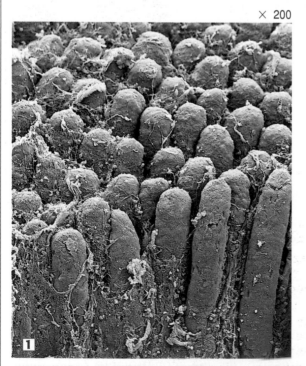

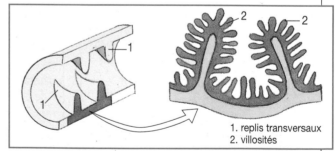

1. replis transversaux
2. villosités

× 200

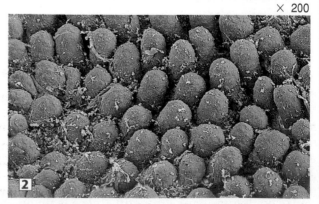

**ⓑ** Villosités intestinales observées au M.E.B. **1** - Vues de profil. **2** - Vues de dessus.

## ② Une surface estimée à plus de 200 m².

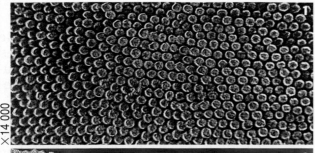

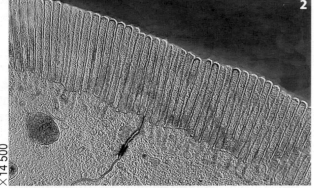

×14 000

×14 500

L'intestin grêle a une longueur de 7 à 8 mètres. Il présente des plis internes au nombre de 8 à 900 qui triplent presque sa surface intérieure. Celle-ci est encore augmentée par la présence de villosités, au nombre de 10 millions.

« La surface de chaque villosité est recouverte de microvillosités. La combinaison des plis internes, des villosités et des microvillosités fait que la surface interne de l'intestin est 600 fois plus grande que sa surface externe. On estime à plus de 200 m² la surface totale développée de l'intestin grêle de l'homme (surface d'un court de tennis). »

D'après A.-J. Vander.

**ⓒ** Microvillosités* observées au M.E.B. **1** – Vues de dessus. **2** – Coupées en long.

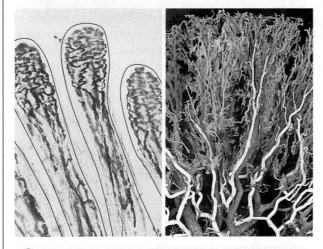

**ⓓ** Un riche réseau de capillaires sanguins dans chaque villosité.

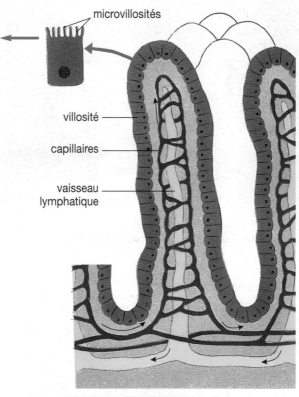

microvillosités

villosité

capillaires

vaisseau lymphatique

**ⓔ** De remarquables adaptations.

---

### LEXIQUE

- **Villosités** : petites digitations d'un millimètre de haut qui donnent à l'intérieur de l'intestin un aspect velouté.
- **Microvillosités** : minuscules replis de la membrane cytoplasmique des cellules.
- **Lymphe** : liquide incolore provenant du sang et qui retourne au sang.

### Ⓐctivités

**1.** Décalquez une partie de la photographie ⓐ de manière à repérer sur votre dessin un repli transversal de l'intestin et une villosité.

**2.** D'après la photographie ⓐ**2**, faites le contour d'une villosité intestinale. Représentez à l'intérieur de cette villosité les vaisseaux sanguins. Ajoutez une flèche qui indique le trajet des nutriments.

**3.** Pourquoi dit-on que l'intestin grêle a une structure adaptée à l'absorption des nutriments ?

**DOC 1  DOC 2  DOC 3**

## La digestion : une simplification moléculaire.

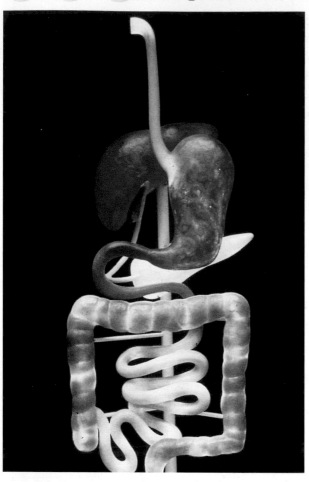

L'amidon est une très grosse molécule constituée par l'enchaînement de nombreuses molécules de glucose. La digestion de ce glucide correspond à un découpage de la macromolécule d'amidon en molécules de glucose.

De façon analogue, la digestion d'une protéine est une fragmentation de cette macromolécule en molécules d'acides aminés. De même les lipides sont, au cours de la digestion, transformés en acides gras et glycérol.

Cette « fragmentation » des macromolécules n'est ni un broyage mécanique ni une simple dissolution : c'est une digestion chimique, c'est-à-dire la transformation d'un constituant complexe en petites molécules solubles (les nutriments).

Cette fragmentation des macromolécules alimentaires se produirait spontanément mais à une vitesse extrêmement lente (il faudrait par exemple des dizaines d'années pour que le découpage de l'amidon soit terminé). Les enzymes contenues dans les sucs digestifs accélèrent de façon considérable ces réactions chimiques : ce sont des catalyseurs. Une enzyme donnée ne catalyse qu'une réaction précise. On appelle digestion l'ensemble des transformations qui assurent la fragmentation des aliments en nutriments utilisables par les cellules.

*Photographie :* une maquette du Palais de la découverte.

**DOC 4  DOC 5**

## L'absorption : le passage des nutriments dans le sang.

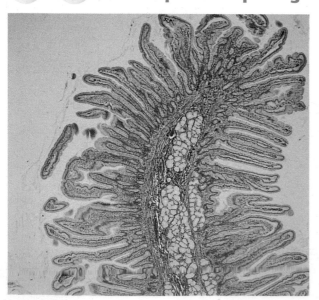

Après la digestion, tous les aliments ingérés (à l'exception d'une partie des fibres cellulosiques) sont transformés en un liquide blanchâtre formé d'eau et de substances dissoutes (ions minéraux, glucose, acides aminés...).

Au niveau de l'intestin grêle, ces nutriments passent dans les vaisseaux sanguins ou, pour les produits de la digestion des lipides, dans les vaisseaux lymphatiques : c'est l'absorption.

La paroi interne de l'intestin grêle présente de nombreux replis lamelleux recouverts de millions de villosités très richement irriguées. La surface des villosités est elle-même recouverte de microvillosités. L'intestin grêle représente donc une surface d'échange particulièrement adaptée à l'absorption.

*Photographie :* villosités intestinales ($\times$ 80).

## Ce qu'il faut savoir

Au cours de la digestion, la fragmentation de molécules de grosse taille (glucides, protides, lipides), contenues dans les aliments aboutit à un nombre réduit de types de petites molécules non spécifiques (glucose, acides aminés, glycérol, acides gras). Cette simplification moléculaire s'effectue sous l'action d'enzymes digestives. L'eau, les ions minéraux et les vitamines constitués de petites molécules ne subissent pas de digestion chimique.

Au terme de la digestion, on trouve dans l'intestin grêle :

– des petites molécules résultant ou non de la simplification moléculaire et des ions : ce sont les nutriments ;

– des grosses molécules non digérées comme la cellulose.

Les nutriments sont absorbés dans l'intestin grêle, dont la paroi présente des caractéristiques qui favorisent leur passage de la cavité de l'intestin grêle vers le sang et la lymphe.

### Les mots-clés

- amidon
- glucides
- glucose
- protéine
- acide aminé
- enzyme
- nutriment
- digestion
- absorption

## Le schéma bilan

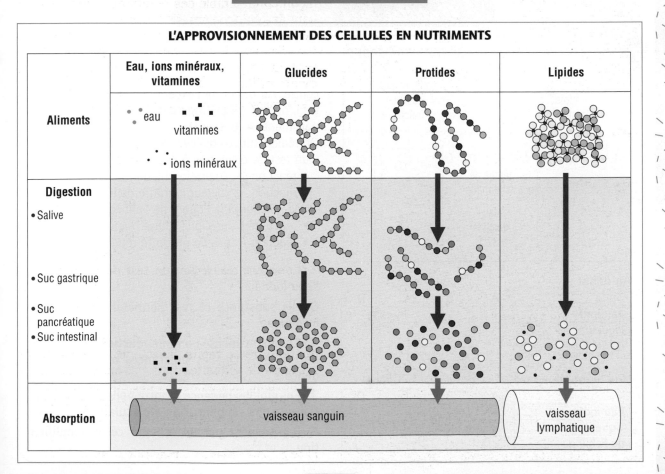

L'APPROVISIONNEMENT DES CELLULES EN NUTRIMENTS

| | Eau, ions minéraux, vitamines | Glucides | Protides | Lipides |
|---|---|---|---|---|
| Aliments | eau — vitamines — ions minéraux | | | |
| Digestion • Salive • Suc gastrique • Suc pancréatique • Suc intestinal | | | | |
| Absorption | | vaisseau sanguin | | vaisseau lymphatique |

# EXERCICES

**A • Définissez les mots ou expressions :**
Digestion, absorption, nutriments, suc digestif, enzymes, villosités intestinales.

**B • Vrai ou faux ?**
Certaines affirmations sont exactes ; recopiez-les. Corrigez ensuite les affirmations inexactes.
**a.** Les acides aminés proviennent de la digestion des lipides.
**b.** Les sucs digestifs contiennent des enzymes.
**c.** Tous les aliments subissent une digestion.
**d.** Tous les nutriments passent dans le sang au niveau des villosités intestinales.
**e.** La digestion d'une protéine entraîne une perte de spécificité de cette molécule.

**C • Donnez le nom...**
**a.** Des substances qui résultent de la digestion.
**b.** Des substances qui permettent la digestion des aliments.
**c.** Des molécules constituées d'acides aminés.

**d.** De l'ensemble des substances suivantes : glucides, lipides, protides.

**D • Pourquoi dit-on que...**
**a.** La digestion est une simplification moléculaire ?
**b.** Les enzymes sont spécifiques de leur substrat ?
**c.** La paroi de l'intestin est une surface d'échange ?

**E • Quelle est la différence entre...**
**a.** Aliments et nutriments ?
**b.** Enzymes et sucs digestifs ?
**c.** Protéines et acides aminés ?

**F • Exprimez des notions importantes...**
en rédigeant une phrase utilisant chaque groupe de mots :
**a.** Nutriments, sang, lymphe, villosité.
**b.** Grosses molécules, aliments, enzyme, petites molécules, nutriments.
**c.** Aliments non digérés, cellulose, gros intestin, anus.
**d.** Digestion, protéine, spécificité, acides aminés.

## 1 Analyser les résultats d'une expérience.

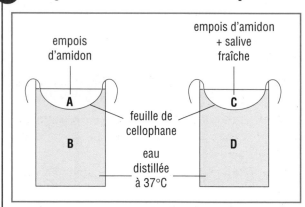

**Au début :**

|  | A | B | C | D |
|---|---|---|---|---|
| Eau iodée | + | – | + | – |
| Liqueur de Fehling | – | – | – | – |

**Une heure plus tard :**

|  | A | B | C | D |
|---|---|---|---|---|
| Eau iodée | + | – | – | – |
| Liqueur de Fehling |  |  | ı | + |

On réalise l'expérience présentée par le schéma ci-contre. Au début de l'expérience et une heure plus tard, on fait un prélèvement dans chacun des compartiments A, B, C et D.
On réalise sur ces prélèvements :
– un test de coloration à l'eau iodée ;
  • réaction + : coloration bleue ;
  • réaction – : couleur jaunâtre de l'iode.
– une réaction à la liqueur de Fehling
  • réaction + : précipité rouge brique ;
  • réaction – : pas de précipité rouge brique.

**1 •** Comment réalise-t-on un test de coloration à l'eau iodée ?
Quelle substance ce test permet-il de mettre en évidence ?

**2 •** Comment réalise-t-on une réaction à la liqueur de Fehling ? Quelles substances met-elle en évidence ?

**3 •** En quoi l'expérience montre-t-elle que la digestion est une simplification moléculaire ?

**4 •** Représentez par un schéma cette simplification.

# EXERCICES

## 2 Comprendre les causes de l'intolérance au lait.

**1 •** En utilisant les informations fournies par le texte ci-dessous dites dans quelle partie du tube digestif est digéré le lactose ? Par quelle enzyme ?

Le lait contient un glucide : le lactose. Ce sucre a une constitution proche de celle du maltose. Il est formé de deux molécules de sucres simples : le glucose et le galactose.

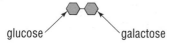

glucose        galactose

La digestion chimique du lactose est assurée par une enzyme de l'intestin grêle : la lactase.

Chez certaines personnes, la lactase intestinale, présente à la naissance, est par la suite fabriquée en quantité insuffisante (à cause de facteurs génétiques). Dans de tels cas, la personne ne « tolère » plus le lait et présente des troubles intestinaux.

D'une part, le lactose non digéré empêche l'absorption d'eau au niveau de l'intestin grêle et dans le gros intestin. Il se produit alors des diarrhées.

D'autre part, la dégradation du lactose par des bactéries produit de grandes quantités de gaz et provoque des crampes douloureuses.

La solution à ce problème est simple : il suffit d'ajouter quelques « gouttes » de lactase au lait.

**2 •** Représentez par un schéma le résultat de la digestion du lactose. Y a-t-il simplification moléculaire ? Que deviennent normalement les molécules résultant de la digestion ?

**3 •** Pourquoi l'absence de lactase chez certaines personnes entraîne-t-elle des troubles intestinaux aussi importants ?

**4 •** Quelle solution peut-on apporter pour éviter ces troubles ?

**5 •** D'après l'étiquette ci-dessous, donnez la liste des nutriments qui résultent de la digestion du lait. Quelles enzymes autres que la lactase interviennent dans cette digestion ?

## 3 Comprendre l'intérêt d'une règle d'hygiène alimentaire.

Le son de blé (présent dans le pain complet), les fruits, les légumes (carottes, chou, haricots verts...) sont riches en « fibres végétales » faites de cellulose. La cellulose est un glucide : une macromolécule constituée par de nombreuses molécules de glucose liées les unes aux autres.

Dans le tube digestif de l'homme, il n'y a pas d'enzyme capable de digérer la cellulose. La cellulose est cependant attaquée par les bactéries qui vivent dans le gros intestin et une partie de la cellulose est ainsi digérée (environ 60 %), ce qui contribue davantage à la nutrition des bactéries qu'à la nôtre.

La partie non digérée est rejetée dans les matières fécales et favorise le transit intestinal : les fibres retiennent l'eau et augmentent le volume des selles. La constipation, le cancer du colon... sont des maladies plus fréquentes en Occident (où la consommation de fibres a considérablement baissé), qu'en Afrique (où la consommation de fibres est importante).

**1 •** Faites une représentation schématique d'une molécule de cellulose.

**2 •** Quel serait le résultat de la digestion complète de la cellulose s'il y avait une « cellulase » dans l'intestin humain ?

**3 •** Que devient la cellulose consommée par l'homme ?

**4 •** Expliquez pourquoi il est recommandé de consommer 6 à 8 g de fibres par jour (actuellement, dans les pays développés, on en consomme moins de 1 g).

# EXERCICES

## 4 Lire un graphique.

Le graphique ci-dessous traduit les résultats d'une expérience de digestion réalisée in vitro grâce à du suc pancréatique.

**1 •** Que représente ce graphique ?

**2 •** Quelles sont les concentrations de l'amidon et du glucose au début de l'expérience ?

**3 •** Comment évoluent les concentrations de ces deux constituants chimiques ?

**4 •** En vous rappelant que ces deux produits sont des glucides, quelles explications pouvez-vous donner pour rendre compte de ces résultats ? Que contient le suc pancréatique ?

**5 •** Rappelez les structures des molécules de ces deux produits puis justifiez l'expression : la digestion est une simplification moléculaire.

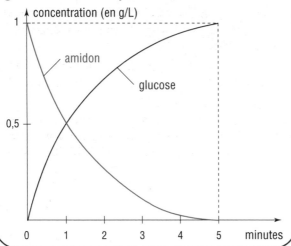

## 5 Comprendre l'intérêt de la digestion.

Paul a pris au cours de son repas des côtelettes d'agneau et des lentilles alors que Louise a préféré du poulet et des endives.

**1 •** Quels nutriments résultent de la digestion de chacun des aliments des deux repas ?

**2 •** Si on compare le contenu intestinal de Paul et de Louise à la fin de la digestion, est-il possible de déterminer quels aliments chacun d'eux a consommés ?

**3 •** En tenant compte de vos réponses précédentes, rédigez une phrase de conclusion sur le rôle de la digestion.

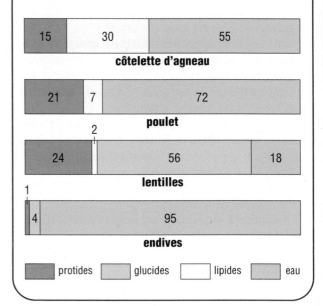

## 6 Interpréter une expérience.

On réalise l'expérience de digestion in vitro présentée sur la figure ci-contre :

• **Tube A :** 10 cm³ d'empois d'amidon + un peu de salive fraîche.

• **Tube B :** 10 cm³ d'empois d'amidon + un peu de salive bouillie.

• **Tube C :** de très petits fragments de blanc d'œuf cuit (protéine) + un peu de salive fraîche.

Une demi-heure plus tard, on pratique les tests à l'eau iodée et à la liqueur de Fehling sur les tubes A et B :

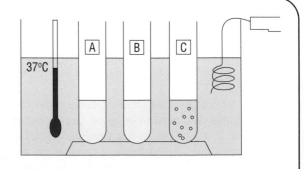

|  | A | B |
|---|---|---|
| Eau iodée | – | + |
| Liqueur de Fehling | + | – |

Le test de mise en évidence des protéines pratiqué en C montre qu'aucune digestion ne s'est produite.

**1 •** Que contient en fin d'expérience
– le tube A ?
– le tube B ?

**2 •** Comment interprétez-vous les différences constatées entre A et B ?

**3 •** Comparez les résultats entre A et C. Quelle conclusion peut-on en dégager ?

# E X E R C I C E S

## 7 Comparer des résultats expérimentaux.

### Expérience à analyser

**1. Mise en route de l'expérience**

On met dans trois tubes à essais A, B et C :
– la même quantité d'empois d'amidon ;
– un peu de salive fraîche.

Ces trois tubes sont placés à des températures différentes :

A : dans la glace fondante (0 °C).
B : à la température de la salle (20 °C).
C : dans un bain-marie à 37 °C.

Toutes les trois minutes, on prélève quelques gouttes du contenu de chacun des tubes et on y ajoute une goutte d'eau iodée.

**2. Résultats observés\***

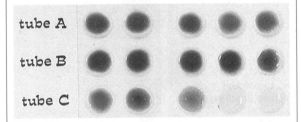

On constate la disparition rapide de l'amidon à 37 °C, plus lente à 20 °C. À 0 °C, la digestion n'est pas obtenue en une demi-heure, mais il suffit de mettre le tube à 37 °C pour qu'elle se produise en quelques minutes.

\* Coloration à l'eau iodée :
- bleue : présence d'amidon.
- rouge violacée : les molécules d'amidon sont découpées en molécules plus petites (des chaînes d'une dizaine de molécules de glucose).
- jaunâtre : les molécules d'amidon sont découpées en molécules de maltose.

**1 •** D'après l'expérience, à quelle température la digestion de l'empois d'amidon est-elle la plus rapide : 0 °C, 20 °C ou 37 °C ?

**2 •** D'après l'expérience, il n'y a pas de digestion à 0 °C. Cette température détruit-elle l'enzyme ? Justifiez votre réponse.

**3 •** Repérez sur le graphe les trois températures précédentes. Ces résultats expérimentaux sont-ils en accord avec la courbe proposée ?

**4 •** D'après le graphe, à quelle température la vitesse de la réaction catalysée est-elle optimale ? Quelle est l'activité enzymatique à 60 °C ?

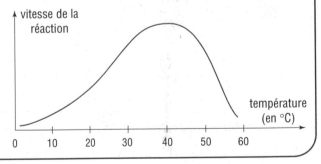

## 8 Retrouver un mécanisme physiologique important.

**1 •** Que représente ce croquis ? Dans quelle partie du tube digestif trouve-t-on une telle structure ?

**2 •** Recopiez l'ensemble du document. Indiquez les légendes A, B et C. Parmi les substances contenues dans l'intestin grêle, soulignez en vert celles qui représentent des nutriments.

**3 •** Indiquez par des flèches le devenir de ces nutriments. Quel phénomène représentent ces flèches ?

| Contenu de l'intestin grêle |
|---|
| glucose |
| protéine |
| cellulose |
| acides aminés |
| eau |
| ions minéraux |
| sucs digestifs |
| amidon |
| vitamines |
| acides gras |

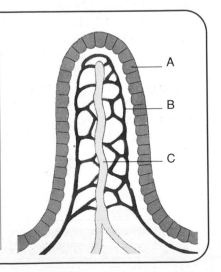

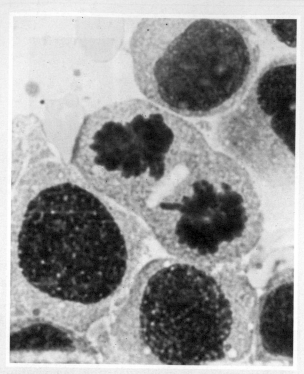

**Que représente la photographie ? Pourquoi y a-t-il ici utilisation de nutriments ?**

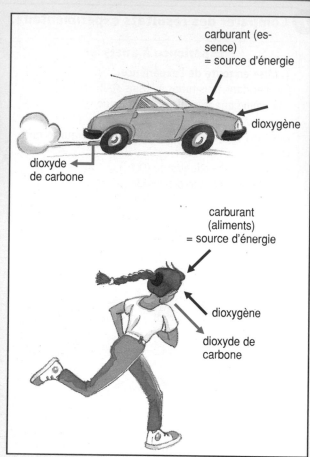

carburant (essence) = source d'énergie

dioxygène

dioxyde de carbone

carburant (aliments) = source d'énergie

dioxygène

dioxyde de carbone

**Pourquoi propose-t-on ici le rapprochement entre une voiture et le corps humain ?**

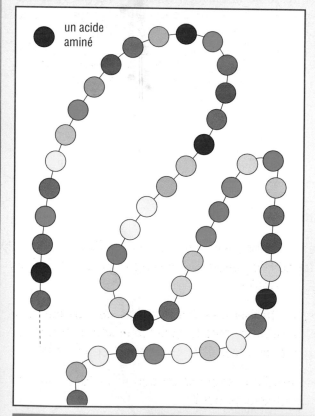

un acide aminé

**Que représente ce schéma ? Pourquoi parle-t-on de molécules spécifiques ?**

### Ce que nous savons
# déjà

● Pour se maintenir en vie une cellule a besoin de matière et d'énergie. Ces besoins augmentent avec l'activité de la cellule.

● Une cellule puise dans le sang des nutriments et du dioxygène et y rejette du dioxyde de carbone.

● Les protéines de tous les êtres vivants sont constituées des mêmes 20 acides aminés. Elles diffèrent les unes des autres par le nombre des acides aminés qui les composent et par l'ordre de leur enchaînement.

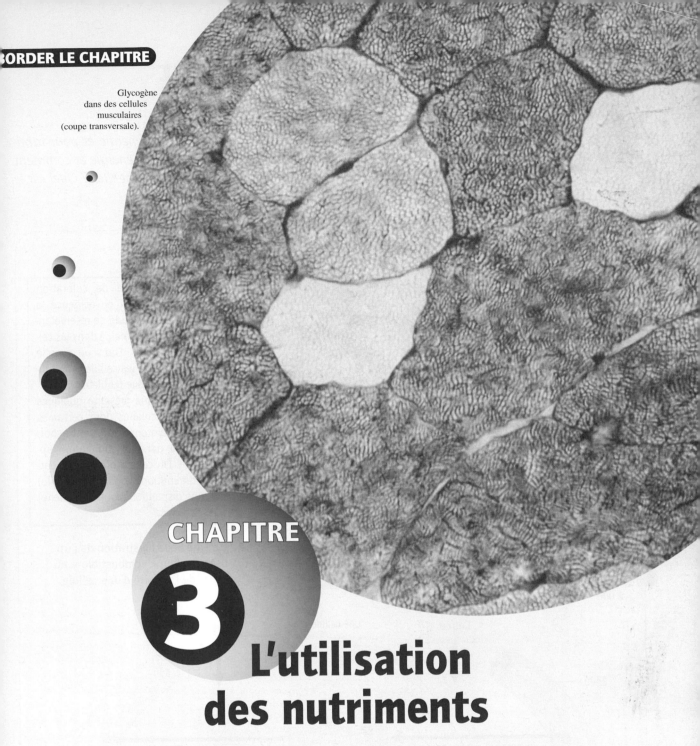

Glycogène
dans des cellules
musculaires
(coupe transversale).

CHAPITRE

# 3

# L'utilisation des nutriments

## DE NOUVEAUX PROBLÈMES A RÉSOUDRE

● Comment une cellule produit-elle l'énergie dont elle a besoin ? Que fait-elle du dioxygène qu'elle puise dans le sang ? Quelle est l'origine du dioxyde de carbone rejeté ?

● Pour une cellule, synthétiser une protéine consiste à assembler des acides aminés dans un ordre correct, toujours le même pour une protéine donnée. Comment cet enchaînement rigoureux est-il possible ?

● Que se passe-t-il lorsqu'une erreur se produit dans l'enchaînement ? Quelle est la cause d'une telle erreur ?

# Les cellules utilisent les nutriments

*Les cellules utilisent les nutriments pour produire de l'énergie et pour fabriquer de nouvelle matière. Comment produisent-elles de l'énergie et comment l'utilisent-elles ? Quels constituants chimiques construisent-elles ? Quel est le rôle de ces constituants ?*

## 1 Utilisation de nutriments pour produire de l'énergie.

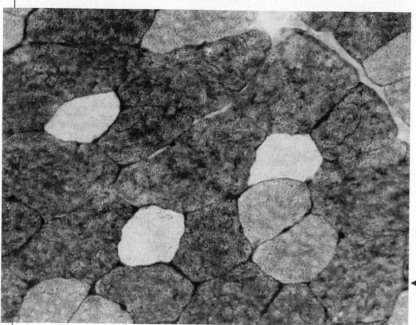

× 2 000

Par une technique de coloration appropriée, on met en évidence le glycogène (un glucide de réserve appelé « amidon animal ») dans les cellules musculaires. Dans un muscle au repos, toutes les cellules contiennent du glycogène (couleur rose).
La photographie présente quelques cellules musculaires dont certaines ont été maintenues en contraction prolongée par une stimulation appropriée. On constate à leur niveau une diminution (couleur rose pâle) ou une disparition (couleur blanche) des réserves.

◀ **ⓐ Une belle illustration de l'utilisation d'un « combustible » au cours de l'activité d'une cellule.**

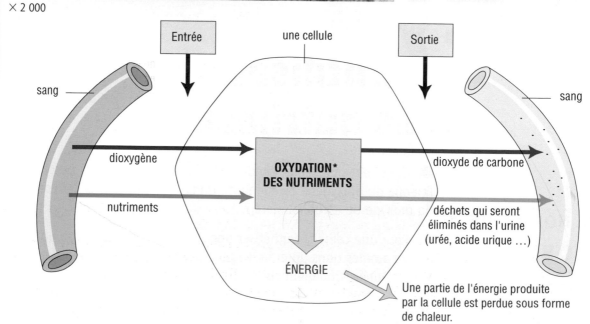

**ⓑ Chaque cellule du corps produit l'énergie dont elle a besoin. L'énergie des nutriments est la seule source d'énergie de l'organisme humain.**

## 2 Utilisation de nutriments pour construire de nouvelles molécules.

| % moyen | Muscles | Sang | Cerveau | Os | Moyenne pour le corps |
|---|---|---|---|---|---|
| Eau | 70 | 90 | 60 | 25 | 61 |
| Ions minéraux | 0,5 à 1 | 0,7 | 0,5 à 1 | 45 | 5 |
| Glucides | 0,5 | 0,1 | 1 à 2 | 0,1 | 0,3 |
| Lipides | 5 à 10 | 0,5 | 13 à 15 | 2 | 13 |
| Protides | 20 | 8 | 23 | 28 | 16 |

**c** Les constituants chimiques de quelques organes humains.

**d** Les cellules adipeuses (cellules qui stockent des réserves lipidiques), observées ici au MEB, font la synthèse de ces graisses à partir des nutriments glucidiques et lipidiques (× 300). ▶

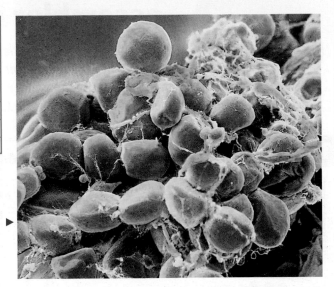

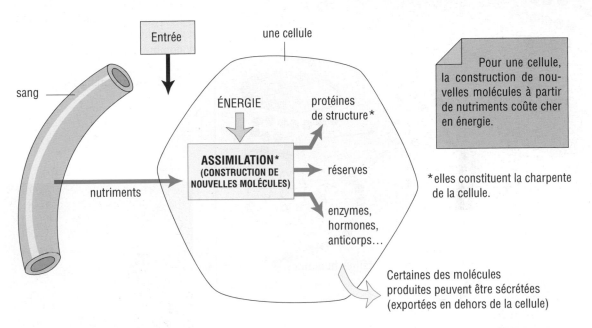

Entrée

une cellule

sang

ÉNERGIE

protéines de structure*

ASSIMILATION*
(CONSTRUCTION DE NOUVELLES MOLÉCULES)

réserves

nutriments

enzymes, hormones, anticorps…

Pour une cellule, la construction de nouvelles molécules à partir de nutriments coûte cher en énergie.

*elles constituent la charpente de la cellule.

Certaines des molécules produites peuvent être sécrétées (exportées en dehors de la cellule)

**e** Chaque cellule utilise une partie des nutriments qu'elle reçoit pour construire de nouvelles molécules.

## Activités

**1.** Sur la photographie **a** que représentent les plages rose foncé ? les plages blanches ? Formulez une hypothèse pour expliquer la disparition du glycogène dans certaines cellules musculaires.

**2.** Le schéma **b** présente de façon simple un mécanisme chimique très complexe. Rédigez quelques phrases pour expliquer ce mécanisme (quelle est la source d'énergie ? quel est le rôle du dioxygène ?...).

**3.** Après l'eau, quels sont les constituants les plus importants des cellules ?

**4.** Parmi les constituants d'une cellule (tableau **c**), lesquels sont fabriqués par la cellule elle-même ?

**5.** A l'aide du schéma **e**, précisez quels sont les matériaux de construction et quelles sont les molécules construites.

# Fabriquer des protéines, c'est assembler des acides aminés

*Les cellules sont en grande partie constituées de protéines. Ces dernières représentent plus de la moitié du poids sec d'une cellule. Construire une protéine consiste à assembler des acides aminés dans un ordre correct, toujours le même pour une protéine donnée. Comment cela est-il possible ?*

## 1 L'assemblage des acides aminés n'est pas quelconque.

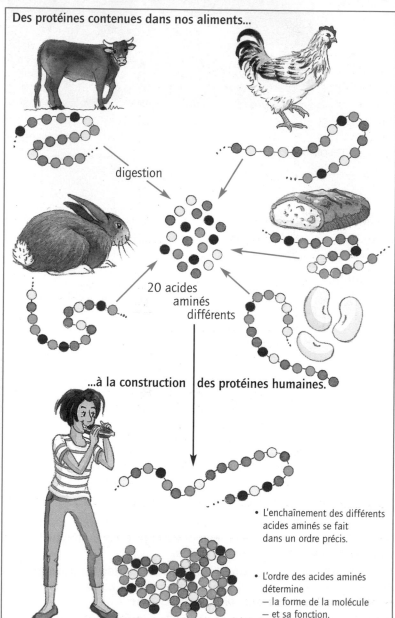

Des protéines contenues dans nos aliments...

digestion

20 acides
aminés
différents

...à la construction des protéines humaines.

• L'enchaînement des différents acides aminés se fait dans un ordre précis.

• L'ordre des acides aminés détermine
– la forme de la molécule
– et sa fonction.

Dans une cellule humaine, il existe probablement 20 000 protéines différentes, ce sont des protéines de structure, des protéines fonctionnelles (des enzymes, des anticorps, des protéines de transport...) etc. Bien entendu, chacune de ces protéines existe dans la cellule en un très grand nombre d'exemplaires.

**b** 20 000 protéines différentes.

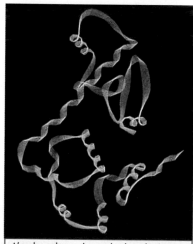

L'ordre dans lequel s'enchaînent les acides aminés détermine la forme tridimensionnelle de la protéine et confère à chaque protéine sa fonction (la fonction dépend de la forme).

**a** Les protéines de bœuf, mais aussi de poulet, de lapin, du pain, des haricots... fournissent les acides aminés indispensables à la construction des protéines humaines.

**c** Une protéine reconstituée par ordinateur : seul le « squelette » de la molécule est représenté.

## ② Les plans de fabrication.

Si vous enfilez des perles de couleurs différentes au gré de votre fantaisie, vous pourrez faire un très grand nombre de colliers différents. Combien ? Plusieurs millions ! Pour le comprendre il suffit d'une feuille de papier et d'une boîte de crayons de couleur.

**1.** Faites d'abord des chaînes de 3 « perles » en vous limitant à 2 couleurs seulement, par exemple bleu et rouge. Le bleu (ou le rouge) peut occuper la première place, la deuxième ou la troisième place.

**2.** Si vous vouliez faire une chaîne de 6 perles avec 20 couleurs différentes (il existe 20 acides aminés différents !) : il y aurait alors $20 \times 20 \times 20 \times 20 \times 20 \times 20$, soit 64 000 000 de colliers possibles.

**3.** Une chaîne de 6 perles, c'est bien court ! Pour faire un peu plus « sérieux », envisageons de faire une chaîne de 50 perles. Il y aurait alors $20^{50}$ possibilités ! Ce nombre, qui paraît énorme, est pourtant bien inférieur à celui obtenu avec une chaîne de 500 perles, de 5 000 perles... qui correspondrait mieux à ce qui se passe dans le corps humain.

**ⓓ** Pour construire des molécules identiques, l'existence de plans de fabrication est une nécessité.

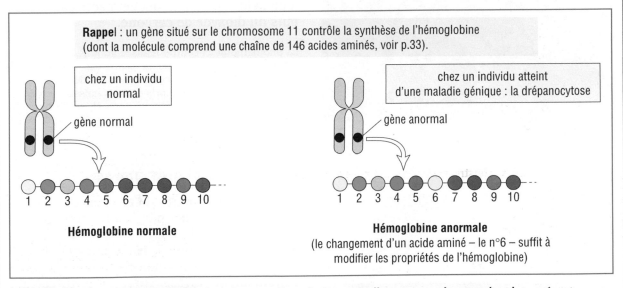

**Rappel** : un gène situé sur le chromosome 11 contrôle la synthèse de l'hémoglobine (dont la molécule comprend une chaîne de 146 acides aminés, voir p.33).

chez un individu normal

gène normal

1 2 3 4 5 6 7 8 9 10

**Hémoglobine normale**

chez un individu atteint d'une maladie génique : la drépanocytose

gène anormal

1 2 3 4 5 6 7 8 9 10

**Hémoglobine anormale**
(le changement d'un acide aminé – le n°6 – suffit à modifier les propriétés de l'hémoglobine)

**ⓔ** Où sont les plans de fabrication des protéines ? Que peut-il se passer lorsque le plan présente une anomalie ?

## Ⓐctivités

**1.** Précisez en quoi les protéines diffèrent les unes des autres.

**2.** Lors de l'activité 1 du document ⓓ, combien avez-vous réalisé de colliers différents comprenant trois perles et deux couleurs ?

**3.** Sachant qu'une protéine peut être constituée d'une chaîne de 500 et même 5 000 acides aminés, expliquez pourquoi la variété des protéines est pratiquement infinie.

**4.** D'après le document ⓔ, où sont donc situés les « plans de fabrication » de nos protéines ?

### DOC 1 — Les cellules utilisent les nutriments.

× 130

Les cellules utilisent les nutriments :
– pour produire de l'énergie (les nutriments ont alors un rôle de « combustible ») ;
– pour fabriquer de la matière nouvelle (les nutriments sont alors utilisés comme matériaux de construction).

Toute les cellules du corps sont le siège de réactions de dégradation des nutriments. Ces réactions :
– utilisent du dioxygène ;
– produisent du dioxyde de carbone ;
– libèrent de l'énergie utilisable par les cellules.

Le glucose est le nutriment énergétique le plus utilisé. Sa dégradation est réalisée au cours d'un ensemble de réactions chimiques complexes. Au terme de celles-ci, la molécule est complètement dégradée en dioxyde de carbone et en eau.

Les lipides et les acides aminés peuvent aussi être dégradés. Au cours de la dégradation d'un acide aminé, un déchet azoté est rejeté en plus du dioxyde de carbone.

La photographie ci-contre, réalisée au M.E.B., montre l'élimination, à la surface de la peau, des cellules épidermiques mortes, aplaties comme des écailles. C'est la desquamation. Le temps compris entre la naissance d'une cellule épidermique et son élimination est, selon les régions du corps, de 2 à 4 semaines.

### DOC 2 — Fabriquer des protéines : c'est assembler des acides aminés.

Toutes les protéines de tous les êtres vivants sont constituées par l'enchaînement de 20 acides aminés. Bien que ces 20 « briques » de construction soient les mêmes pour toutes les protéines, ces molécules sont pourtant extrêmement variées. Aucune autre catégorie de molécules organiques n'a, dans l'organisme vivant, autant de fonctions (les enzymes, les anticorps... sont des protéines). Ce sont les molécules les plus grosses et les plus caractéristiques de la matière vivante.

Au cours de la construction d'une protéine, l'ordre dans lequel s'enchaînent les acides aminés détermine la forme et la fonction de la molécule. Une seule erreur dans l'ordre des acides aminés peut avoir des conséquences dramatiques. Les gènes (portions de chromosomes) sont les « plans de fabrication » des protéines.

### Ce qu'il faut savoir

Au cours d'un ensemble de réactions chimiques qui consomment du dioxygène, les cellules dégradent des nutriments pour libérer de l'énergie. L'énergie libérée est en partie consommée pour l'activité cellulaire, en partie dissipée sous forme de chaleur. Cette dégradation des nutriments produit des déchets, le dioxyde de carbone notamment, qui devront être éliminés par l'organisme.

Les cellules utilisent par ailleurs des nutriments pour produire de nouvelles molécules. Selon leurs informations génétiques, elles construisent des protéines spécifiques en enchaînant des acides aminés dans un ordre précis.

En effet, les protéines diffèrent les unes des autres par le nombre des acides aminés qui les composent et par l'ordre de leur enchaînement.

### Les mots-clés
- nutriment
- énergie
- acide aminé
- assimilation
- information génétique
- protéine spécifique

### Le schéma bilan

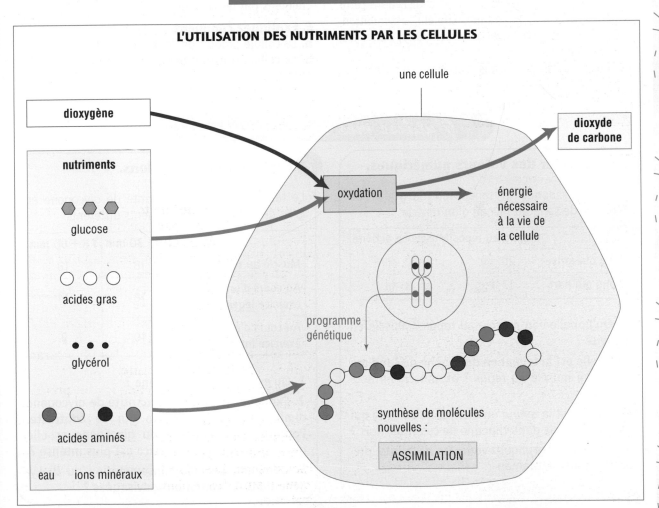

**L'UTILISATION DES NUTRIMENTS PAR LES CELLULES**

une cellule

dioxygène

dioxyde de carbone

nutriments

oxydation

énergie nécessaire à la vie de la cellule

glucose

acides gras

glycérol

programme génétique

synthèse de molécules nouvelles :

ASSIMILATION

acides aminés

eau     ions minéraux

# EXERCICES

**A. Définissez les mots ou expressions :**
Assimilation, renouvellement cellulaire.

**B. Vrai ou faux ?**
Certaines affirmations sont exactes ; recopiez-les. Corrigez ensuite les affirmations inexactes.
**a.** La dégradation des nutriments libère de l'énergie dans la cellule.
**b.** La production d'énergie nécessite du dioxyde de carbone.
**c.** L'énergie produite dans la cellule est entièrement dissipée sous forme de chaleur.
**d.** Seul le dioxygène est nécessaire à la cellule pour produire de l'énergie.
**e.** La fabrication de nouvelles molécules nécessite l'apport de nutriments à la cellule.
**f.** Toutes les cellules se renouvellent en permanence.
**g.** Les cellules produisent de nouvelles molécules au cours de l'assimilation.
**h.** L'assimilation nécessite de l'énergie.

**C. Complétez...**
... le texte suivant à l'aide des mots choisis dans cette liste : programme génétique, chaleur, assimilation, dioxygène, nutriments, activité cellulaire, nouvelles, renouvellement.
L'énergie libérée par l'utilisation des ..., en présence de ..., est en partie consommée pour l'..., en partie dissipée sous forme de ... Selon leur propre ... les cellules produisent, à partir des nutriments, de ... molécules nécessaires à leur fonctionnement et à leur ... : c'est l'....

**D. Questions à réponse courte.**
**a.** Quel est le rôle de la digestion pour les cellules de l'organisme ?
**b.** Quel est le rôle de la respiration pour les cellules de l'organisme ?
**c.** Comment une cellule produit-elle son énergie ?
**d.** Où sont situés les « plans de fabrication » de nos protéines ?
**e.** Comment obtenir une grande variété de protéines à partir d'un petit nombre d'acides aminés ?

**E. Dans la liste ci-dessous...**
glucose ; urée ; dioxygène ; dioxyde de carbone ; acides aminés ; acide urique ; glycogène,
... recherchez les substances qui sont :
- utilisées par les cellules ;
- rejetées par les cellules.

**F. Expliquez comment.**
**a.** La cellule produit de l'énergie.
**b.** La cellule construit de nouvelles molécules.

## 1 Interpréter des valeurs numériques.

Le tableau donne la teneur en dioxygène de 100 mL de sang au niveau d'un muscle.

|  | Muscle au repos | Muscle en activité |
|---|---|---|
| Sang qui arrive | 20 mL | 20 mL |
| Sang qui part | 12 mL | 3 mL |

**1.** Qu'appelle-t-on muscle au repos ? muscle en activité ?

**2.** Quelle est la teneur en dioxygène du sang qui arrive au muscle au repos ? au muscle en activité ?

**3.** Quelle est la teneur en dioxygène du sang qui part du muscle dans chacune de ces situations ?

**4.** Comment expliquez-vous les résultats présentés dans le tableau ?

## 2 Expliquer des variations.

Le tableau indique la quantité de glycogène en g/kg de muscle à trois moments différents.

|  | $T_0$ | $T_0 + 30$ min | $T_0 + 60$ min |
|---|---|---|---|
| Muscle au repos | 18 | 18 | 18 |
| Au cours d'un exercice léger | 18 | 16 | 14 |
| Au cours d'un exercice intense | 18 | 10 | 2 |

**1.** Qu'est-ce que le glycogène ?

**2.** Expliquez pourquoi la quantité de glycogène diminue dans un muscle qui se contracte. Pourquoi la disparition du glycogène est-elle plus rapide lorsque l'exercice est plus intense ?

**3.** Comment varie la consommation du dioxygène dans les conditions envisagées ?

# EXERCICES

## 3 Expliquer les différences entre deux protéines.

Les cellules du pancréas sécrètent diverses enzymes qui interviennent dans la digestion. Toutes ces enzymes sont des protéines. En « marquant » un acide aminé par une substance radioactive, on peut suivre sa localisation dans les cellules, que cet acide aminé soit libre ou incorporé dans une protéine. Le schéma montre le devenir, au niveau du pancréas, d'un tel acide aminé marqué qui a été injecté dans la circulation sanguine d'un animal.

**1.** Qu'est-ce qu'une protéine ?

**2.** Comment les cellules pancréatiques se procurent-elles les matériaux de construction dont elles ont besoin pour fabriquer les enzymes pancréatiques ? Quelle est l'origine alimentaire de ces matériaux de construction ?

**3.** Retrouve-t-on l'acide aminé marqué au même endroit dans les enzymes A et B ?
Comment, à partir d'un petit nombre d'acides aminés, peuvent être fabriquées plusieurs enzymes différentes ?

**4.** Où se trouve le « plan de fabrication » de chacune des enzymes ?

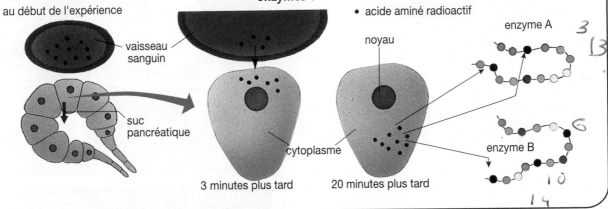

au début de l'expérience — vaisseau sanguin — suc pancréatique — 3 minutes plus tard — noyau — cytoplasme — 20 minutes plus tard — • acide aminé radioactif — enzyme A — enzyme B

## 4 Interpréter des microphotographies à partir de diverses informations.

Un homme adulte possède entre 20 et 50 milliards de cellules adipeuses (photo ci-contre). Celles-ci sont situées sous la peau de certaines régions du corps (régions abdominales, cuisses, fesses...).

**1.** D'après les documents proposés, donnez une définition d'une cellule adipeuse.

**2.** Pourquoi parle-t-on de « tissu adipeux » ? Ce tissu est un lieu de stockage. Que signifie cette expression ?

**3.** D'après vous, quels nutriments sont mis en réserve dans le tissu adipeux ? Dans quelles situations ces réserves peuvent-elles être utilisées par l'organisme ?

**4.** La mise en réserve est un aspect de l'assimilation. Justifiez cette expression.

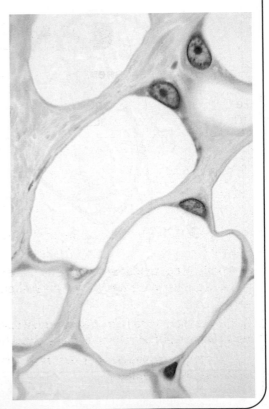

**Mise en réserve de lipides dans une cellule adipeuse**

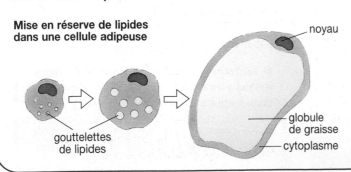

gouttelettes de lipides — noyau — globule de graisse — cytoplasme

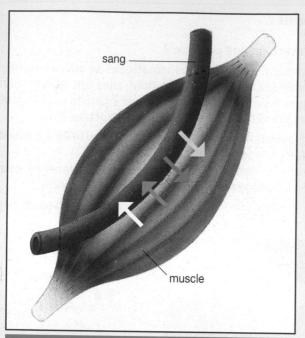

sang

muscle

**Quels échanges entre le sang et les organes sont, ici, mis en évidence ?**

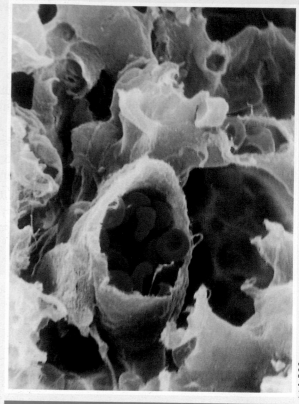

× 1 200

**Poumon observé au MEB : indiquez quels échanges se produisent à ce niveau.**

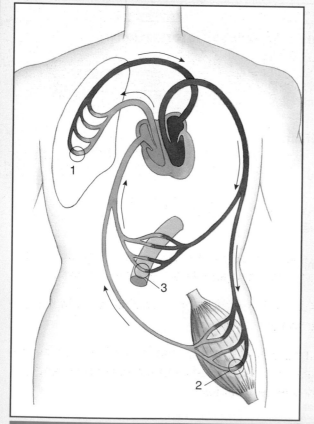

1

3

2

**Faites des schémas très simples pour préciser quels échanges ont lieu en 1, 2, 3.**

## Ce que nous savons
# déjà

● Le sang circule dans un système clos, formé de vaisseaux. La circulation sanguine se fait à sens unique grâce aux contractions du cœur.

● Le sang apporte aux organes les nutriments et le dioxygène dont ils ont besoin, il les débarrasse du dioxyde de carbone.

● Au cours de son passage dans les poumons, le sang s'enrichit en dioxygène, et s'appauvrit en dioxyde de carbone.

● Au cours de son passage au niveau de l'intestin grêle, le sang s'enrichit en nutriments.

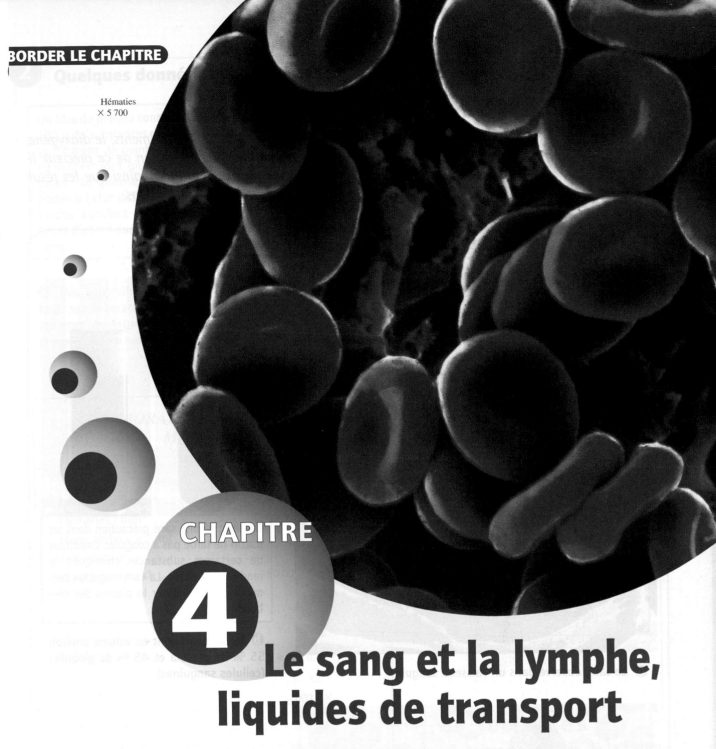

Hématies
× 5 700

## CHAPITRE

# 4

# Le sang et la lymphe, liquides de transport

**DE NOUVEAUX PROBLÈMES A RÉSOUDRE**

● Quelle est la composition du sang ? Comment ce liquide transporte-t-il les nutriments, le dioxygène, le dioxyde de carbone ?

● Comment les déchets du fonctionnement cellulaire, autres que le dioxyde de carbone, sont-ils éliminés ?

● Les organes sont richement irrigués ; cependant le sang n'est pas au contact de chaque cellule. Comment se font alors les échanges entre le sang et chacune des cellules ?

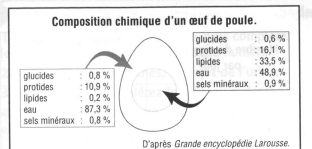

**Composition chimique d'un œuf de poule.**

| glucides | : 0,6 % |
|---|---|
| protides | : 16,1 % |
| lipides | : 33,5 % |
| eau | : 48,9 % |
| sels minéraux | : 0,9 % |

| glucides | : 0,8 % |
|---|---|
| protides | : 10,9 % |
| lipides | : 0,2 % |
| eau | : 87,3 % |
| sels minéraux | : 0,8 % |

D'après *Grande encyclopédie Larousse*.

*Un œuf est un véritable cocktail de vitamines.*

• Un œuf contient de très nombreuses vitamines :
– des vitamines solubles dans les lipides : A, D, E et K ;
– des vitamines du groupe B ($B_2$, $B_5$, $B_8$, $B_9$, $B_{12}$).
• Un œuf apporte de nombreux éléments minéraux :
phosphore, fer...

D'après *L'œuf. Aspects nutritionnels*. Docteur J.-M. Bourre.

**Quels groupes de constituants chimiques retrouve-t-on dans cet œuf comme dans presque tous les aliments ?**

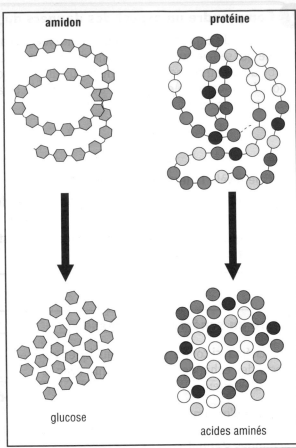

amidon        protéine

glucose        acides aminés

**Qu'est-ce qu'un nutriment ? En quoi consiste la digestion ?**

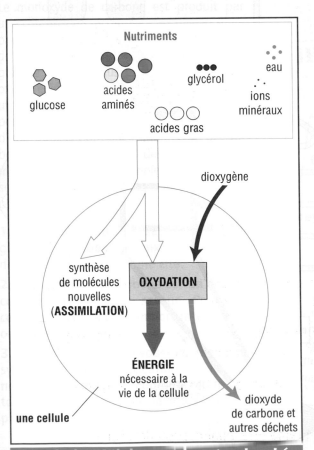

**Nutriments**

glucose    acides aminés    glycérol    eau    ions minéraux    acides gras

dioxygène

synthèse de molécules nouvelles (**ASSIMILATION**)

**OXYDATION**

**ÉNERGIE** nécessaire à la vie de la cellule

dioxyde de carbone et autres déchets

une cellule

**Que deviennent les nutriments absorbés par une cellule ?**

# Ce que nous savons
## déjà

● En dépit d'une très grande diversité apparente, les aliments sont tous constitués d'un mélange de protides, lipides, glucides, vitamines, eau et ions minéraux.

● Les cellules utilisent les nutriments d'une part pour produire de nouvelles molécules, d'autre part pour se procurer de l'énergie.

● Les besoins énergétiques des cellules (et donc de l'organisme) augmentent avec l'activité.

# 5

# Une alimentation rationnelle

**DE NOUVEAUX PROBLÈMES A RÉSOUDRE**

● Comment les médecins spécialistes de la nutrition classent-ils les aliments ?

● Comment connaît-on les besoins en nutriments de l'organisme et comment peut-on répondre à ces besoins ?

● Comment peut-on satisfaire les besoins énergétiques de l'organisme ?

● Quels risques entraîne une alimentation déséquilibrée ?

# Les grands groupes d'aliments

*A première vue, il n'y a pas une grande ressemblance entre un verre de lait, des haricots en grains, un morceau de poisson... Pourtant, des analyses chimiques montrent que l'on retrouve, dans tous les aliments, les mêmes constituants chimiques. Comment alors peut-on classer les aliments ?*

## 1 La mise en évidence expérimentale des principaux constituants.

ⓐ On a déposé une goutte d'eau iodée sur chacun de ces aliments.

ⓑ Une goutte d'acide nitrique, déposée sur différents aliments donne une réaction caractéristique.

ⓒ Une feuille de papier frottée avec de l'huile ou avec du lard devient translucide.

## 2 La composition chimique de quelques aliments.

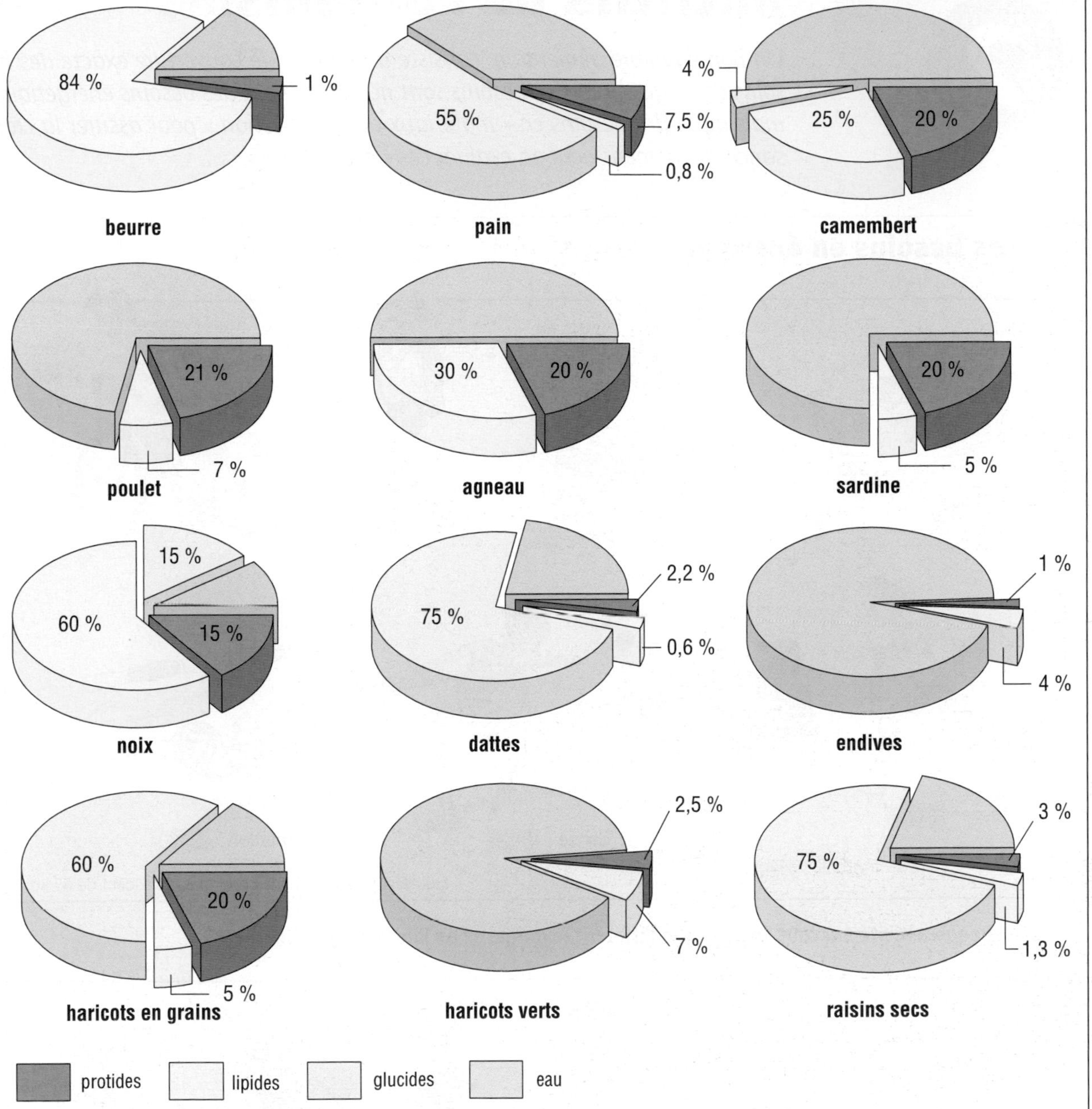

84 % — 1 %
**beurre**

55 % — 7,5 % — 0,8 %
**pain**

4 % — 25 % — 20 %
**camembert**

21 % — 7 %
**poulet**

30 % — 20 %
**agneau**

20 % — 5 %
**sardine**

15 % — 60 % — 15 %
**noix**

75 % — 2,2 % — 0,6 %
**dattes**

1 % — 4 %
**endives**

60 % — 20 % — 5 %
**haricots en grains**

2,5 % — 7 %
**haricots verts**

75 % — 3 % — 1,3 %
**raisins secs**

protides ◼  lipides ☐  glucides ☐  eau ☐

Les ions minéraux, présents en faible quantité, ne sont pas représentés.

**d** Des comparaisons intéressantes.

# Activités

**1.** En vous aidant des pages 170 et 171, recherchez quels constituants chimiques sont mis en évidence par les tests **a**, **b** et **c**.

**2.** En utilisant les informations fournies par le document **d**, expliquez pourquoi les haricots en grains donnent un test positif en **a** et **b**.

**3.** Comparez la composition chimique de la datte et celle de la noix. Que constatez-vous ?

**4.** Parmi les aliments présentés en **d**, lesquels sont les plus riches en glucides ? En lipides ? En protides ?

# Connaître les besoins nutritifs de l'organisme

*Un bon équilibre alimentaire consiste à assurer une couverture exacte des besoins de l'organisme. Ces besoins sont non seulement des besoins énergétiques mais aussi des besoins en « matériaux de construction » pour assurer la croissance... Comment peut-on évaluer ces besoins ?*

## 1 Les besoins en énergie.

assis au travail : 350

marche : 1 200

à vélo : 1 400

couché au lit : 310

course de vitesse : 3 000

football : 1 800

danse : 2 000

natation : 2 000

Les valeurs sont données pour un adolescent de 55 kg.

**a** A chaque activité, un coût énergétique différent (exprimé ici en kilojoules par heure).

adolescente
10 000

femme adulte
8 400

femme âgée
6 000

adolescent
16-20 ans
12 800

homme adulte
11 000

homme âgé
8 000

**b** Besoins énergétiques quotidiens (exprimés en kilojoules par 24 heures).

# Les besoins en « matériaux de construction ».

Le kwashiorkor est une maladie fréquente dans les pays en voie de développement. Les enfants atteints de cette maladie ont une croissance anormale et présentent des œdèmes importants dûs à une teneur en protéines très faible dans le sang. Dans certaines régions, la maladie est responsable de la mort de 30 % des enfants de moins de 5 ans.

Le kwashiorkor se manifeste au moment du sevrage quand, après l'allaitement maternel, les enfants sont nourris exclusivement de féculents comme le manioc.

| Composition pour 100 g | Protides | Glucides | Lipides |
|---|---|---|---|
| Lait maternel (extrait sec) | 11 | 55 | 30 |
| Manioc | 1 à 2 | 86 | 0,2 |

**ⓒ** **Le kwashiorkor : une maladie répandue dans les pays en voie de développement.**

Deux lots identiques de jeunes rats reçoivent une ration alimentaire **quantitativement** suffisante en protides, mais ces protides ont des compositions en acides aminés différentes.

Le tableau ci-dessous fournit le pourcentage de quelques acides aminés contenus dans la caséine et dans la zéine.

| Acides aminés | Caséine | Zéine |
|---|---|---|
| Arginine | 3,2 | 6,5 |
| Leucine | 9,5 | 24 |
| Lysine | 7,5 | 0 |
| Phénylalanine | 4,4 | 5 |
| Tryptophane | 1,5 | 0 |
| Tyrosine | 4,5 | 0 |

- le lot **❶** reçoit une protéine du lait : la caséine
- le lot **❷** reçoit une protéine du maïs : la zéine (Z)

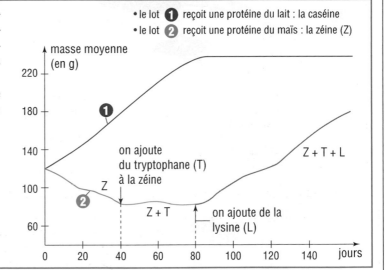

**ⓓ** **Des expériences sur l'alimentation des animaux fournissent des précisions.**

# Activités

**1.** En utilisant les documents ⓐ et ⓑ, précisez quels facteurs entraînent des variations de la dépense énergétique.

**2.** En comparant la composition de la caséine et de la zéine, expliquez les différences de croissance entre les rats du lot **❶** et ceux du lot **❷**. Que se passe-t-il lorsqu'on ajoute à l'alimentation des rats du lot **❷** du tryptophane ? De la lysine ? Pourquoi, d'après vous, ces acides aminés sont qualifiés « d'indispensables » par les nutritionnistes ?

**3.** La tyrosine est-elle un acide aminé indispensable ? Justifiez votre réponse.

**4.** Comment se manifeste le kwashiorkor ? Quand apparaît-il ? Le document ⓒ vous permet-il d'établir la cause précise de cette maladie ? Quelle explication complémentaire pouvez-vous fournir si l'on vous dit que la protéine du manioc est pratiquement aussi pauvre en tryptophane que la zéine du maïs ?

# Des maladies liées à une alimentation déséquilibrée

*Des carences en certains nutriments (acides aminés, vitamines, ions minéraux) sont responsables de maladies nutritionnelles, nous en avons vu un exemple avec le kwashiorkor. Inversement, des excès alimentaires peuvent gravement altérer la santé.*

## 1 Une maladie par carence : le rachitisme.

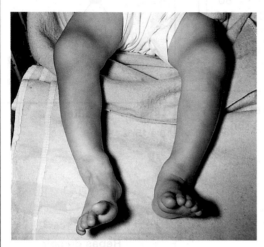

Le rachitisme est une maladie de l'ossification aboutissant à des déformations du squelette. Le rachitisme atteint encore des enfants de constitution fragile, ou de condition sociale défavorisée. Il se caractérise notamment par des jambes arquées. Le rachitisme traduit un défaut de minéralisation de l'os en période de croissance, lié lui-même à un manque de calcium, ou à une carence en vitamine D nécessaire à la fixation du calcium sur les os, ou encore à une exposition insuffisante au soleil. En effet la peau renferme des provitamines D qui se transforment en vitamine D sous l'influence du soleil.

D'après « Info Santé ».

ⓑ **Le rachitisme peut être guéri par un apport correct de vitamine D et de calcium.**

|  | Calcium (mg) | Vitamine D (mg) |
|---|---|---|
| Nourrisson | 540 | 0,01 |
| 1 à 3 ans | 600 | 0,01 |
| 4 à 9 ans | 700 | 0,01 |
| 10 à 12 ans | 1 000 | 0,01 |
| 13 à 19 ans | 1 600 | 0,01 |

ⓒ **Les besoins nutritionnels journaliers.**

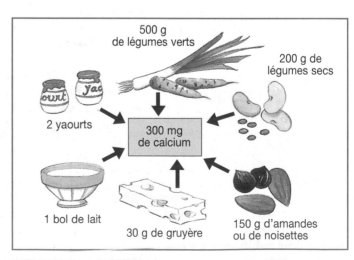

500 g de légumes verts

200 g de légumes secs

2 yaourts

300 mg de calcium

1 bol de lait

30 g de gruyère

150 g d'amandes ou de noisettes

ⓐ **Le rachitisme est un trouble du développement et de la calcification du squelette dû à une carence en vitamine D.**

ⓓ **Les sources de calcium.**

## ② Une maladie par excès : l'obésité.

### Des chiffres accablants

- Le taux d'obèses double tous les 5 ans dans de nombreux pays.
- L'obésité touche :
- Aux U.S.A. (d'après un rapport du 7 mars 1997) : 33 % des hommes, 36 % des femmes, 12 % des adolescents, 14 % des enfants.
- En France : 10 % de la population.
- Phénomène préoccupant : l'obésité infantile monte en flèche dans de nombreux pays (Japon, Grande-Bretagne, États-Unis...).

ⓔ L'obésité constitue un facteur de risques pour d'autres maladies.

### L'obésité : une maladie complexe

De nombreux facteurs génétiques, psychologiques, nutritionnels, culturels, sociaux... expliquent son développement.

#### • Facteurs nutritionnels

Les études de comportement alimentaire sur les obèses montrent qu'ils ont tendance à manger davantage le soir qu'en première partie de journée.

Des études cliniques récentes menées sur 160 femmes obèses ont montré que le simple fait de décaler l'apport énergétique en début de journée (30 % au petit déjeuner, 50 % au déjeuner et 20 % au cours du dîner) permettait une perte de poids de 15 % !

Tout aussi étonnant : des travaux ont montré qu'un repas unique de 2 000 calories entraîne une perte de poids s'il est pris dans la matinée et une prise de poids s'il est pris le soir.

#### • Facteurs génétiques

Une vingtaine de gènes ou régions chromosomiques (et leur liste s'allongera sans doute) pourraient avoir une importance dans la constitution de l'obésité.

La découverte récente du gène UCP2 a eu les honneurs de la presse. Chez la souris, c'est démontré, il code pour la fabrication d'une protéine qui permettrait de brûler une partie des calories alimentaires en excès et de les dissiper sous forme de chaleur. Si cela est vrai aussi chez l'homme, ce gène expliquerait pourquoi certaines personnes peuvent manger et rester minces, alors que d'autres, ingérant le même repas, prennent du poids.

### Les kilos de trop sont dangereux

Est-il dangereux d'être gros ? Oui, répondent les assureurs : un homme de 45 ans ayant un surpoids de 11,5 kg par rapport au poids idéal théorique a une espérance de vie réduite de 25 %. C'est aux compagnies d'assurances américaines que l'on doit les premières études concernant les rapports entre obésité et mortalité.

L'obésité constitue un facteur de risque pour des maladies telles que le diabète, l'hypertension artérielle, l'excès de cholestérol, elles-mêmes responsables de maladies cardiovasculaires.

D'après « Fondation pour la Recherche Médicale ».

### Ⓐctivités

**1.** Pourquoi peut-on dire que le rachitisme est une maladie « par carence » ?

**2.** Quelles sont les différentes causes de l'obésité ?

## DOC 1 DOC 2 — Connaître les besoins nutritifs.

La connaissance exacte des besoins nutritifs permet de définir une alimentation qui évite les excès et les carences. Les besoins sont à la fois des besoins énergétiques (besoins quantitatifs) et des besoins en « matériaux » (besoins qualitatifs).

• Pour évaluer les besoins énergétiques, on calcule la dépense en énergie de l'organisme. Cette dépense varie beaucoup selon l'activité. Elle varie également selon l'âge, le sexe, la température extérieure.

• Divers moyens permettent par ailleurs de préciser quels sont les besoins qualitatifs. Par exemple, l'absence d'un acide aminé dans notre alimentation n'a pas toujours les mêmes conséquences. Pour 12 d'entre eux, l'organisme est capable de « fabriquer » l'absent à partir des présents. En revanche, pour les 8 autres, il en est tout à fait incapable. Ces 8 acides aminés, dits « indispensables », doivent donc impérativement être présents dans notre alimentation. De même, l'organisme ne peut pas faire la synthèse des vitamines, substances organiques dont l'absence provoque des troubles graves.

## DOC 3 DOC 4 — Quels aliments couvrent ces besoins ?

La ration alimentaire journalière doit correspondre à la quantité d'aliments nécessaire au fonctionnement et à l'entretien de l'organisme dans une situation donnée.

Pour répondre aux exigences qualitatives, l'alimentation doit comporter chaque jour au moins un aliment de chacun des groupes d'aliments proposés par les diététiciens (voir p. 164). En pratique, varier les menus est la meilleure recette pour parvenir à un bon apport en acides aminés, en acides gras, en vitamines.

Au plan quantitatif, la connaissance de la valeur énergétique des aliments permet d'ajuster au mieux les apports en fonction de la dépense de chaque individu.

Le problème de l'alimentation est dramatique dans certains pays où des millions d'êtres humains sont sous-alimentés, mais, paradoxalement, il est également préoccupant dans les « pays riches ». Des excès alimentaires (notamment en sucres et en graisses) sont responsables de maladies nutritionnelles.

## Ce qu'il faut savoir

**P**our se maintenir en bonne santé, il faut une alimentation :

– quantitativement suffisante pour compenser exactement les pertes énergétiques de l'organisme ;

– qualitativement équilibrée (respect de certaines proportions entre les divers nutriments, apport des acides aminés indispensables, apport suffisant en vitamines...).

La prise régulière de repas et l'équilibre entre les catégories d'aliments consommés caractérisent une alimentation rationnelle. Des excès alimentaires, particulièrement en sucres et en graisses, peuvent altérer la santé (obésité, diabète, maladies cardiovasculaires).

Des carences en certains nutriments : vitamines, ions minéraux, acides aminés, sont responsables de maladies nutritionnelles.

### Les mots-clés

- besoins quantitatifs
- besoins qualitatifs
- dépenses énergétiques
- acide aminé indispensable
- vitamine
- maladie nutritionnelle

## Le schéma bilan

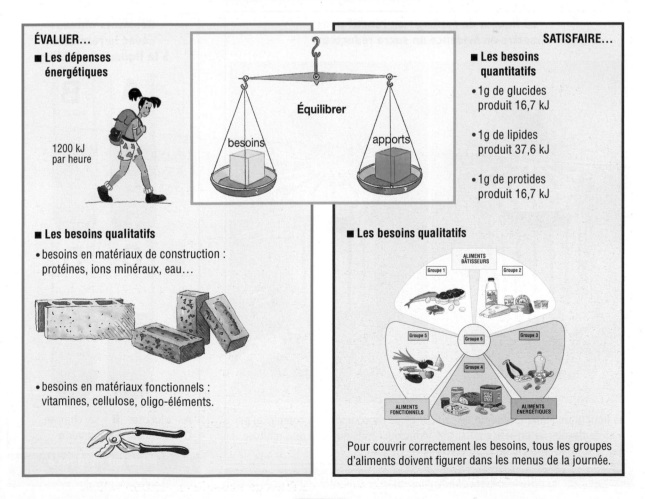

**ÉVALUER...**

■ **Les dépenses énergétiques**

1200 kJ par heure

**Équilibrer**

besoins

apports

■ **Les besoins qualitatifs**

- besoins en matériaux de construction : protéines, ions minéraux, eau…

- besoins en matériaux fonctionnels : vitamines, cellulose, oligo-éléments.

**SATISFAIRE...**

■ **Les besoins quantitatifs**

- 1g de glucides produit 16,7 kJ

- 1g de lipides produit 37,6 kJ

- 1g de protides produit 16,7 kJ

■ **Les besoins qualitatifs**

ALIMENTS BÂTISSEURS
Groupe 1    Groupe 2
Groupe 5    Groupe 6    Groupe 3
Groupe 4
ALIMENTS FONCTIONNELS    ALIMENTS ÉNERGÉTIQUES

Pour couvrir correctement les besoins, tous les groupes d'aliments doivent figurer dans les menus de la journée.

**Les principaux glucides**

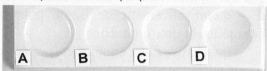

## L'eau iodée : un réactif pour déceler l'amidon.

• 4 gouttes sont déposées sur une plaque.

**A** - eau + glucose.  **C** - eau + saccharose.
**B** - eau + maltose.  **D** - empois d'amidon.

• On ajoute une goutte d'eau iodée dans chaque goutte.

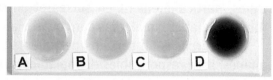

L'eau iodée colore à froid l'amidon en bleu.

**Mise en évidence de l'amidon**

# Les glucides

## La liqueur de Fehling : un réactif pour mettre en évidence un sucre réducteur.

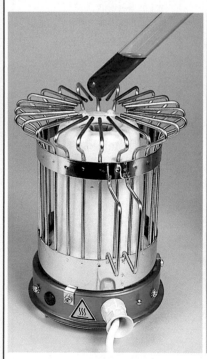

La liqueur de Fehling (liquide de couleur bleue de composition complexe) permet de déceler la présence de sucres réducteurs (tels que glucose, maltose...) par la formation à chaud d'un précipité rouge brique.

**Comment utiliser la liqueur de Fehling ?**

## Résultats obtenus avec la réaction à la liqueur de Fehling.

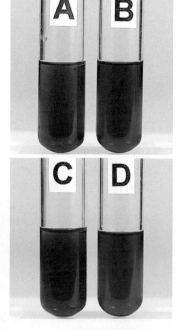

**A** - glucose.  **B** - saccharose.
**C** - maltose.  **D** - amidon

**Mise en évidence de certains sucres**

# constituants chimiques des aliments

## Les lipides

**L'huile (100 % de lipides) rend le papier translucide**

## Les protides

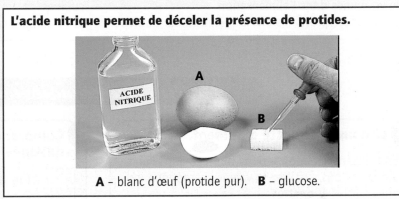

L'acide nitrique permet de déceler la présence de protides.

**A** – blanc d'œuf (protide pur). **B** – glucose.

**Mise en évidence d'un protide**

## Les sels minéraux

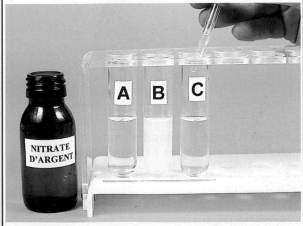

Le nitrate d'argent : un réactif pour déceler la présence de chlorures.

On a mis quelques gouttes d'une solution de nitrate d'argent dans chacun de ces trois tubes dont voici le contenu : **A** - eau distillée. **B** – eau distillée + chlorure de sodium. **C** – eau + glucose.

**Mise en évidence des chlorures**

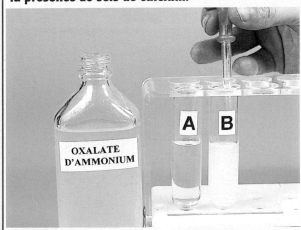

L'oxalate d'ammonium : un réactif pour déceler la présence de sels de calcium.

On a mis quelques gouttes d'une solution d'oxalate d'ammonium dans chacun de ces deux tubes dont voici le contenu : **A** - eau distillée. **B** – eau distillée + chlorure de calcium.

**Mise en évidence du calcium**

# EXERCICES

**A • Définissez les mots ou expressions :**
Ration alimentaire, carence, besoins énergétiques, excès alimentaires, groupes d'aliments.

**B • Vrai ou faux ?**
Certaines affirmations sont exactes, recopiez-les. Corrigez ensuite les affirmations inexactes.
**a.** L'organisme humain synthétise tous les acides aminés.
**b.** Les vitamines sont des aliments énergétiques.
**c.** Les apports alimentaires doivent équilibrer nos pertes quotidiennes.
**d.** L'organisme humain perd de la matière en permanence.
**e.** Les protéines animales et les protéines végétales apportent les mêmes acides aminés.
**f.** Une avitaminose est une maladie due à un excès de vitamines dans l'alimentation.
**g.** Toutes les protéines ont la même valeur nutritive.

**C • Expliquez comment...**
**a.** Les protéines peuvent être mises en évidence.
**b.** Sont établis les principaux groupes d'aliments.

**D • Donnez le nom...**
**a.** Des six groupes d'aliments.
**b.** Des réactifs permettant d'identifier l'amidon et le calcium.
**c.** Des aliments fournissant l'énergie à l'organisme.
**d.** De deux maladies provoquées, en partie, par des excès alimentaires.

**E • Exprimez des idées importantes...**
... en rédigeant une phrase pour chaque groupe de mots.
**a.** Alimentation variée, besoins énergétiques, besoins de matière.
**b.** Excès alimentaires, obésité, maladies cardio-vasculaires.
**c.** Vitamines, carence, maladie.

---

*J'utilise mes connaissances*

## 1 Lire une étiquette d'aliment.

En utilisant les informations fournies dans l'encadré ci-dessous, justifiez la valeur énergétique indiquée sur les étiquettes.

> 1 gramme de protides apporte 17 kJ*.
> 1 ———— lipides ———— 38 kJ*.
> 1 ———— glucides ——— 17 kJ*.
>
> (*valeur approchée pour simplifier les calculs)

## 2 Comprendre une information destinée au grand public.

> **Une formule simple : 421 = GPL**
>
> Manger juste c'est manger à chacun des 3 repas :
> • 4 portions de glucides ;
> • 2 portions de protides ;
> • 1 portion de lipides.

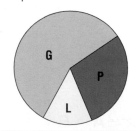

**1 •** Que faut-il entendre par portion de glucides ? de protides ? Citez des exemples.

**2 •** En utilisant les données des pages 164 et 165, composez un petit déjeuner qui corresponde approximativement aux proportions préconisées ci-dessus.

**3 •** Pourquoi cette formule est-elle plus facile à appliquer que les valeurs en grammes fournies à la page 165 ?

# EXERCICES

## 3 Comparer des rations alimentaires.

Les graphes ci-contre représentent la répartition moyenne exprimée en énergie des grands groupes de substances organiques dans l'alimentation :
– d'une part, telle qu'elle est réellement en France à l'heure actuelle ;
– d'autre part, telle qu'elle est recommandée par les nutritionnistes.

**1 •** Qu'appelle-t-on « glucides simples » et « glucides complexes » ? Donnez un exemple pour chacun d'eux.

**2 •** Comparez les deux graphes ci-contre. Quelles différences constatez-vous ?

**3 •** Indiquez quels aliments sont actuellement consommés en excès.

**4 •** Quelle catégorie d'aliments n'est plus assez consommée actuellement ?

**5 •** Expliquez pourquoi la consommation excessive de viandes est en partie responsable des différences constatées entre les deux graphes.

**RÉPARTITION ACTUELLE EN FRANCE**

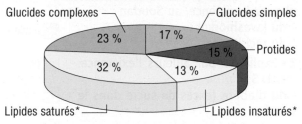

**RÉPARTITION RECOMMANDÉE**

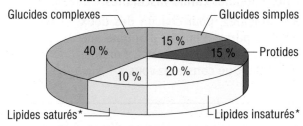

\* Les graisses ne sont pas toutes équivalentes. De manière schématique, les graisses d'origine végétale (huile de tournesol, maïs…) ont un rôle protecteur pour les vaisseaux sanguins : ce sont des lipides insaturés.
En revanche la consommation des lipides saturés, d'origine animale (beurre, crème, graisses de viandes,…) doit être réduite (ils favorisent les maladies cardio-vasculaires).

## 4 Comprendre les besoins en calcium à partir d'un graphique.

Le graphe ci-dessous indique les besoins alimentaires en calcium pour une femme adulte à différents moments de sa vie.

- Le calcium présent dans les os représente 99 % du calcium de l'organisme.
- L'os est un tissu vivant en perpétuel remaniement.
- Chaque jour l'organisme élimine (dans l'urine principalement) du calcium.
- La ménopause est responsable d'une perte quotidienne en calcium accrue.

**1 •** Quels sont les besoins en calcium d'une femme adulte ? Comment expliquez-vous que ces besoins soient quotidiens ?

**2 •** Qu'est-ce qui explique l'augmentation des besoins au cours de la grossesse ? Et au cours de l'allaitement ?

**3 •** Les médecins conseillent, comme moyen de prévention contre les fractures du col du fémur, une augmentation de l'apport quotidien en calcium après la ménopause. Pourquoi ?

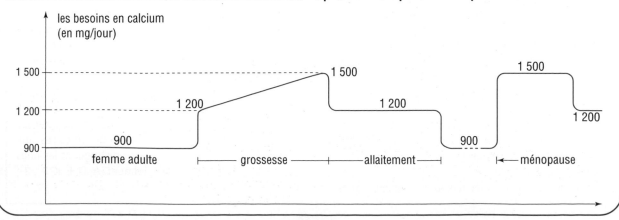

# EXERCICES

## 5 ▸ Relier des maladies à des excès ou des carences alimentaires.

**1 •** D'après les graphes ci-contre, expliquez l'existence, au Soudan :
– du kwashiorkor ;
– du rachitisme.

**2 •** Expliquez par ailleurs l'existence, aux U.S.A. :
– du diabète (excès de sucre dans le sang) ;
– de l'obésité ;
– des maladies cardio-vasculaires.

**3 •** Comparez, pour chacun des deux pays, la part d'aliments d'origine animale et la part d'aliments d'origine végétale. Que constatez-vous ?

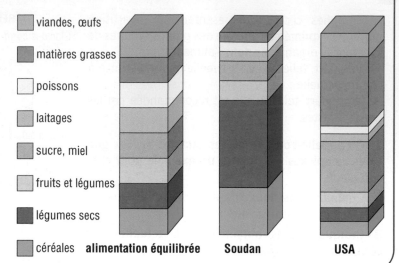

viandes, œufs

matières grasses

poissons

laitages

sucre, miel

fruits et légumes

légumes secs

céréales    **alimentation équilibrée**    **Soudan**    **USA**

## 6 ▸ Comprendre les étapes d'une découverte.

Actuellement, tout le monde sait ce que sont les vitamines : des substances que l'organisme ne peut pas synthétiser et qui sont indispensables à son fonctionnement. Leur carence dans l'alimentation (appelée avitaminose) est la cause de maladies connues depuis l'antiquité mais dont l'origine alimentaire n'a été découverte qu'à la fin du XIXe siècle.

Les médecins d'autrefois ne pensaient pas qu'une avitaminose pouvait être due à l'absence dans l'alimentation d'un constituant particulier. Ces maladies avaient un caractère d'épidémie : elles s'étendaient pendant un temps limité à une grande partie de la population d'une ville assiégée, dans les équipages de navires au cours de longs voyages, parmi les troupes en campagne... c'est-à-dire chez des hommes privés de légumes frais.

**1 • Pourquoi les médecins d'autrefois pensaient-ils que les avitaminoses étaient des maladies infectieuses ?**

**2 • Précisez quelles sont les différentes étapes de la démarche d'Eijkman. Pourquoi peut-on parler d'expérimentation ?**

**3 • La découverte de Funk complète celle d'Eijkman. Expliquez comment.**

**4 • Quelle est l'origine du mot vitamine ? Donnez une définition de ce mot.**

La première avitaminose reconnue comme telle et analysée expérimentalement est le béribéri. Cette maladie des « mangeurs de riz », observée surtout en Extrême-Orient, est caractérisée par des troubles nerveux accompagnés d'une paralysie. Voici deux étapes de l'étude réalisée.

**A. Travaux d'Eijkman** (fin du XIXe siècle)
Ce médecin hollandais d'un pénitencier de Java constate que les poules de l'établissement présentent des troubles paralytiques analogues à ceux des prisonniers. Or les volailles et les hommes consomment la même nourriture : du riz décortiqué. Eijkman remarque par ailleurs que les poules appartenant aux habitants de l'île, bien que se mélangeant souvent aux poules du pénitencier, ne contractent jamais la maladie. Eijkman constate par ailleurs que ces poules sont nourries de riz complet non décortiqué.
Le médecin a alors l'idée d'ajouter à l'alimentation des poules du pénitencier du son de riz (enveloppe du grain). Les poules malades guérissent rapidement. Le même traitement est appliqué avec succès aux prisonniers.

**B. Les travaux de Funk**
En 1911, le chimiste allemand Funk extrait du son de riz la substance chimique active (quelques centigrammes pour 100 kg de riz). En analysant cette substance, il constate qu'il s'agit d'une substance organique du groupe des « amines » ; comme elle est indispensable à la vie, il lui donne le nom de vitamine.
Depuis cette découverte, on a isolé une douzaine d'autres substances dont l'absence dans le régime alimentaire détermine des troubles nettement caractérisés (scorbut, rachitisme...). On a gardé pour toutes ces substances le nom de vitamine en les distinguant les unes des autres par les lettres de l'alphabet (A, D, E, K, $B_1$, $B_2$, $B_{12}$...).

# EXERCICES

## 7 Interpréter un texte historique.

> Dans le journal du voyage au Siam, écrit par l'abbé de Choisy en 1685, on peut lire :
>
> « Après 89 jours de mer, nos malades (1) sont allés à terre le 1er juin... Il y a des allées à perte de vue d'orangers et de citronniers, des potagers... Le 7 juin, nos malades sont gaillards, leurs gencives sont raccommodées : 6 jours à terre est une bonne médecine. »

(1) Les marins sont atteints de scorbut. Cette maladie est notamment caractérisée par de la gingivite : les gencives sont tuméfiées et saignent, les dents se déchaussent...

**1•** Le scorbut est une avitaminose. Quelles informations fournies par le texte ci-dessus permettent de le penser ?

**2•** Le scorbut est provoqué par une carence en vitamine C. Citez des aliments qui en contiennent.

## 8 Comprendre le rôle des vitamines.

Des rats sont répartis en deux lots. Le premier lot reçoit une alimentation normale, le deuxième lot une alimentation carencée en vitamine A. On constate que les animaux du deuxième lot présentent rapidement des troubles de la vision, ce qui n'est pas le cas des animaux du premier lot. L'ajout de graisses animales, riches en vitamine A, à la ration des rats restaure leur capacité visuelle.

**1•** Que signifie l'expression « alimentaion carencée en vitamine A » ?

**2•** Quelles sont les conséquences de cette carence ? Que peut-on en conclure ?

**3•** Pourquoi classe-t-on la vitamine A dans le groupe des vitamines liposolubles ?

## 9 Comprendre le message d'une affiche.

**1•** Expliquez l'information fournie par chacune des trois lignes de cette affiche.

**2•** Quel titre proposez-vous pour cette affiche ?

apport de 12 000 kJ — dépense de 12 000 kJ — stabilité de la masse corporelle

apport de 16 000 kJ — dépense de 8 000 kJ — augmentation de la masse corporelle

apport de 8 000 kJ — dépense de 12 000 kJ — réduction de la masse corporelle

D'après Katch et Mc Ardle. *Nutrition, masse corporelle et activité physique.* Edisem.

## 10 Equilibrer les apports et les dépenses.

> **Les apports en eau** doivent permettre de compenser les pertes qui sont chaque jour, d'environ :
> • 1,4 à 2 litres par les urines,
> • 0,3 à 0,5 litre dans l'air expiré,
> • 0,3 à 0,5 litre par la transpiration.
> (Ces deux dernières quantités peuvent être considérablement augmentées en cas d'effort physique intense ou de température extérieure très élevée).
> L'apport journalier en eau pour un adulte doit donc être de 2 à 3 litres en moyenne.
> Les aliments, qui ont une importante teneur en eau, assurent la fourniture de 0,5 litre à 1 litre d'eau. L'eau de boisson doit donc apporter un complément hydrique de 1,5 à 2 litres.

**1•** Au niveau de quels organes l'organisme perd-il de l'eau ?

**2•** Quels facteurs peuvent entraîner des variations de la quantité d'eau perdue ?

**3•** Comment l'organisme se ravitaille-t-il en eau ?

**4•** Comment l'organisme fait-il face à une augmentation importante de pertes d'eau ?

# QUATRIÈME PARTIE
# Relations à l'environnement et activité nerveuse

**1.** La perception de l'environnement

**2.** L'activité du cerveau

**3.** Les neurones : un vaste réseau de communication

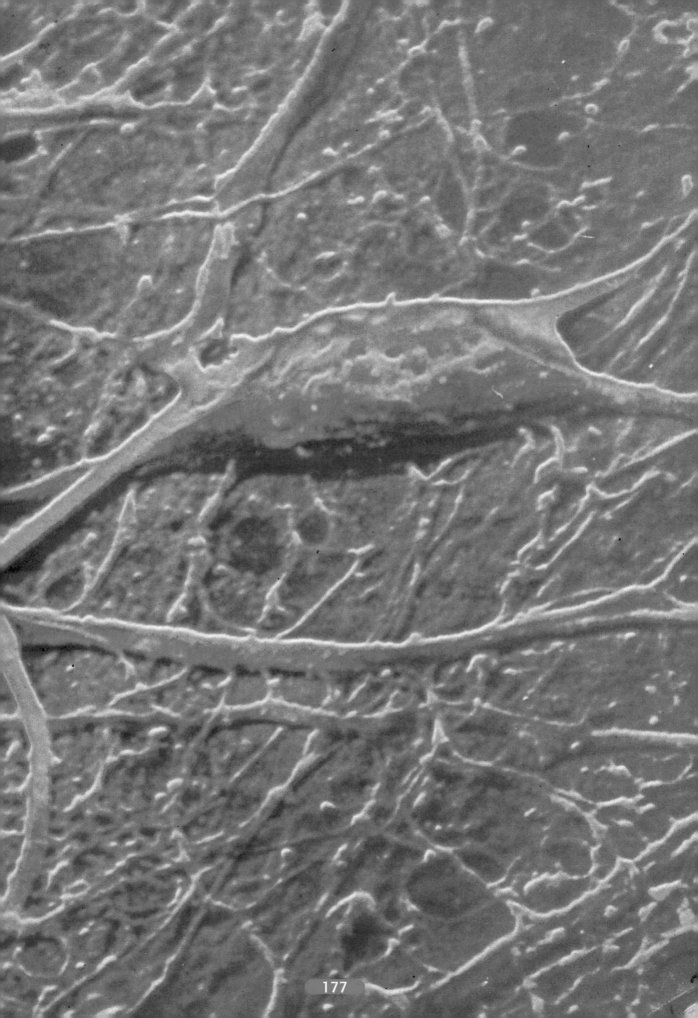

Quel organe des sens intervient dans chacune de ces deux situations ?

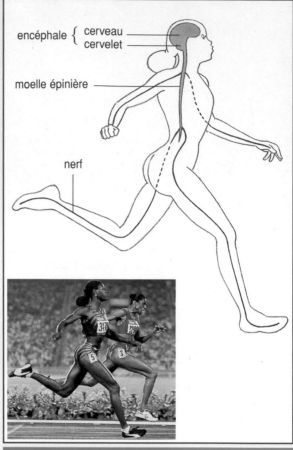

encéphale { cerveau
cervelet

moelle épinière

nerf

Quelles informations fournit ce schéma ?

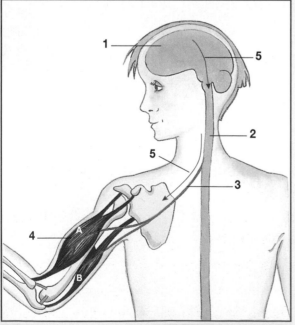

Que représentent les chiffres qui figurent sur ce schéma ?

## Ce que nous savons
# déjà

● Les yeux, les oreilles, la langue... permettent de voir, d'entendre, de goûter... Ce sont des organes des sens.

● Le système nerveux comprend des centres nerveux (cerveau, moelle épinière...) et des nerfs.

● Les contractions musculaires sont commandées par des messages nerveux qui proviennent du cerveau et sont transmis par les nerfs.

CHAPITRE

# 1

# La perception de l'environnement

● Comment les stimulations qui proviennent de l'environnement sont-elles captées par l'organisme ?

● Qu'appelle-t-on "organe des sens" ? récepteur sensoriel ? Pourquoi parle-t-on de récepteurs spécifiques ?

● Que provoquent les stimulations au niveau des récepteurs sensoriels ?

● Comment, dans l'organisme, se font les liaisons entre les récepteurs sensoriels et le cerveau ?

DE NOUVEAUX
PROBLÈMES
A RÉSOUDRE

# Les stimulations de l'environnement

*Notre organisme ne cesse de capter et d'interpréter des stimulations en provenance de notre environnement et de réagir à certaines d'entre elles. Ainsi, lorsque la sonnerie du téléphone retentit, nous nous empressons de saisir l'appareil pour répondre à notre correspondant...*

## 1 Au départ, l'un ou l'autre de nos cinq organes des sens*.

**1.** Le ballon roule doucement et s'arrête à un mètre de Valentin. Ce dernier s'approche et d'un coup de pied le renvoie à son camarade.

**2.** Dring... La sonnerie du téléphone retentit. Emilie s'approche de l'appareil, le prend avec la main droite et le place sur son oreille.

**3.** Vanessa s'est réveillée au milieu de la nuit. Dans l'obscurité totale, elle cherche l'interrupteur de sa lampe et dès qu'elle le trouve, éclaire sa chambre.

**4.** Une forte odeur de brûlé parvient à Nathalie qui regarde la télévision. Elle se précipite dans la cuisine et éteint le feu sous la casserole.

**5.** Dès la première gorgée, Olivier se rend compte que son café n'est pas sucré. Il met deux morceaux de sucre dans sa tasse.

**6.** Cette pomme est bien tentante. Alice la prend et la dévore avec appétit.

**7.** Les cinq « champions » sont prêts pour le départ du 100 mètres. Le professeur donne un coup de sifflet et tous s'élancent.

**8.** En plongeant avec précaution sa main dans la baignoire, Thomas constate que l'eau est beaucoup trop chaude. Il ouvre le robinet et rajoute de l'eau froide.

💿 Quelques réactions à des stimulations de l'environnement.

**2** **Premières analyses.**

- Le feu est au rouge : Thomas attend en surveillant les feux.

- Le feu passe au vert : Thomas démarre.

- Elsa veut rentrer chez elle. Elle met la main dans son sac et en palpant avec les doigts reconnaît, parmi les 3 clés qui s'y trouvent, celle qui ouvre la porte.

- Elle prend alors cette clé et l'introduit dans la serrure.

**ⓑ** Deux situations à analyser en utilisant les acquis antérieurs.

## LEXIQUE

- **Organes des sens** : organes indispensables à la perception du milieu (les yeux, les oreilles, la langue, le nez, la peau sont les organes des sens).
- **Stimulus** : signal physique ou chimique auquel un de nos organes des sens est sensible (la lumière est le stimulus des yeux, les sons, vibrations de l'air, sont le stimulus des oreilles...).

## Ⓐctivités

**1.** Quel organe des sens est à l'origine de chacune des réactions présentées en ⓐ ?

**2.** Pour chacune des deux situations présentées en ⓑ, énumérez dans l'ordre les organes qui interviennent et précisez leur rôle.

**3.** D'après vos réponses à la question précédente, une liaison semble manquer sur chacun des schémas ⓑ. D'après vous, laquelle ?

**4.** Comparez les deux situations présentées en ⓑ. Proposez un schéma très simple pour montrer les similitudes.

**5.** Dans des conditions normales, les organes des sens réagissent à des stimulus* spécifiques. Que signifie cette expression ?

# A la découverte des récepteurs sensoriels

*Nos organes des sens ne cessent de recevoir des stimulus et de réagir à certains d'entre eux (les oreilles sont stimulées par les sons, les yeux par la lumière...). Comment fonctionne un organe des sens ? Pour répondre nous prendrons comme exemple la peau.*

## 1 Des moyens pour explorer la sensibilité tactile.

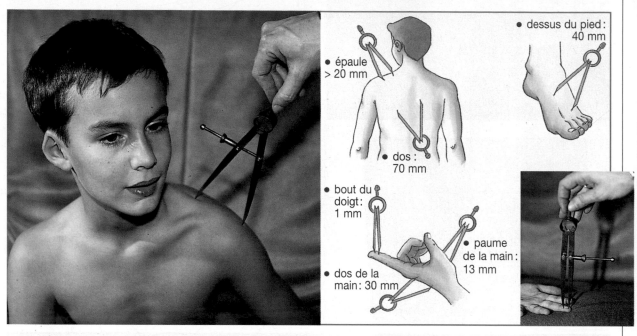

- épaule > 20 mm
- dos : 70 mm
- bout du doigt : 1 mm
- dos de la main : 30 mm
- paume de la main : 13 mm
- dessus du pied : 40 mm

**a** A partir de quel écartement cet adolescent distingue-t-il les deux pointes ? Cet écartement est-il le même sur l'épaule, le bout des doigts, le dos de la main... ?

La sensibilité de la peau est limitée à des points précis qui laissent entre eux des espaces insensibles. Le nombre de ces « points de toucher » varie de 5 à 200 par cm² selon les régions du corps. Les dessins présentent deux carrés de peau de mêmes dimensions.

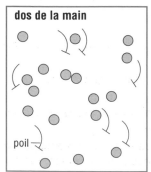

**dos de la main**

poil

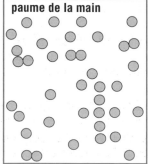

**paume de la main**

**b** La sensibilité de la peau est ponctuelle.

On peut explorer la sensibilité de la peau, pas seulement celle de la main, mais celle de la peau de tout le corps par exemple avec :
- un cheveu (dès qu'on appuie, le cheveu plie et n'exerce aucune pression) ;
- les deux pointes fines d'un compas (il y a alors contact avec pression très faible) ;
- une pointe émoussée et une forte pression (il y a alors déformation de la peau et étirement de celle-ci) ;
- une pointe métallique chaude (ou froide)...
On met alors en évidence des points précis dits de tact, de pression, de froid, de chaud, de douleur, distincts les uns des autres. Ces points sont inégalement répartis sur la peau. Par exemple, sur l'avant-bras il y a treize à quinze « points de froid » au centimètre carré pour un ou deux « points de chaud » seulement.

**c** Le « toucher » : plusieurs types de sensibilité.

## ② De nombreux récepteurs sensoriels* au niveau de la peau.

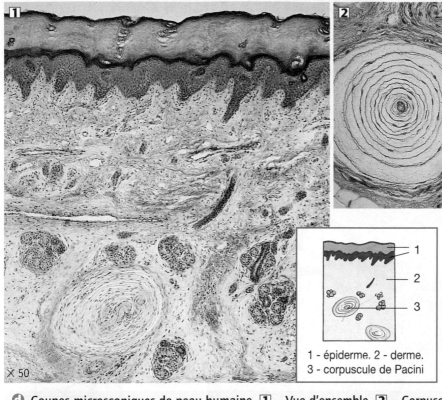

1 - épiderme. 2 - derme.
3 - corpuscule de Pacini

Les corpuscules de Meissner répondent à une pression légère. Ils permettent de sentir une caresse ou le contact des vêtements sur la peau. Les corpuscules de Pacini répondent à une pression intense. Ils avertissent que nous recevons un coup ou une pression forte.

ⓓ Coupes microscopiques de peau humaine. ① – Vue d'ensemble. ② – Corpuscule de Pacini (pression forte). ③ – Corpuscule de Meissner (tact léger).

L'examen de coupes microscopiques de peau révèle l'existence de plusieurs types de récepteurs sensoriels :
– des récepteurs de la sensibilité tactile (corpuscules de Meissner et Pacini) ;
– des récepteurs de la température (les uns sensibles au froid, les autres sensibles au chaud) ;
– des récepteurs de la douleur.
Ces récepteurs sont inégalement répartis sur la peau et leur nombre varie selon les régions. Il y a par exemple 135 récepteurs du « toucher » par centimètre carré sur la pulpe des doigts et 5 à 7 sur la face extérieure de la cuisse.

ⓔ Chaque sensation est ▶ associée à un type de récepteur.

## Ⓐctivités

**1.** Expliquez en quoi consiste le test présenté en ⓐ. Que permet-il de découvrir ?

**2.** La sensibilité de la peau est dite ponctuelle. Que signifie cette expression ?

**3.** Décalquez la photographie ⓓ①. Indiquez sur votre dessin le ou les récepteurs sensoriels visibles. Légendez votre dessin.

**4.** La peau est sensible à différents stimulus. Lesquels ? Les récepteurs mis en jeu sont-ils les mêmes ? Peut-on parler de récepteurs spécifiques ?

**5.** Comparez la sensibilité tactile sur le dos de la main et sur la paume de la main (ⓐ). Comment expliquez-vous les différences constatées ⓑ ?

# Naissance et transmission des messages nerveux

*La stimulation d'un récepteur sensoriel provoque la naissance de messages nerveux, qui se propagent vers le cerveau, véhiculés par les nerfs. Qu'est-ce qu'un nerf ? Quelles relations y a-t-il entre un nerf et les récepteurs sensoriels ?*

Tu connais l'histoire de Coco le concasseur de cacao ?

## 1 Un nerf* : un ensemble de fibres nerveuses*.

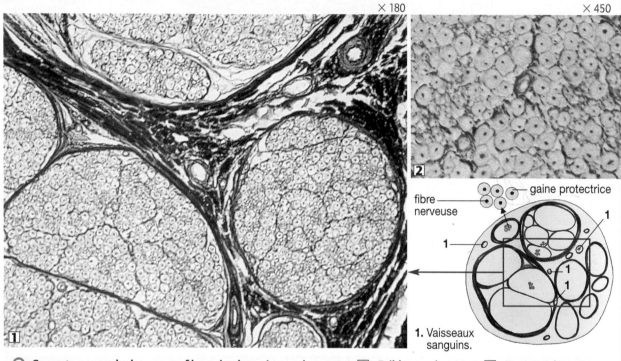

× 180          × 450

gaine protectrice
fibre nerveuse
1
1
1. Vaisseaux sanguins.

ⓐ Coupe transversale dans un nerf humain observée au microscope. 1 : Faible grossissement. 2 : Fort grossissement.

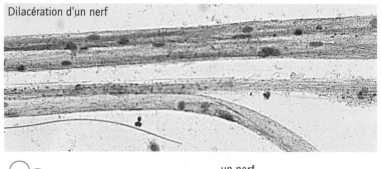

Dilacération d'un nerf

un nerf

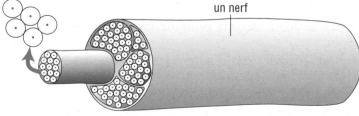

ⓑ Une analogie intéressante : nerf (photo et dessin de gauche) et câble téléphonique (photo de droite).

## ② La propagation des messages nerveux vers le cerveau.

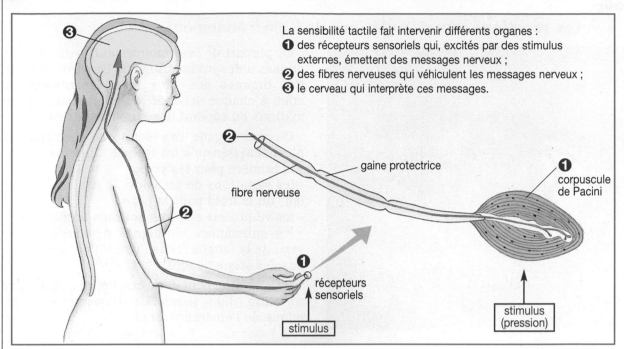

La sensibilité tactile fait intervenir différents organes :
❶ des récepteurs sensoriels qui, excités par des stimulus externes, émettent des messages nerveux ;
❷ des fibres nerveuses qui véhiculent les messages nerveux ;
❸ le cerveau qui interprète ces messages.

gaine protectrice

fibre nerveuse

❶ corpuscule de Pacini

récepteurs sensoriels

stimulus

stimulus (pression)

**ⓒ** Le trajet des messages nerveux du récepteur sensoriel au cerveau.

Reconnaître une clé en la palpant avec l'extrémité des doigts (fig **ⓑ**, p. 181), c'est surtout faire intervenir les corpuscules de Pacini (voir **ⓓ** **2**, p. 183) qui captent les déformations provoquées par le contact des objets. Plusieurs récepteurs sensoriels sont donc stimulés en même temps et le cerveau reçoit, transportés par des fibres nerveuses, de nombreux messages nerveux.
Le cerveau interprète les messages nerveux qu'il reçoit et procure une perception : « la base de cette clé est ronde avec un grand trou, elle possède plusieurs dents, ... ». En quelques secondes, Elsa sait qu'il s'agit de la bonne clé. La **perception** est une interprétation complexe qui fait intervenir des souvenirs multiples, c'est-à-dire la mémoire.

Dans tous les organes des sens (œil, peau, oreille...) il y a des récepteurs sensoriels qui réagissent à des stimulus spécifiques (selon les cas la lumière, les sons...) en émettant des messages nerveux. Ces derniers sont tous codés de façon identique : il s'agit de signaux électriques plus ou moins fréquents qui peuvent être enregistrés.

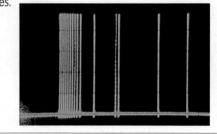

**ⓓ** Premières réflexions sur le rôle du cerveau.

**ⓔ** Le message nerveux : des signaux électriques.

## Ⓐctivités

**1.** Réalisez un schéma d'une partie de la photographie **ⓐ** et indiquez les fibres nerveuses.

**2.** Que découvre-t-on sur une coupe transversale d'un nerf ? Le nerf est comparé à un câble téléphonique : justifiez cette comparaison.

**3.** Que se passe-t-il dans un récepteur sensoriel ?

**4.** En utilisant les documents **ⓓ** et **ⓔ**, expliquez quel est le point de départ d'une fibre nerveuse et quel est son rôle.

**5.** Quelle différence faites-vous entre sensation et perception ?

### DOC 1 — Les réactions aux stimulations de l'environnement.

La plupart de nos mouvements sont des réponses à des stimulations de l'environnement. Nos organes des sens nous fournissent en effet, à chaque seconde, de nombreuses informations en captant des stimulus variés.

Chaque organe des sens est spécialisé et n'est sensible qu'à un type de stimulus :
– la lumière pour les yeux ;
– les variations de pression, le contact, la chaleur ou le froid pour la peau ;
– les vibrations sonores pour les oreilles ;
– les substances chimiques détectées au niveau de la langue (sens gustatif) ou des fosses nasales (sens olfactif).

Un stimulus peut donc être défini comme une variation d'un paramètre physique ou chimique de l'environnement.

### DOC 2 — A la découverte des récepteurs sensoriels.

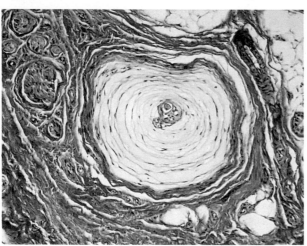

*Photographie :* un récepteur sensoriel de la peau.

On apprend généralement que nous avons cinq organes des sens. En réalité, la peau, organe du toucher, contient plusieurs types de récepteurs sensoriels sensibles à des stimulus spécifiques. Le « toucher » comprend donc plusieurs types de sensibilités : sensibilité au contact léger, à la pression, à la chaleur, au froid...

La sensibilité de la peau est ponctuelle, c'est-à-dire limitée à des points précis. Chacun de ces points correspond à la présence d'un récepteur. Le « toucher » n'est pas limité à la main. Sur tout le corps existent des récepteurs sensoriels du toucher, mais leur densité est très variable d'une région à l'autre.

### DOC 3 — La naissance et la transmission des messages nerveux.

Si la stimulation d'un récepteur sensoriel est suffisamment forte, ce dernier donne naissance à des messages nerveux qui se propagent sur la fibre nerveuse issue du récepteur jusqu'au cerveau.

Les messages nerveux sont des manifestations électriques enregistrables à l'aide d'appareils très sensibles.

En pratique, lorsqu'on identifie un objet en le palpant avec les doigts, plusieurs récepteurs sensoriels sont stimulés. Le cerveau reçoit donc plusieurs messages et les interprète. Cette interprétation, qui fait intervenir la mémoire, se traduit par une perception : la perception c'est donner un sens aux images que l'on voit, aux objets que l'on touche...

## Ce qu'il faut savoir

L'organisme capte en permanence des informations en provenance de son environnement.

Les organes des sens contiennent des récepteurs sensoriels sensibles à un stimulus spécifique (les récepteurs sensoriels de la rétine sont sensibles à la lumière, ceux de la peau ne le sont pas, mais ils sont sensibles soit à la pression, soit à la chaleur...).

Tous les organes des sens fonctionnent de façon analogue : la stimulation d'un récepteur sensoriel déclenche l'émission de messages nerveux par ce récepteur. Ces messages sont conduits au cerveau par une fibre nerveuse. Le cerveau élabore alors une perception à partir de ces informations.

Notre connaissance de l'environnement est une véritable création de notre cerveau.

### Les mots-clés

- stimulus
- organe des sens
- récepteur sensoriel
- message nerveux
- perception

## Le schéma bilan

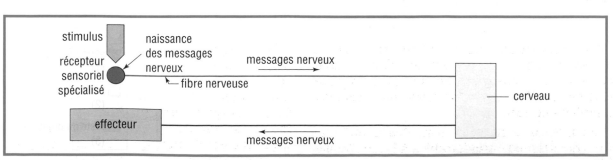

**L'ORGANISME RÉAGIT À DES STIMULATIONS DE L'ENVIRONNEMENT**

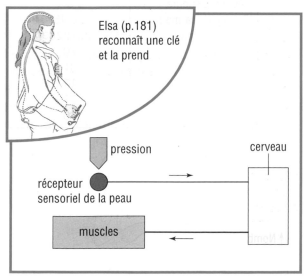

Elsa (p.181) reconnaît une clé et la prend

pression — cerveau

récepteur sensoriel de la peau

muscles

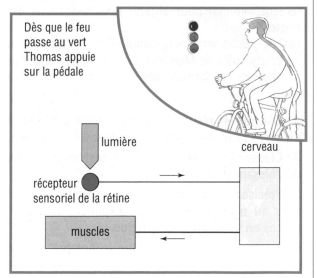

Dès que le feu passe au vert Thomas appuie sur la pédale

lumière — cerveau

récepteur sensoriel de la rétine

muscles

stimulus

récepteur sensoriel spécialisé

naissance des messages nerveux

fibre nerveuse

messages nerveux

cerveau

effecteur

messages nerveux

## L'observation de la rétine

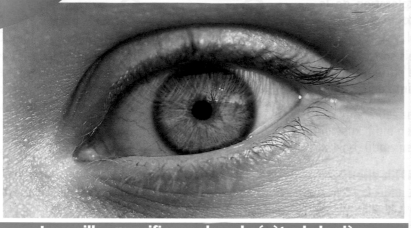

**La pupille : un orifice par lequel pénètre la lumière**

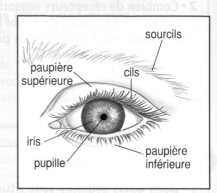

sourcils
cils
paupière supérieure
iris
pupille
paupière inférieure

La rétine est une fine membrane qui tapisse le fond de l'œil. Cette membrane contient l'ensemble des récepteurs sensibles à la lumière.

L'examen du fond de l'œil, c'est-à-dire l'observation directe de la rétine par la pupille, est un examen couramment pratiqué en ophtalmologie. Il permet en particulier de déceler les anomalies de la vascularisation rétinienne.

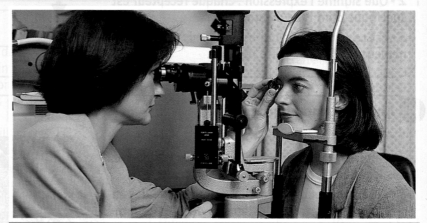

**Un examen du fond de l'œil**

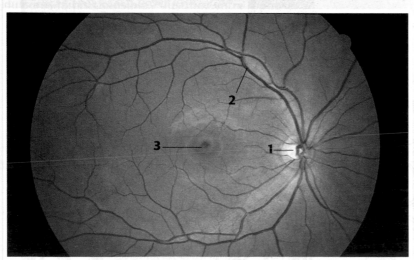

**1.** Départ du nerf optique. **2.** Vaisseaux rétiniens. **3.** Tache jaune (partie la plus sensible de la rétine).

**Observation directe de la rétine, tunique interne de l'œil**

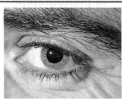

Le diamètre de la pupille est nettement plus grand en faible lumière qu'en lumière vive. Ainsi la quantité de lumière qui frappe la rétine est en partie modulée.

**Un réglage automatique**

# sensoriels de l'œil

**Observation d'une coupe de rétine au MEB** ($\times$ 800)

## La découverte des récepteurs sensoriels

Les récepteurs sensoriels de l'œil transforment la lumière qu'ils reçoivent en messages nerveux. Ils contiennent en effet des pigments sensibles à la lumière.

D'après leur aspect, on distingue deux types de récepteurs : les cônes et les bâtonnets. Les premiers fournissent en pleine lumière une vision colorée très précise ; les seconds sont responsables de la vision en faible lumière en fournissant des images floues et non colorées.

On évalue à 250 millions le nombre de récepteurs sensoriels de la rétine.

$\times$ 1 200          $\times$ 800

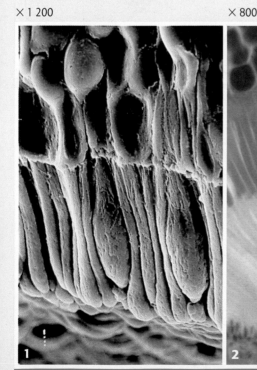

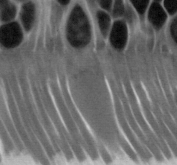

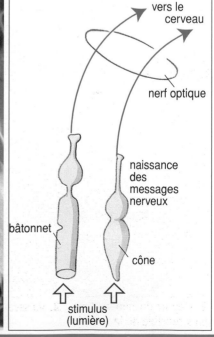

vers le cerveau

nerf optique

naissance des messages nerveux

bâtonnet

cône

stimulus (lumière)

**Observation des récepteurs sensoriels : 1 – au MEB. 2 – au microscope optique**

# Des outils

## ... pour comprendre comment

**Quelques découvertes sur un œil de mammifère**

Une expérience facile à réaliser avec un œil de mammifère

Une image nette sur la rétine

Si, dans une pièce obscure, on place une bougie allumée à 50 cm en avant d'un œil frais de mammifère dont une partie de la calotte postérieure est remplacée par un carré de papier calque, on observe la formation de l'image de la bougie.

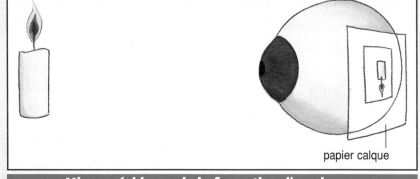

papier calque

Mise en évidence de la formation d'une image

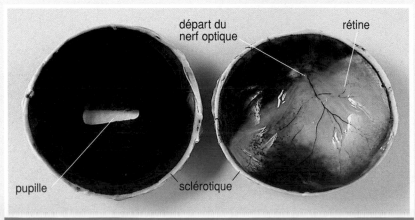

départ du nerf optique

rétine

pupille

sclérotique

Dissection d'un œil de mammifère : une étape importante

La dissection d'un œil de mammifère permet de découvrir l'organisation du globe oculaire et en particulier d'observer que la rétine « se prolonge » dans le nerf optique.

On compare parfois l'œil à un appareil photographique perfectionné : diaphragme réglable, mise au point automatique...

# des images se forment sur la rétine

**Une liaison avec les sciences physiques**

**Coupe dans un œil humain : un véritable schéma**

cristallin

nerf optique

**Coupe dans un œil de mammifère**

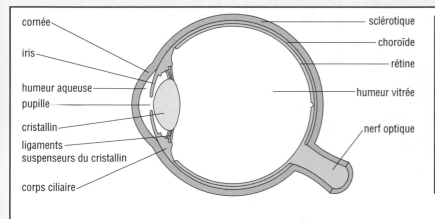

cornée
iris
humeur aqueuse
pupille
cristallin
ligaments suspenseurs du cristallin
corps ciliaire

sclérotique
choroïde
rétine
humeur vitrée
nerf optique

L'œil forme sur la rétine une image renversée des objets. L'ensemble des milieux transparents de l'œil (surtout la cornée et le cristallin) est donc comparable à une lentille convergente. Grâce au cristallin qui peut se déformer, la mise au point des images se fait automatiquement.

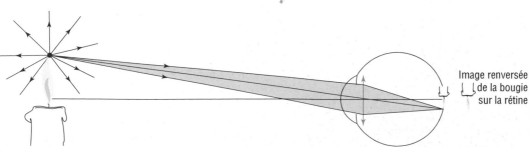

Image renversée de la bougie sur la rétine

L'œil capte une partie de la lumière émise par la bougie. Chaque point de la bougie a pour image un point de la rétine. Ainsi se forme « point par point » l'image renversée de la bougie sur la rétine.

**L'œil fonctionne comme une lentille convergente qui focalise les rayons lumineux**

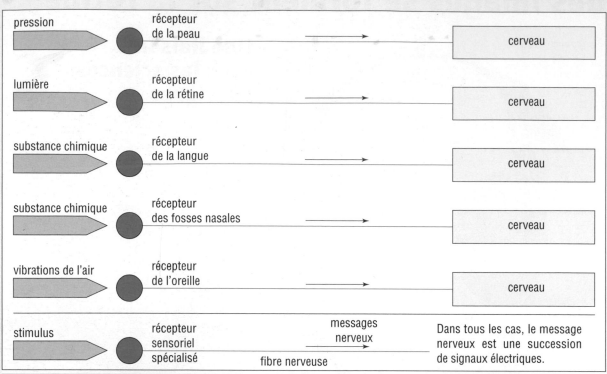

| stimulus | | | |
|---|---|---|---|
| pression | récepteur de la peau | → | cerveau |
| lumière | récepteur de la rétine | → | cerveau |
| substance chimique | récepteur de la langue | → | cerveau |
| substance chimique | récepteur des fosses nasales | → | cerveau |
| vibrations de l'air | récepteur de l'oreille | → | cerveau |

stimulus — récepteur sensoriel spécialisé — **messages nerveux** — fibre nerveuse

Dans tous les cas, le message nerveux est une succession de signaux électriques.

**Tous les récepteurs sensoriels fonctionnent sur le même principe. Expliquez cette phrase. Pourquoi dit-on qu'un récepteur est un « convertisseur » ?**

**Dans certaines professions, il est obligatoire de porter un casque. Savez-vous pourquoi ?**

## Ce que nous savons déjà

● Les récepteurs sensoriels sont excités par des stimulus spécifiques. Lorsqu'ils sont excités, ils émettent des messages nerveux.

● Les messages nerveux en provenance des yeux, des oreilles, de la peau... sont codés de façon identique. Ils sont transmis au cerveau par les fibres nerveuses des nerfs.

● Des faits de la vie courante nous apprennent que :
– un arrêt de la circulation sanguine au niveau du cerveau peut entraîner une paralysie ou même la mort ;
– les agressions sonores répétées perturbent gravement l'audition ;
– l'alcool en excès modifie le comportement.

## CHAPITRE

# 2

# L'activité du cerveau

● Comment est organisé le cerveau ?

● Comment, à partir de messages nerveux codés de façon identique, le cerveau donne-t-il des perceptions différentes (vision, goût, audition...) ?

● Quel trajet suivent les messages nerveux d'un récepteur sensoriel à un organe effecteur (un muscle par exemple) ?

● Pourquoi le cerveau est-il un organe si fragile ?

# A la découverte du cerveau

*Nous avons vu précédemment que les messages nerveux qui prennent naissance dans les récepteurs sensoriels sont conduits jusqu'au cerveau. Quelles parties du cerveau interviennent ? Avant de répondre à cette question, voyons de plus près ce qu'on appelle cerveau.*

## 1 Le cerveau*, partie prédominante de l'encéphale*.

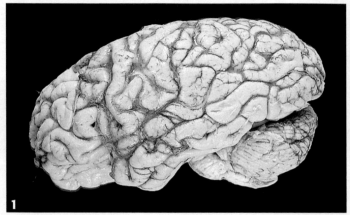

L'encéphale humain. **1** – Vue générale. **2** – Image obtenue par IRM* 3D. Cette technique moderne permet de voir les hémisphères cérébraux sans « ouvrir » le crâne.

**Les 4 lobes du cerveau**

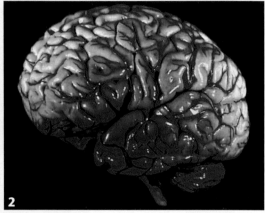

sillon
lobe frontal
lobe pariétal
lobe occipital
lobe temporal
sillon
cervelet

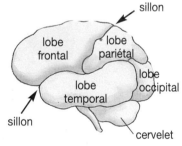

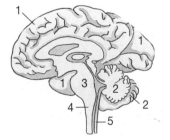

1. hémisphère cérébral droit
2. cervelet
3. protubérance annulaire
4. bulbe rachidien
5. moelle épinière

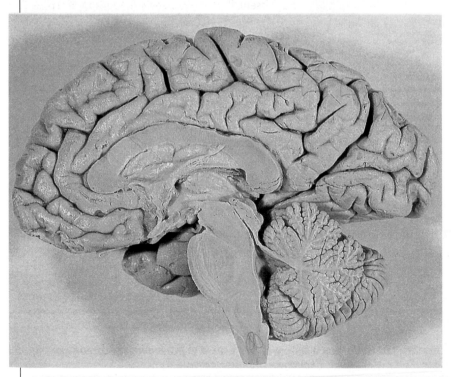

Encéphale humain coupé longitudinalement entre les deux hémisphères cérébraux.

## ❷ D'autres observations du cerveau.

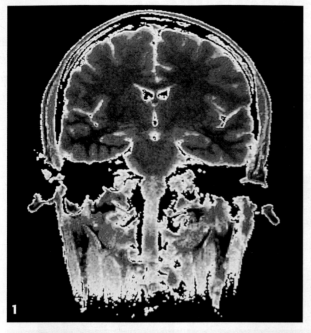

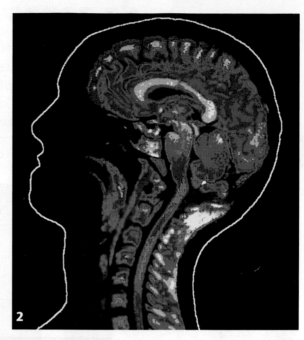

Images obtenues par IRM. **1** – Coupe frontale. **2** – Coupe longitudinale.

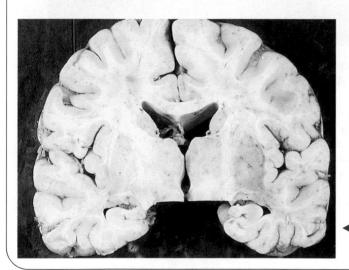

Le **cortex cérébral,** partie superficielle des hémisphères cérébraux, n'a que 2 à 4 mm d'épaisseur ; mais les nombreuses circonvolutions du cerveau triplent sa surface. De ce fait, en dépit de sa faible épaisseur, il représente environ 40 % de la masse de l'encéphale.

◀ Coupe transversale montrant le cortex.

### LEXIQUE

- **Encéphale :** ensemble des centres nerveux contenus dans la boîte crânienne des vertébrés (le cerveau, le cervelet et le tronc cérébral).
- **Cerveau :** partie antérieure de l'encéphale, composée de deux hémisphères cérébraux. Le terme de cerveau est parfois employé comme synonyme d'encéphale.
- **IRM (Imagerie par Résonance Magnétique) :** technique moderne d'observation des organes mous du corps humain, qui donne des images beaucoup plus fines que celles obtenues grâce aux rayons X.

**1.** Après examen des divers documents, proposez une définition des mots : encéphale, cerveau, hémisphères cérébraux, circonvolutions cérébrales.

**2.** Qu'est-ce que le cortex cérébral ? Comment expliquer l'importance en volume du cortex en dépit de sa minceur ?

**3.** Décalquez la photographie **2** et légendez votre dessin en indiquant les mots suivants : cerveau, cervelet, bulbe rachidien, moelle épinière, boîte crânienne.

**4.** Quel est le rôle de la boîte crânienne ?

# Une mosaïque de zones spécialisées

*Les récepteurs sensoriels (ceux de la peau, des yeux, des oreilles...) envoient des messages nerveux au cerveau. Ce dernier reçoit ces messages, les interprète et nous procure les perceptions : je vois un arbre, j'entends quelqu'un jouer un air de Mozart au piano... Comment les messages nerveux envoyés par les récepteurs sensoriels peuvent-ils donner des perceptions différentes ?*

## 1 Des observations cliniques.

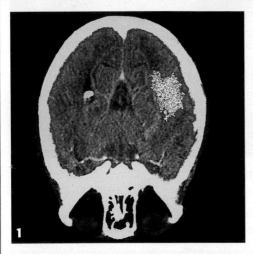

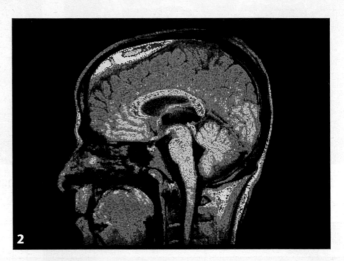

**a** Divers moyens d'investigation permettent de déceler une lésion du cerveau. A titre d'exemples : **1** – Accident vasculaire (obstruction d'un vaisseau sanguin). **2** – Hématome (accumulation de sang entre la paroi osseuse et le cerveau).

La destruction d'une partie du cerveau par une tumeur ou par un accident vasculaire cérébral (la formation d'un caillot dans une artériole entraîne la mort d'une zone du cerveau) provoque, selon la localisation de la lésion, des troubles de la perception ou des troubles de la motricité plus ou moins importants. Voici deux exemples.

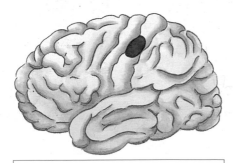

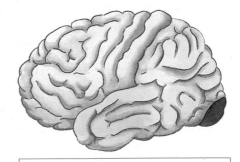

La destruction de cette zone sur l'hémisphère gauche supprime totalement la sensibilité tactile de la main droite. Si la lésion se situe sur l'hémisphère droit, il y a perte de la sensibilité tactile de la main gauche.

• La destruction de cette zone sur les deux hémisphères entraîne une cécité (perte de la vision) complète.
• Une lésion partielle entraîne l'impossibilité de voir dans une certaine région du champ visuel.

**b** Une lésion cérébrale entraîne, selon sa localisation, un trouble fonctionnel précis.

## ② Observation directe de l'activité du cerveau.

### Une technique très moderne

Lorsqu'une région du cerveau est active, les vaisseaux sanguins qui irriguent cette zone se dilatent et le débit sanguin augmente localement. Il suffit donc de mesurer les débits sanguins pour visualiser les zones actives.

On y arrive par une technique complexe qui consiste à injecter dans une veine une substance radioactive. Cette substance injectée est rapidement distribuée dans tout le cerveau. Un puissant ordinateur, relié à des détecteurs, calcule les débits sanguins et fournit des images de l'activité du cerveau :

– en vert : valeur moyenne du débit sanguin ;

– en bleu : valeur inférieure à la moyenne ;

– en jaune, rouge, blanc : valeurs supérieures à la moyenne.

Les clichés ci-contre présentent trois situations différentes.

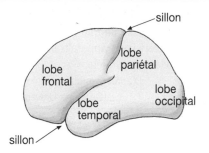

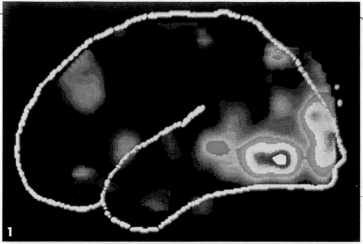

**1**

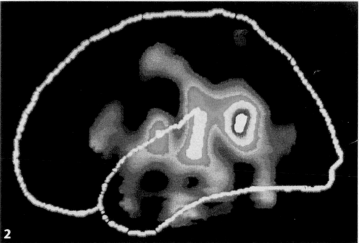

**2**

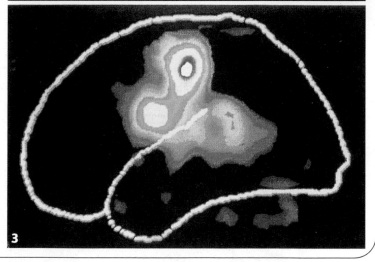

**3**

ⓒ Hémisphère cérébral gauche d'un ▶ sujet qui

**1** : regarde un objet qui se déplace ;

**2** : écoute parler une personne ;

**3** : parle à voix basse (mouvements du pharynx).

---

## Ⓐctivités

**1.** Qu'appelle-t-on « lésion cérébrale » ? Quelles sont les conséquences d'une lésion ?

**2.** Que représentent les différentes couleurs sur les clichés ci-dessus. Quelle conclusion peut-on dégager de l'analyse de ces clichés sur le fonctionnement du cerveau ?

**3.** Les résultats présentés sur le document ⓑ et sur le document ⓒ sont-ils en accord ? Tracez le contour de l'hémisphère cérébral gauche et indiquez sur votre schéma les zones ainsi mises en évidence.

**4.** Qu'appelle-t-on « aires spécialisées » ? Quelle définition de cette expression donnez-vous à ce stade de l'étude ?

# Les zones cérébrales sont interconnectées

DOCUMENTS

3

*Le cortex cérébral est une mosaïque d'une quarantaine de zones spécialisées. Mais, ni la perception ni la commande motrice ne seraient possibles sans communications entre ces zones. C'est ce que nous allons voir à l'aide de quelques exemples.*

## 1 Quelques points de repère sur la carte du cerveau.

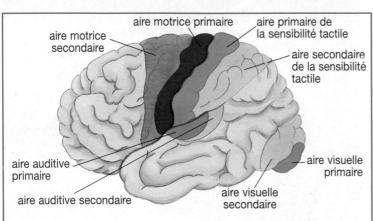

Un patient dont l'aire visuelle primaire* est intacte, mais dont l'aire visuelle secondaire est détruite, voit, mais ne reconnaît plus ce qu'il voit. C'est grâce à l'aire visuelle secondaire* qu'il reconnaît un crayon, une fleur ou un visage.

* **Aire visuelle primaire** : points d'arrivée des messages nerveux en provenance de la rétine.
* **Aire visuelle secondaire** : zone d'interprétation des messages nerveux en provenance de l'aire visuelle primaire.

**ⓐ** **Principales localisations cérébrales.**

Lorsque votre regard se pose sur un crayon, en moins de deux dixièmes de seconde, vous savez qu'il s'agit d'un crayon avec lequel vous pouvez écrire. La perception, c'est donner un sens aux images que l'on voit, aux sons que l'on entend, aux objets que l'on palpe...

« Si l'on pouvait croiser les fibres nerveuses qui proviennent de vos yeux et conduisent les messages nerveux au cerveau avec les fibres nerveuses qui conduisent les messages nerveux de vos oreilles à votre cerveau, vous percevriez l'éclair d'un flash d'un appareil photo comme une détonation, et un concert vous apparaîtrait comme des éclats de lumière. »

D'après Campbell « Biologie » (De Boeck Université).

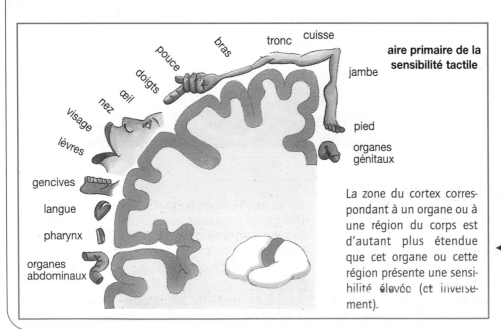

La zone du cortex correspondant à un organe ou à une région du corps est d'autant plus étendue que cet organe ou cette région présente une sensibilité élevée (et inversement).

**ⓑ** Surface occupée sur l'aire de la sensibilité tactile par les différentes parties du corps.

# 2 Des communications entre les aires cérébrales sont indispensables.

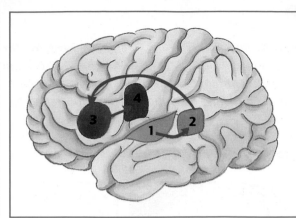

**1.** Cortex auditif (zone d'arrivée des fibres nerveuses en provenance de l'oreille).

**2.** "Zone-mémoire" où sont stockés les "modèles auditifs" des mots parlés (reconnaissance des mots entendus).

**3.** Région dans laquelle sont stockés les "programmes moteurs" pour prononcer les différents mots.

**4.** Cortex moteur du larynx (point de départ des fibres motrices des muscles du larynx).

**ⓒ** Un exemple de cheminement des messages nerveux dans le cerveau : un sujet répète une phrase entendue.

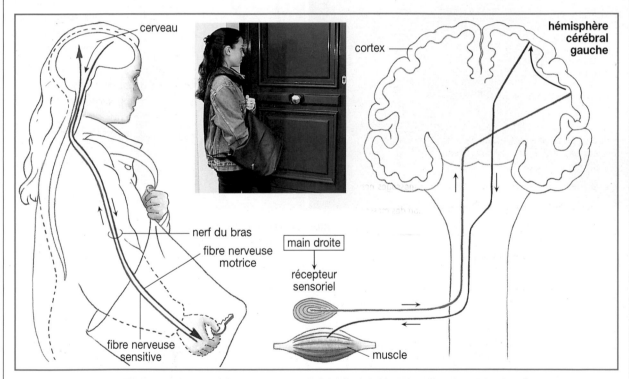

**ⓓ** Schéma fonctionnel montrant le trajet des messages nerveux des récepteurs cutanés aux muscles.

## Activités

**1.** Comparez le schéma **ⓐ** aux documents des pages 198 et 199 et précisez comment les neurophysiologistes ont établi la « cartographie » du cerveau.

**2.** Citez les différentes aires sensitives. A quoi correspondent ces zones ?

**3.** L'aire de la sensibilité tactile est parfois appelée « aire de projection sensitive ». Que signifie cette expression ? Comment expliquez-vous que l'index de la main occupe une surface aussi étendue que le tronc ?

**4.** En utilisant le document **ⓒ**, expliquez cette phrase : « La perception et la commande motrice font intervenir des communications entre les différentes régions du cerveau et la mise en jeu de la mémoire ».

**5.** Quel hémisphère cérébral commande les muscles de la main droite ?

# Le cerveau est un organe très fragile

*Privée de dioxygène pendant quelques minutes, une cellule nerveuse meurt et le rétablissement du ravitaillement en dioxygène ne la ramène pas à la vie. Par ailleurs certaines substances chimiques perturbent le fonctionnement cérébral et modifient l'activité mentale, les sensations, les comportements.*

## 1 Les cellules cérébrales détruites ne sont pas remplacées.

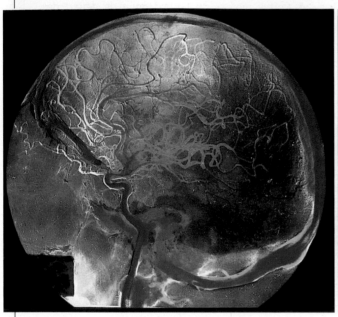
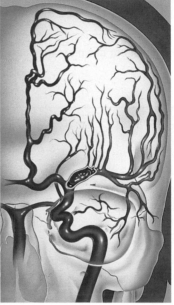

• Chez l'adulte, les cellules cérébrales ne se divisent plus. Une cellule qui meurt n'est donc pas remplacée.
• Les cellules cérébrales exigent un approvisionnement permanent et abondant en dioxygène et en glucose. Le cerveau, qui ne représente que 2 % de la masse du corps, consomme 20 % du dioxygène utilisé par l'organisme.

ⓐ Un réseau dense de vaisseaux sanguins apporte aux cellules nerveuses le dioxygène et les éléments nutritifs dont elles ont besoin. L'obstruction d'un vaisseau par un caillot entraîne la mort de la zone non irriguée.

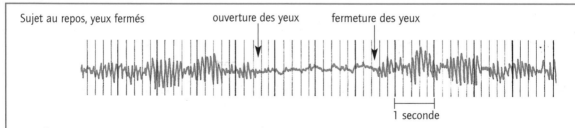

Sujet au repos, yeux fermés      ouverture des yeux      fermeture des yeux

1 seconde

Le cerveau présente une activité électrique permanente qui peut être enregistrée grâce à des électrodes disposées sur le cuir chevelu. On obtient ainsi un électroencéphalogramme (ou EEG). Un arrêt respiratoire ou un arrêt cardiaque prolongés provoquent en quelques minutes la mort du cerveau. Celle-ci se traduit par l'arrêt de l'activité électrique : l'EEG est alors « plat ».
Dans les services de réanimation, respiration et circulation sanguine des malades peuvent être maintenues artificiellement par des dispositifs d'assistance. La mort du cerveau, révélée par un EEG plat, conduit le médecin à interrompre cette assistance respiratoire et cardiaque devenue inutile. Le diagnostic de mort cérébrale (et donc de décès du malade) exige que deux enregistrements de plusieurs minutes soient réalisés à plusieurs heures d'intervalle.

ⓑ La mort du cerveau (électroencéphalogramme « plat ») signifie la mort de l'individu.

## ❷ Les drogues* perturbent le fonctionnement du cerveau.

La toxicomanie est devenue l'un des principaux problèmes de santé publique et un enjeu majeur de société. Il y aurait, en France, 150 000 à 300 000 toxicomanes.

### Qu'est-ce que la toxicomanie ?

L'Organisation Mondiale de la Santé (OMS) la définit comme « un état de dépendance physique ou psychique ou les deux, vis-à-vis d'un produit et s'établissant chez un sujet et à la suite de l'utilisation périodique ou continue de celui-ci ». La toxicomanie représente donc une aliénation, une certaine privation de liberté puisque le toxicomane est profondément dépendant de sa drogue. L'OMS préfère même au terme de « toxicomanie », celui de « pharmacodépendance ».

D'après « ADOSEN ».

| Nom de la drogue | Origine | Effets à la prise | Effets à moyen ou à long terme |
|---|---|---|---|
| Cannabis<br>• hachisch +<br>• marijuana + | Issus d'un végétal : le chanvre indien | • Augmentation des perceptions sensorielles (hallucinations)<br>• Perception anormale du temps<br>• Excitation, euphorie<br>• Sensation de bien-être | • Diminution des facultés intellectuelles (mémoire, attention)<br>• Diminution des performances psychomotrices<br>• Dépendance* psychique |
| L.S.D. □ | Comprimé chimique dérivé de l'ergot du seigle | • Puissant hallucinogène<br>• Modification des perceptions visuelles, auditives et tactiles (illusions, délires...) | • Troubles mentaux (état dépressif grave)<br>• Destruction de la personnalité<br>• Délire de persécution<br>• Accoutumance* aux effets très rapide |
| Opium<br>• héroïne ○<br>• morphine ○ | Issus du lait du fruit d'un végétal : le pavot | • Suppression de la douleur<br>• Euphorie<br>• Plaisir intense et immédiat | • Dépendance physique : (état de manque avec douleurs)<br>• Dépendance psychique<br>• Drogues mortelles par surdoses |
| Cocaïne △ | Extraite de la feuille d'un végétal : le coca | • Stimulant<br>• Euphorie | • Anxiété, délire de persécution<br>• Dépression<br>• Dépendance et accoutumance |
| Ecstasy □ | Produit chimique de synthèse, dérivé de l'amphétamine | • Hallucinogène<br>• Augmentation de l'activité motrice, des perceptions sensorielles<br>• Diminution de la fatigue | • Dépression<br>• Convulsions, hyperthermie<br>• Insuffisances rénales graves<br>• Une dose peut provoquer la mort |

+ drogues fumées    □ drogues absorbées par voie orale    △ drogues inhalées    ○ drogues injectées

**ⓒ Les drogues modifient l'activité mentale, les sensations, les comportements.**

### LEXIQUE

• **Drogue** : toute substance qui peut modifier la conscience et le comportement de l'utilisateur (définition de l'OMS).

• **Accoutumance** : état de l'organisme qui s'habitue progressivement à l'action d'un médicament ou d'une drogue (pour obtenir les mêmes effets, il faut alors augmenter les doses).

• **Dépendance** : besoin impérieux de continuer à absorber une drogue afin de chasser un malaise physique ou psychique dû à un état de manque.

### ⒶActivités

**1.** Qu'est-ce qu'un accident vasculaire cérébral ? Pourquoi de tels accidents entraînent-ils des troubles neurologiques ?

**2.** Qu'est-ce qu'un EEG ? Comment la mort d'un être humain est-elle définie légalement ?

**3.** La prise d'une drogue modifie les sensations et les comportements. Illustrez cette affirmation à partir de deux exemples pris dans le tableau ⒸCA.

**4.** Pourquoi la plupart des drogues sont-elles interdites ?

# Les bruits intenses altèrent l'audition

**5**

*L'exposition prolongée à des niveaux sonores intenses détruit peu à peu les récepteurs sensoriels de l'oreille et conduit à une surdité irréversible. L'appareillage par des prothèses électroniques est très délicat et pas toujours efficace. Comment s'installe la surdité ?*

## 1 Les jeunes sont de plus en plus menacés...

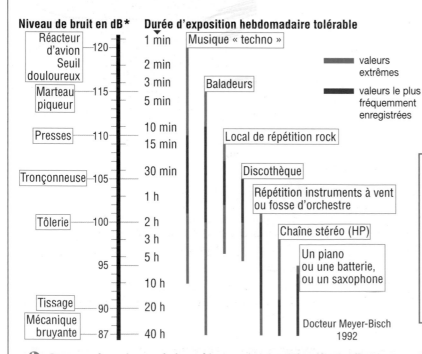

- Une campagne de dépistage menée en 1995 auprès de 2 268 lycéens en région Rhône-Alpes a mis en évidence une perte auditive chez 11 % d'entre eux.
- En examinant un régiment de jeunes appelés, un médecin du Val-de-Grâce (Paris) a constaté que 44 % présentent des troubles auditifs.
- Selon une enquête du CNRS, 20 % des utilisateurs de « balladeurs » poussent le son à sa puissance maximale.
- Une soirée en discothèque équivaut à un trimestre de travail à un poste bruyant.
- 44 % des jeunes qui assistent au moins à deux concerts de musique « techno » par mois présentent un déficit auditif.

**ⓐ** La dégradation auditive chez les jeunes va croissant. Premier suspect : le balladeur, compagnon de 80 % des adolescents. Champion toutes catégories : les concerts « techno ».

**Niveau de bruit en dB\***

| | |
|---|---|
| Réacteur d'avion | 120 |
| Seuil douloureux | |
| Marteau piqueur | 115 |
| Presses | 110 |
| Tronçonneuse | 105 |
| Tôlerie | 100 |
| | 95 |
| Tissage | 90 |
| Mécanique bruyante | 87 |

**Durée d'exposition hebdomadaire tolérable**

1 min — Musique « techno »
2 min
3 min — Baladeurs
5 min
10 min
15 min — Local de répétition rock
30 min — Discothèque
1 h — Répétition instruments à vent ou fosse d'orchestre
2 h — Chaîne stéréo (HP)
3 h
5 h — Un piano ou une batterie, ou un saxophone
10 h
20 h
40 h

Docteur Meyer-Bisch 1992

█ valeurs extrêmes

█ valeurs le plus fréquemment enregistrées

Plus de deux millions de personnes sont exposées de manière prolongée à des bruits intenses, dépassant 85 dB\*, sur leur lieu de travail. Un certain nombre d'entre elles seront atteintes de surdité irréversible. En effet, un niveau sonore constant de 85 dB, huit heures par jour, dégrade inexorablement l'oreille.

**ⓑ** On peut devenir sourd si on dépasse une certaine durée d'exposition au bruit.

**ⓒ** La surdité est la maladie professionnelle la plus répandue en France.

## ② ... et deviennent sourds sans s'en rendre compte.

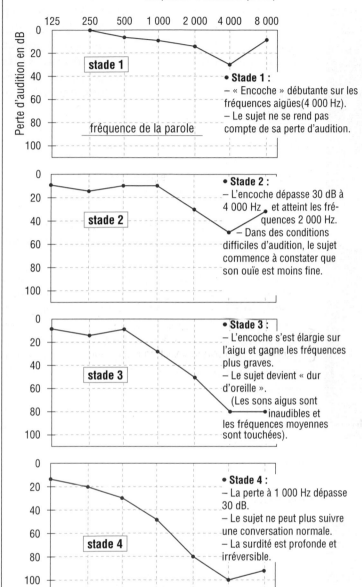

**fréquence d'audition (hertz)**

**stade 1**

Perte d'audition en dB

fréquence de la parole

● **Stade 1 :**
– « Encoche » débutante sur les fréquences aigües(4 000 Hz).
– Le sujet ne se rend pas compte de sa perte d'audition.

**stade 2**

● **Stade 2 :**
– L'encoche dépasse 30 dB à 4 000 Hz, et atteint les fréquences 2 000 Hz.
– Dans des conditions difficiles d'audition, le sujet commence à constater que son ouïe est moins fine.

**stade 3**

● **Stade 3 :**
– L'encoche s'est élargie sur l'aigu et gagne les fréquences plus graves.
– Le sujet devient « dur d'oreille ».
(Les sons aigus sont inaudibles et les fréquences moyennes sont touchées).

**stade 4**

● **Stade 4 :**
– La perte à 1 000 Hz dépasse 30 dB.
– Le sujet ne peut plus suivre une conversation normale.
– La surdité est profonde et irréversible.

ⓓ Les audiogrammes* décèlent les déficits auditifs avant que le sujet ne ressente une gêne.

---

### Sons graves et sons aigus

Un son est une vibration mécanique qui se propage dans l'air, dans l'eau ou dans un solide. Selon que les vibrations sont rapides ou lentes, les sons deviennent aigus ou graves. La rapidité des vibrations se caractérise par la fréquence, qui se mesure en hertz (Hz), c'est-à-dire en nombre de vibrations par seconde.
– vibrations rapides = fréquence élevée = son aigu,
– vibrations lentes = fréquence faible = son grave.

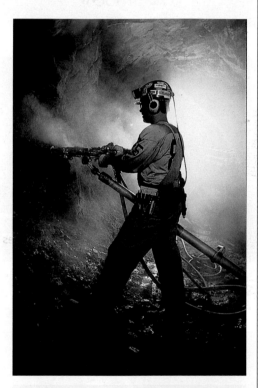

ⓔ Quand on est obligé de travailler en milieu bruyant, il est prudent de se protéger grâce à un casque ou à des bouchons d'oreille.

---

### Ⓐctivités

**1.** A quelles agressions sonores sont soumis les jeunes ?

**2.** Pourquoi les surdités dues à l'excès de bruit sont-elles irréversibles ? Quels organes sont atteints ?

**3.** D'après les exemples proposés, précisez ce qu'est un audiogramme et quel est son intérêt.

**4.** Que signifie l'égalité 88 dB pendant 40 heures = 110 dB pendant 12 minutes ?

### DOC 1 DOC 2 DOC 3 Le cortex : une mosaïque d'aires spécialisées.

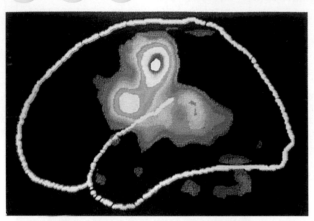

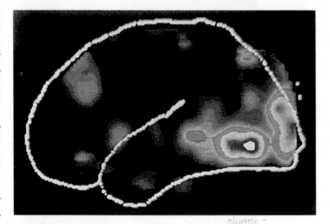

L'écorce cérébrale, ou cortex, est repliée en circonvolutions séparées par des sillons ; ces replis triplent la surface cérébrale. La mince couche de matière grise qui constitue cette écorce est le siège de la perception, de la mémoire, de la commande des mouvements volontaires, du langage...

Le cortex cérébral est une mosaïque de plusieurs dizaines de zones spécialisées. Parmi elles, on peut définir :
– des aires sensitives spécialisées dans la réception et le traitement des messages provenant des récepteurs sensoriels ;
– des aires motrices qui élaborent et envoient les ordres nerveux commandant les mouvements volontaires.

Chacune de ces aires a une organisation complexe. L'aire visuelle par exemple comprend, autour de la zone d'arrivée des messages provenant de la rétine, une zone assurant le traitement de ces informations et élaborant finalement la perception visuelle, c'est-à-dire la reconnaissance de l'objet, du visage, du paysage...

Les différentes aires cérébrales sont interconnectées et « dialoguent » entre elles de façon quasi permanente.

### DOC 4 DOC 5 Le cerveau est un organe fragile.

Pourquoi faut-il prendre des précautions pour regarder une éclipse de soleil ?

Les cellules nerveuses ne peuvent pas se diviser ; elles ne sont donc pas remplacées lorsqu'elles sont détruites.

Parmi toutes les cellules du corps, les cellules nerveuses sont les plus sensibles à la privation de dioxygène. Privée de dioxygène pendant quelques minutes, une cellule nerveuse est définitivement détruite. C'est pourquoi la rupture ou l'oblitération d'un vaisseau dans une aire motrice peut causer une paralysie.

L'arrêt de la respiration ou de la circulation, chez un homme, provoque la mort du cerveau. Celle-ci se traduit par l'arrêt de l'activité électrique cérébrale : l'électroencéphalogramme est alors une ligne droite, on dit qu'il est plat.

L'usage des drogues perturbe gravement le fonctionnement cérébral. On appelle drogue toute substance qui peut modifier la conscience et le comportement de l'utilisateur.

### Ce qu'il faut savoir

**L**a perception consciente de l'environnement et la commande motrice volontaire s'élaborent au niveau du cortex cérébral. Elles mettent en jeu des aires cérébrales localisées où aboutissent et d'où partent les messages nerveux. Elles supposent des communications entre les différentes régions du cerveau et la mise en jeu de la mémoire.

Le cerveau est un organe fragile : il est particulièrement sensible aux insuffisances de l'approvisionnement en dioxygène et en glucose. La mort du cerveau signifie la mort de l'individu.

Certaines substances chimiques (les drogues) perturbent gravement son fonctionnement.

## Les mots-clés

- encéphale
- cerveau
- cortex cérébral
- aire sensitive
- aire motrice
- commande motrice

### Le schéma bilan

**L'ACTIVITÉ DU CERVEAU**

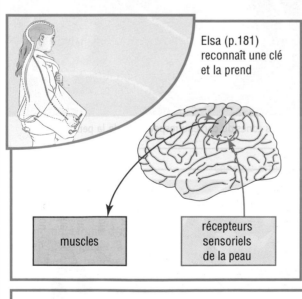

Elsa (p.181) reconnaît une clé et la prend

muscles

récepteurs sensoriels de la peau

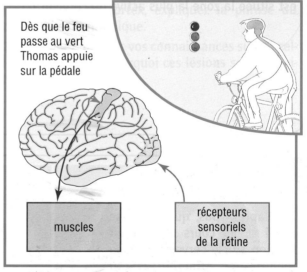

Dès que le feu passe au vert Thomas appuie sur la pédale

muscles

récepteurs sensoriels de la rétine

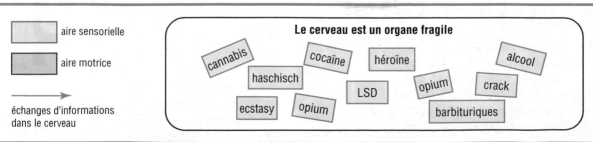

aire sensorielle

aire motrice

échanges d'informations dans le cerveau

**Le cerveau est un organe fragile**

cannabis
haschisch
ecstasy
cocaïne
opium
LSD
héroïne
opium
barbituriques
alcool
crack

POUR FAIRE LE POINT AVANT D'ABORDER LE CHAPITRE 3 • POUR FAIRE LE POINT AVANT D'ABORDER LE CHAPITRE 3 • POUR FAIRE LE POINT AVANT D'ABORDER LE CHAPITRE 3

**La même portion du cerveau d'un enfant à deux âges différents : à la naissance et à deux ans. Les cellules nerveuses apparaissent en noir. D'après vous, en quoi consiste la maturation du cerveau ? Formulez une hypothèse.**

Que savez-vous sur les drogues ?

**Ce que nous savons déjà**

- Tous les organes sont constitués de cellules spécialisées.
- Les nerfs sont des faisceaux de fibres nerveuses.
- Le cerveau comprend des aires sensitives et motrices spécialisées.
- Les communications entre les différentes zones du cerveau sont permanentes.
- Les drogues perturbent gravement le comportement. Des médicaments (tranquillisants, antidépresseurs...) sont largement utilisés en médecine.

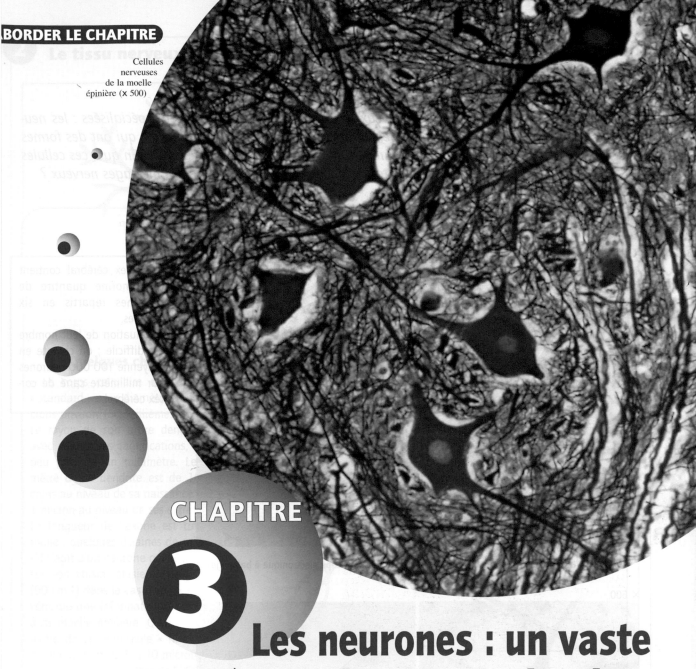

Cellules
nerveuses
de la moelle
épinière (x 500)

# Les neurones : un vaste
# réseau de communication

● Le système nerveux est constitué de cellules spécialisées. Quelles sont ces cellules ? En quoi consiste leur spécialisation ?

● Quelle relation y a-t-il entre les fibres nerveuses qui constituent les nerfs et les cellules nerveuses ?

● Comment les messages nerveux passent-ils d'une cellule à l'autre ?

● Quelle est l'action des médicaments et des drogues sur la transmission des messages ?

## DE NOUVEAUX
## PROBLÈMES
## A RÉSOUDRE

## DOC 1 — Cent milliards de neurones.

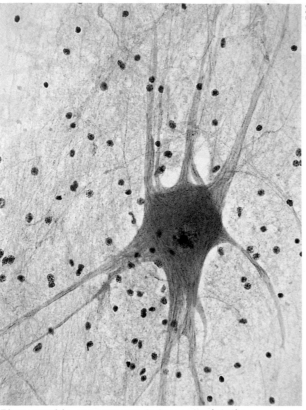

× 500

Les cellules nerveuses ont une forme très particulière : un neurone est une cellule très longue qui présente deux types de prolongements cytoplasmiques :
– les dendrites qui forment, avec leurs nombreuses ramifications, une structure réceptrice très étendue ;
– l'axone, prolongement unique, dont l'extrémité se divise en de très nombreuses ramifications (l'arborisation terminale).

Les neurones sont des cellules excitables qui reçoivent, émettent et transmettent des signaux électriques. Leurs prolongements cytoplasmiques (dendrites et axone) leur permettent de conduire très rapidement ces signaux sur des distances considérables.

Chaque neurone peut ainsi recevoir des informations de nombreux autres neurones et transmettre des signaux à une multitude d'autres. On peut donc dire que chaque neurone entretient des « conversations » simultanées avec de très nombreux neurones. Ces conversations sont particulièrement complexes dans le cerveau qui contient cent milliards de neurones.

*Photographie :* un neurone de la moelle épinière.

## DOC 2 — Les communications entre les neurones.

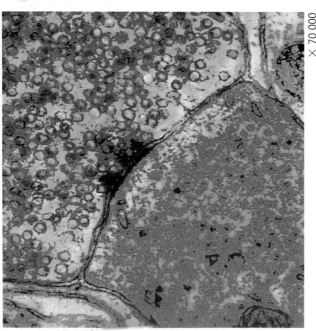

× 70 000

Le transfert de l'information d'un neurone à l'autre se fait au niveau des synapses. A ce niveau, les membranes des neurones « en contact » sont proches l'une de l'autre, mais toujours séparées par un espace, la fente synaptique. Les messages nerveux formés de signaux électriques ne peuvent pas franchir directement cet espace. La transmission d'informations se fait par libération de messagers chimiques qui traversent la fente synaptique. La communication est donc à sens unique : du neurone qui libère le messager chimique vers celui qui le reçoit.

Par ailleurs, comme un neurone reçoit en permanence de nombreux messagers chimiques au niveau de ses contacts synaptiques, il tient compte à tout moment de l'ensemble des signaux qu'il reçoit et élabore un message nerveux « original ». Un neurone n'est donc pas un simple relais, mais une unité de traitement de l'information.

*Photographie :* détail d'une synapse.

### Ce qu'il faut savoir

Le fonctionnement du système nerveux repose sur la circulation de signaux dans un réseau très complexe de neurones. Un neurone est une cellule spécialisée très longue qui peut recevoir des informations en provenance de milliers de neurones et transmettre des signaux à une multitude d'autres neurones.

Le transfert de l'information se fait au niveau de dispositifs spécialisés, les synapses, par l'intermédiaire de messagers chimiques.

Les médicaments (les tranquillisants, les anti-dépresseurs) agissent au niveau des synapses ; ils modifient l'humeur et les comportements.

Les drogues ont également à ce niveau une action qui les rend dangereuses, car elles perturbent gravement les relations de l'homme avec son environnement.

### Les mots-clés

- neurone
- dendrites
- axone
- arborisation terminale
- synapse
- messager chimique
- drogue

### Le schéma bilan

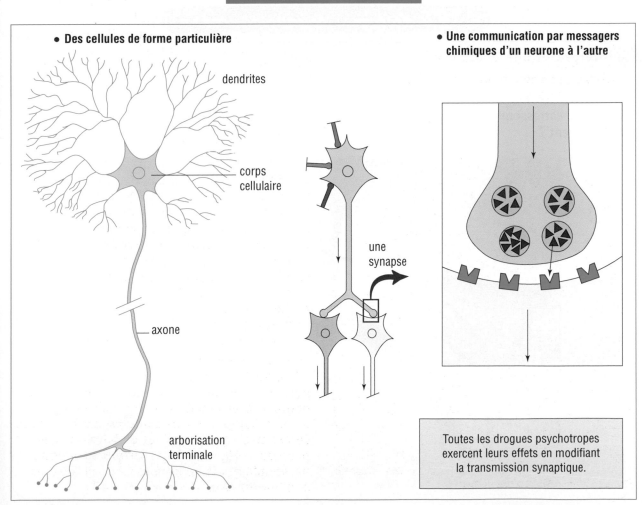

• Des cellules de forme particulière

dendrites

corps cellulaire

une synapse

axone

arborisation terminale

• Une communication par messagers chimiques d'un neurone à l'autre

Toutes les drogues psychotropes exercent leurs effets en modifiant la transmission synaptique.

# EXERCICES

**A• Définissez les mots ou expressions :**
Neurone, axone, synapse, dendrite, fente synaptique, messager chimique.

**B• Vrai ou faux ?**
Certaines affirmations sont exactes, recopiez-les. Corrigez les affirmations qui sont inexactes.
**a.** Le cortex cérébral est constitué par un très complexe réseau de neurones.
**b.** Les neurones communiquent entre eux par des phénomènes électriques.
**c.** Une synapse permet la communication entre deux neurones.
**d.** Au niveau d'un neurone les messages nerveux circulent dans le sens axone → corps cellulaire → dendrites.
**e.** Les drogues agissent au niveau des synapses.

**C• Pourquoi dit-on que...**
**a.** Un neurone est une cellule spécialisée ?
**b.** Les neurones forment un réseau de communication ?

**c.** Les drogues entraînent une dépendance ?

**D• Expliquez comment...**
**a.** Les messages nerveux franchissent l'espace entre deux neurones.
**b.** Les drogues agissent sur le système nerveux.

**E• Trouvez les définitions qui correspondent aux mots suivants :**
• Mots :
 1. Toxicomanie.
 2. Dépendance.
 3. Sevrage.
 4. Accoutumance.
• Définitions :
 **a.** Impossibilité de se passer de la drogue.
 **b.** Interruption dans l'utilisation d'une drogue pour mettre un terme à la dépendance.
 **c.** Adaptation de l'organisme aux effets d'une drogue.
 **d.** État d'intoxication psychique et physique.

**1** **Interpréter une photographie.**

1• Dans quel tissu a été réalisée la coupe microscopique photographiée ci-dessous ?

2• À quoi correspondent les filaments visibles sur ce document ?

3• Réalisez un dessin d'après cette photographie, ajoutez des légendes.

4• Évaluez, à l'aide de l'échelle, les dimensions de l'un des corps cellulaires.

5• Donnez la définition d'un neurone.

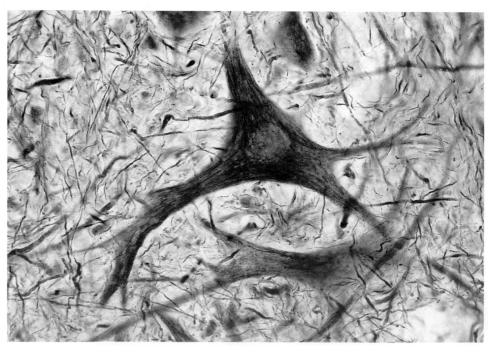

× 650

# EXERCICES

## 2 · Établir des relations entre une photographie et un dessin.

La photographie ci-contre représente une synapse.

**1 •** Décalquez cette photographie en ne gardant que les éléments essentiels.

**2 •** Légendez votre dessin en ajoutant les mots : neurone présynaptique, neurone postsynaptique, fente synaptique, messager chimique.

**3 •** Indiquez par une flèche le sens de transmission des messages nerveux.

**4 •** Rappelez brièvement quel est le rôle du messager chimique.

× 26 000

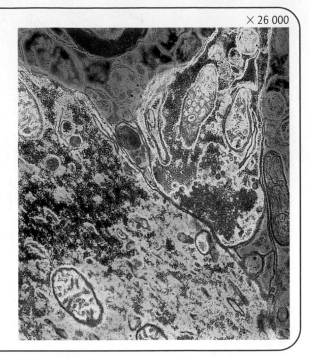

## 3 · Légender des schémas.

**1 •** Reproduisez les schémas ci-dessous et indiquez les légendes suivantes : neurone présynaptique, neurone postsynaptique, corps cellulaire, axone, synapse, fente synaptique, vésicule synaptique.

**2 •** Représentez par des points rouges les messagers chimiques, puis indiquez par une flèche leur devenir au niveau de la synapse lorsque celle-ci « transmet » un message nerveux.

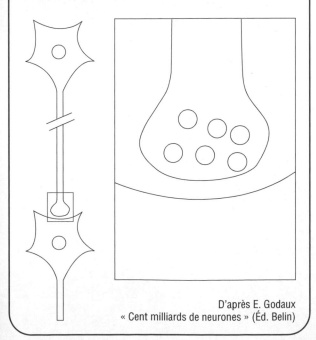

D'après E. Godaux
« Cent milliards de neurones » (Éd. Belin)

## 4 · Réfléchir aux effets toxiques de l'alcool.

Chez un sujet à jeun, l'alcool passe dans le sang en moins de 30 minutes. S'il est consommé au cours d'un repas, le temps de passage est un peu plus long, mais de toute façon, l'alcoolémie (teneur en alcool du sang) augmente, entraînant des troubles du comportement.

| Alcoolémie (en g/L) | Effets |
|---|---|
| 0,25 | Légère euphorie. Excitation verbale |
| 0,25 à 0,6 | Des tests appropriés révèlent un allongement des temps de réaction et un rétrécissement du champ visuel |
| 0,6 à 1,5 | Mauvaise coordination de la marche. Vision trouble. Le jugement est altéré |
| 1,5 à 3 | La parole devient incohérente. La confusion mentale s'installe. |
| 3 à 5 | Coma qui peut entraîner la mort au-delà de 5 g/L (le sujet est ivre mort). |

**1 •** Qu'appelle-t-on alcoolémie ?

**2 •** En France, le seuil légal interdisant la conduite est de 0,5 g/L. Qu'est-ce qui justifie une telle mesure ?

**3 •** L'alcool agit sur les centres nerveux. Qu'est-ce qui, dans le tableau ci-dessus, le laisse supposer ?

CINQUIÈME PARTIE

# Responsabilité humaine : santé et environnement

**1.** Les responsabilités à l'égard de la santé

**2.** L'homme, responsable de son environnement

**Rappelez ce qu'est une vaccination.**

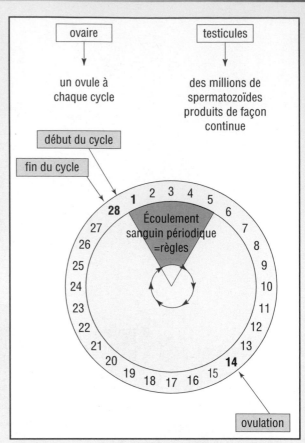

**Quelles informations importantes fournit ce schéma ?**

**Quel est l'intérêt du « don du sang » ?**

### Ce que nous savons déjà

● Certains micro-organismes sont responsables de maladies chez l'homme.

● La vaccination est un moyen de prévention pour certaines maladies.

● Le cycle génital de la femme est de 28 jours. A chaque cycle, l'ovule libéré peut être fécondé.

● Nous possédons des lymphocytes capables de détruire des cellules étrangères. Les transfusions et les greffes d'organes ne sont donc possibles que dans certaines conditions.

## CHAPITRE

# 1

# Les responsabilités à l'égard de la santé

● Quelles mesures collectives permettent d'éviter ou de limiter l'extension des maladies infectieuses ? Pourquoi les pouvoirs publics rendent-ils obligatoires certaines vaccinations ?

● Quels moyens les couples ont-ils à leur disposition pour choisir d'avoir ou non un enfant ? Quel est dans ce domaine le rôle de la société ?

● Quelles techniques permettent à un couple stérile d'avoir des enfants ?

● En quoi consiste le don d'organes ? Quels organes sont concernés ?

# Limiter la propagation des épidémies et des endémies

*Nous avons vu, à la page 63, comment se transmettent les maladies infectieuses. Dans certains cas, on parle d'épidémie\*, dans d'autres d'endémie\*. Que signifient exactement ces mots ? Quelles mesures peuvent être prises pour limiter la propagation de ces maladies ?*

## 1 Exemple d'une épidémie\* : la grippe.

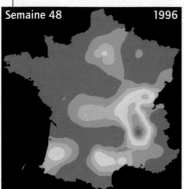

Semaine 48     1996

Fièvre subite, mal de tête, nez qui coule, sueurs, courbatures et grande fatigue : les symptômes ne trompent pas. La grippe est de retour !
Au cours d'une épidémie, 5 à 20 % de la population peut être atteinte par le virus grippal (voir page 61). Les jeunes enfants ainsi que les personnes âgées ou fragilisées sont particulièrement sensibles.

ⓐ **Une propagation rapide qui touche des milliers d'individus.**

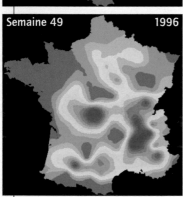

Semaine 49     1996

« La politique de vaccination antigrippale se définit en terme de prévention : le vaccin est délivré pour prévenir les complications et la mortalité liées à la grippe chez les sujets « à risques », classiquement les personnes âgées et les porteurs de maladies chroniques (6,5 millions de personnes en France). Globalement, l'efficacité du vaccin sur la mortalité chez les personnes âgées est de l'ordre de 50 %. Ce résultat signifie qu'une personne âgée vaccinée a un risque deux fois moins important de mourir de la grippe (ou de ses complications) qu'une personne non vaccinée. Une telle valeur peut paraître relativement faible, mais doit être confrontée à une fréquence élevée de la maladie dans la population ; par exemple, lors de la dernière épidémie importante observée en France, un vaccin efficace à 50 % aurait permis d'éviter environ 8 500 décès associés à la grippe chez les plus de 75 ans ».

D'après F. Carrat, C.H.U. Saint-Antoine. Paris.

ⓑ **Des mesures collectives limitent la gravité de l'épidémie.**

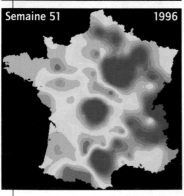

Semaine 51     1996

ⓒ **Cinq semaines de grippe au cours de l'hiver 1996-1997.**

N. Farrau. C.H.U. Saint-Antoine. INSERM, U 263. Paris

Semaine 52     1996     Semaine 2     1997

Nombre de cas pour 100 000 habitants

▼

## 2 Une grande endémie* : le paludisme.

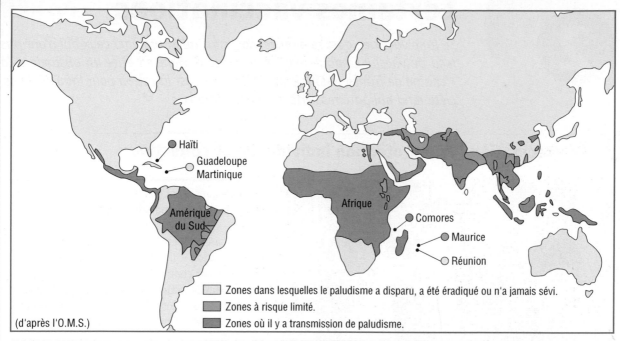

Haïti
Guadeloupe
Martinique
Amérique du Sud
Afrique
Comores
Maurice
Réunion

Zones dans lesquelles le paludisme a disparu, a été éradiqué ou n'a jamais sévi.

Zones à risque limité.

Zones où il y a transmission de paludisme.

(d'après l'O.M.S.)

**d** Le paludisme sévit surtout dans les zones marécageuses des régions tropicales et subtropicales.

---

• **Les causes de la maladie**

Le paludisme (voir p. 61) est une maladie provoquée par un protozoaire, appelé **hématozoaire** en raison de son aptitude à pénétrer dans les hématies (globules rouges du sang). Il est inoculé par la piqûre d'un moustique femelle, l'anophèle, lui-même infesté.

• **L'importance de la maladie aujourd'hui**

Le paludisme est la plus importante endémie* parasitaire du monde. Environ 2,5 milliards de personnes y sont exposées (40 % de la population mondiale). La maladie est responsable de 2 millions de morts par an.

**e** Quelques informations sur la maladie.

Entre 1957 et 1969, l'O.M.S. (Organisation Mondiale de la Santé) a mené une vaste campagne d'éradication* du paludisme en associant :
– la lutte contre les moustiques, grâce à l'utilisation massive d'un insecticide, le D.D.T. ;
– l'emploi d'un médicament préventif (la chloroquine).
Malheureusement, l'utilisation massive de ces moyens de lutte a entraîné le développement de résistances :
– des moustiques au D.D.T. ;
– de l'hémotozoaire aux médicaments antipaludéens.
Consciente de ces problèmes, l'O.M.S. cherche aujourd'hui davantage à contenir la maladie qu'à l'éradiquer.

**f** Une politique de santé à l'échelle mondiale.

---

## **A**ctivités

**1.** En quoi la propagation de la grippe en France en 1996 illustre-t-elle le terme d'épidémie ?

**2.** La vaccination contre la grippe empêche-t-elle de contracter la maladie ? Pourquoi est-elle malgré tout recommandée ?

**3.** Pourquoi dit-on que le paludisme est une endémie ?

**4.** Justifiez les mesures prises par l'O.M.S. pour lutter contre le paludisme.

# La société rend obligatoire certaines vaccinations

**2**

*Se faire vacciner, c'est se protéger soi, mais aussi protéger ceux qui n'ont pas reçu de vaccin. Chaque individu vacciné devient en effet un obstacle à la « chaîne de transmission de la maladie ». C'est la raison pour laquelle la société rend obligatoires certaines vaccinations.*

**1** **La vaccination : une protection individuelle et collective.**

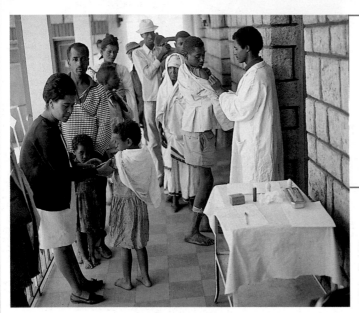

Deux millions d'enfants du Tiers-monde meurent chaque année de maladies qui auraient pu être évitées par la vaccination. C'est pourquoi, l'O.M.S. a lancé, en 1974, le « programme élargi de vaccination ». Il vise à vacciner les enfants du monde entier contre 6 maladies : la rougeole, la coqueluche, le tétanos, la diphtérie, la poliomyélite et la tuberculose. En 1974, 5 % seulement des enfants étaient vaccinés, 80 % sont vaccinés en 1990.

ⓐ **Le programme mondial de vaccination lancé par l'O.M.S. sauve 3 millions de vies humaines chaque année.**

| La poliomyélite en France | | | | | | | |
|---|---|---|---|---|---|---|---|
| | 1959 | 1964 | 1965 | 1970 | 1972 | 1980 | 1990 |
| Cas déclarés | 2 566 | 523 | 290 | 82 | 37 | 10 | 0 |
| Décès par la poliomyélite | 235 | 71 | 36 | 14 | 8 | 2 | 0 |

1956 : Découverte du vaccin.      1958 : Premières vaccinations.
1965 : La vaccination est rendue obligatoire.

La **poliomyélite** est une maladie épidémique parfois mortelle, due à un virus. L'homme est le seul réservoir de ce virus.
La contamination se fait par les aliments et les eaux polluées par les excréments. Le virus s'attaque aux neurones de la moelle épinière, provoquant souvent la paralysie des membres. La poliomyélite touche principalement les enfants, d'où son autre nom de paralysie infantile.
Autrefois très fréquente, la poliomyélite est devenue, grâce à la vaccination, tout à fait exceptionnelle dans 141 pays. L'affection peut être contractée par un sujet mal vacciné (oubli des rappels) au cours d'un voyage dans un pays d'endémie (certains pays d'Afrique et d'Asie). L'éradication de la poliomyélite est l'un des objectifs de l'O.M.S. pour les prochaines années.

La variole, maladie virale très contagieuse, était souvent mortelle (voir p. 94). En 1967, l'O.M.S. a lancé un programme mondial de vaccination. Grâce à l'efficacité du vaccin antivariolique, le virus a été éliminé des principaux foyers où il sévissait.
En 1980, l'O.M.S. proclame l'éradication mondiale de la variole. Actuellement, la maladie étant considérée comme éradiquée, la vaccination n'est plus obligatoire. Ce succès de la lutte contre la variole souligne la responsabilité de chaque individu qui, en se faisant vacciner, ne se protège pas seulement lui-même, mais participe activement à la protection de l'ensemble de la population.

ⓑ **La vaccination a fait disparaître la poliomyélite en France.**

ⓒ **L'éradication de la variole.**

# ❷ Quand faut-il se faire vacciner ?

En France, quatre vaccinations sont légalement obligatoires : diphtérie, tétanos, poliomyélite et BCG. Les autres vaccinations sont fortement conseillées.

- **Dès le premier mois** : BCG
- **A partir de 2 mois** (1ʳᵉ injection) diphtérie, tétanos, polio, coqueluche, haemophilus influenzae b (méningite), hépatite B.
- **3 mois**
2ᵉ injection des mêmes vaccins qu'à 2 mois.
- **4 mois**
3ᵉ injection des mêmes vaccins qu'à 3 mois
- **A partir de 12 mois**
Rougeole, oreillons, rubéole.
- **16-18 mois**
1ᵉʳ rappel : diphtérie, tétanos, polio, coqueluche, haemophilus.
4ᵉ injection : hépatite B.
- **Entre 3 et 6 ans**
2ᵉ injection : rougeole, oreillons, rubéole.
- **Avant 6 ans**
BCG obligatoire pour l'entrée en collectivité.
- **6 ans**
2ᵉ rappel : diphtérie, tétanos polio.
- **11-13 ans**
3ᵉ rappel : diphtérie, tétanos, polio, coqueluche (nouveau rappel),
hépatite B,
épreuve tuberculinique : si les tests sont négatifs, revaccination par le BCG.
- **16-18 ans**
4ᵉ rappel : diphtérie, tétanos, polio, rubéole pour les jeunes femmes non vaccinées.
- **18-70 ans**
tétanos, polio, hépatite B.
- **A partir de 70 ans**
tétanos, polio, grippe.

*Source :* Avis du Conseil supérieur d'hygiène publique de France du 13 mars 1998.

## Vérifiez votre carnet de vaccinations

- Mettre ou remettre à jour les vaccins indispensables :
– **diphtérie,**
– **tétanos,**
– **poliomyélite.**
Pour les enfants et les jeunes jusqu'à 18 ans, se conformer aux recommandations du calendrier vaccinal.
- Penser à se faire vacciner contre :
– **l'hépatite B,**
– **la fièvre thyphoïde,**
– **l'hépatite A,**
– **la méningite à méningocoques A et C,** pour les enfants et adultes jeunes s'ils séjournent plus de 1 mois dans certains pays étrangers.
- Se renseigner pour le vaccin contre la **fièvre jaune** qui peut être obligatoire ou conseillé.

ⓓ **Le carnet de vaccinations en France.**

ⓔ **Les conseils aux voyageurs.**

# Ⓐctivités

**1.** Comment la poliomyélite a-t-elle été éradiquée en France ? D'après vous, pourquoi cette maladie sévit-elle toujours dans certains pays ?

**2.** Pourquoi, en France, la vaccination contre la poliomyélite continue-t-elle d'être obligatoire alors que la vaccination contre la variole est supprimée ?

**3.** Qu'est-ce qui permet de penser que la poliomyélite sera peut-être éradiquée dans le monde en l'an 2000 ?

**4.** Êtes-vous à jour de vos vaccinations ? Vérifiez à l'aide du calendrier.

**5.** Qu'appelle-t-on rappel d'une vaccination ?

# La régulation des naissances

**3**

*Grâce aux découvertes médicales de ces dernières années, les couples disposent aujourd'hui de moyens contraceptifs variés qui leur laissent la possibilité de choisir celui qui leur convient le mieux, dans les limites de la législation de leur pays et en fonction de leurs convictions morales et religieuses.*

## 1 Les méthodes contraceptives les plus utilisées.

### Les pilules contraceptives

■ **Principe**

Les pilules contraceptives sont des comprimés d'hormones* ovariennes de synthèse. Il en existe différentes sortes (voir page 236).

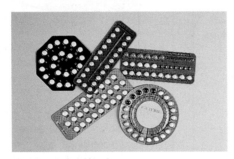

■ **Avantages**

● Efficacité à 100 %.

● Les effets secondaires et les intolérances sont aujourd'hui très rares.

■ **Inconvénients**

● En raison de certaines contre-indications, la prise de pilule doit nécessairement être prescrite par un médecin.

● La pilule a un mode d'emploi précis qu'il faut suivre rigoureusement, en respectant un horaire relativement fixe. Un oubli de quelques heures (3 heures pour certaines minipilules) compromet la contraception et oblige à prendre d'autres précautions contraceptives jusqu'à la fin de la plaquette.

### Le préservatif masculin

■ **Méthode**

Un préservatif est un étui de latex très mince et résistant.

■ **Avantages**

● C'est une méthode de contraception relativement efficace.

● C'est la seule protection contre la transmission du SIDA et des autres M.S.T.

■ **Inconvénients**

● Le préservatif peut se rompre et ne plus jouer son rôle contraceptif.

● Les risques d'échecs sont augmentés par une mauvaise utilisation.

### Le stérilet

■ **Méthode**

Petit appareil en matière plastique en forme de T, partiellement entouré d'un fil de cuivre.

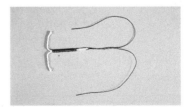

■ **Avantages**

● Le stérilet est mis en place par le médecin dans la cavité utérine pour 2 à 5 ans.

● C'est une méthode contraceptive très efficace (supérieure à 99 %) et peu contraignante.

■ **Inconvénients**

● Des saignements ou des douleurs peuvent parfois se produire.

● Le stérilet est en général utilisé chez des femmes ayant déjà eu des enfants.

● Le stérilet ne protège pas contre les M.S.T.

**2** **Les différents modes d'action des méthodes contraceptives.**

Contraception
locale

Contraception
hormonale

### Stérilet au cuivre

Le stérilet au cuivre inhibe la progression des spermatozoïdes et modifie leur pouvoir fécondant. Il empêche donc la grossesse en empêchant la fécondation. Il rend aussi l'endomètre impropre à la nidation.

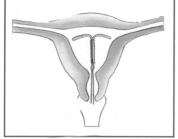

### Cape contraceptive*
### + spermicide**

Une cape contraceptive fonctionne comme une barrière qui empêche les spermatozoïdes de pénétrer dans l'utérus et de progresser à la rencontre de l'ovule. Les spermicides détruisent les spermatozoïdes.

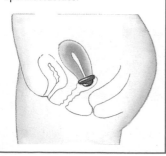

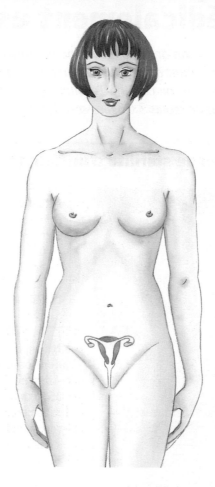

### Méthodes naturelles

- Méthode des températures
- Méthode Ogino
- Observation de la glaire (méthode Billings : p. 237)

### Préservatif masculin*

Au moment de l'éjaculation, le sperme est recueilli dans le préservatif et n'est pas répandu dans le vagin.

*barrière mécanique   ** barrière chimique

### La pilule contraceptive
### « classique »

L'absorption quotidienne des comprimés d'hormones que sont les pilules entraîne trois conséquences :
– blocage de la ponte ovulaire ;
– inhibition de l'épaississement de la muqueuse utérine, c'est-à-dire inhibition de la fabrication du « nid » dans lequel viendrait se loger l'œuf ;
– modification de la glaire cervicale (voir page 237).

### Le stérilet
### « à la progestérone »

Ce dispositif intra-utérin possède un manchon qui libère chaque jour une très faible quantité d'une hormone* ovarienne, la progestérone.
Le mécanisme d'action du stérilet à la progestérone est donc différent de celui du stérilet au cuivre :
– épaississement de la glaire cervicale qui forme barrage au passage des spermatozoïdes ;
– blocage de l'ovulation chez certaines femmes ;
– ralentissement de l'épaississement de l'endomètre.
C'est une méthode contraceptive mise en place pour 5 ans. Son efficacité est comparable à celle des pilules classiques.

### LEXIQUE

- **Hormone :** substance chimique sécrétée par un organe (*ex :* ovaire, testicule...) qui passe dans le sang et agit sur le fonctionnement d'un autre organe.

## **A**ctivités

**1.** Proposez une définition du mot contraception.

**2.** Comparez le mode d'action de la cape contraceptive, du préservatif et des spermicides.

**3.** Quel est le mode d'action du stérilet au cuivre ?

**4.** Pourquoi, d'après vous, la pilule est-elle obligatoirement prescrite par un médecin ?

# La procréation médicalement assistée

**4**

*Depuis la fin des années 70, de nombreux couples « stériles » ont pu concevoir un enfant grâce à des techniques d'assistance médicale à la procréation (P.M.A.) qui ne cessent d'évoluer. Quelles sont les principales causes de stérilité des couples ? Quelles sont les principales techniques de P.M.A. ?*

---

**1** ## Les principales causes de stérilité d'un couple.

Actuellement en France, un couple sur dix éprouve des difficultés à concevoir un enfant. Cette infécondité a pour causes :
- uniquement la femme (30 % des cas) ;
- uniquement l'homme (20 %) ;
- les deux membres du couple (40 %).
L'infécondité est inexpliquée dans 10 % des cas.

Source : bulletin MGEN. Mars 1998.

● **Les principales causes de la stérilité féminine :**
- une obstruction des trompes (25 à 40 %) ;
- des troubles de la sécrétion hormonale (20 à 35 %) qui entraînent des anomalies de l'ovulation ou l'impossibilité pour l'œuf de se fixer sur la muqueuse utérine ;
- des troubles de la réceptivité au sperme (10 à 15 %) ;
- d'autres anomalies (20 à 25 %).

● **Les principales causes de la stérilité masculine :**
- absence de spermatozoïdes ;
- présence de spermatozoïdes en quantité insuffisante ;
- défauts de la mobilité des spermatozoïdes.

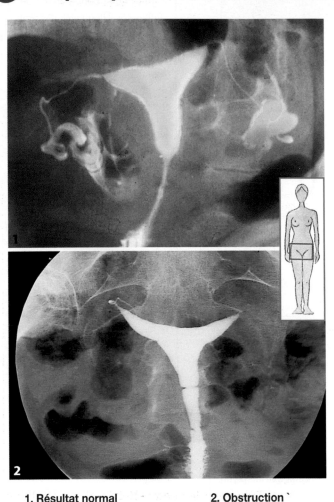

**1. Résultat normal**

trompe droite

trompe gauche

cavité de l'utérus

pavillon de la trompe (laissant échapper le produit injecté)

cavité du vagin

**2. Obstruction des trompes**

obturation

cavité de l'utérus

cavité du vagin

ⓐ La cause la plus fréquente de stérilité féminine.

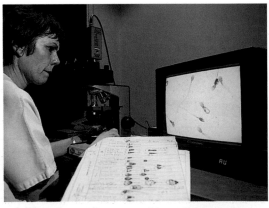

Un sperme normal comprend jusqu'à 40 % de spermatozoïdes atypiques : si ce taux atteint 80 % il peut être la cause de stérilité.

ⓑ Une cause possible de stérilité masculine.

Les techniques de procréation médicalement assistée peuvent se classer en deux grandes catégories.

■ **La fécondation in vivo**

• **L'insémination artificielle** : le sperme est déposé, selon les cas, soit au niveau du col de l'utérus, soit directement dans la cavité utérine.

• **Le transfert intratubaire de gamètes** : les ovocytes (obtenus par ponction) et les spermatozoïdes sont placés dans une trompe (site où a lieu normalement la fécondation).

■ **La fécondation in vitro**

• **La fécondation in vitro avec transfert d'embryons (FIVETE)** : Voir dessin ci-contre.

• **La fécondation assistée par microinjection** : la technique consiste à introduire directement un seul spermatozoïde à l'intérieur même de l'ovule à l'aide d'une micropipette. Cette technique est proposée lorsque le sperme est de qualité insuffisante pour la réussite d'une F.I.V. classique.

En France, au cours des 20 dernières années, plus de 20 000 enfants ont vu le jour grâce à une fécondation in vitro.

obstruction

utérus

ovaire

❶ **Aspiration** des ovules sous contrôle échographique

spermatozoïdes

ovule

❸ **Transfert** de un ou plusieurs embryons, 2 jours après la ponction (réimplantation)

embryon

❷ **Fécondation in vitro**

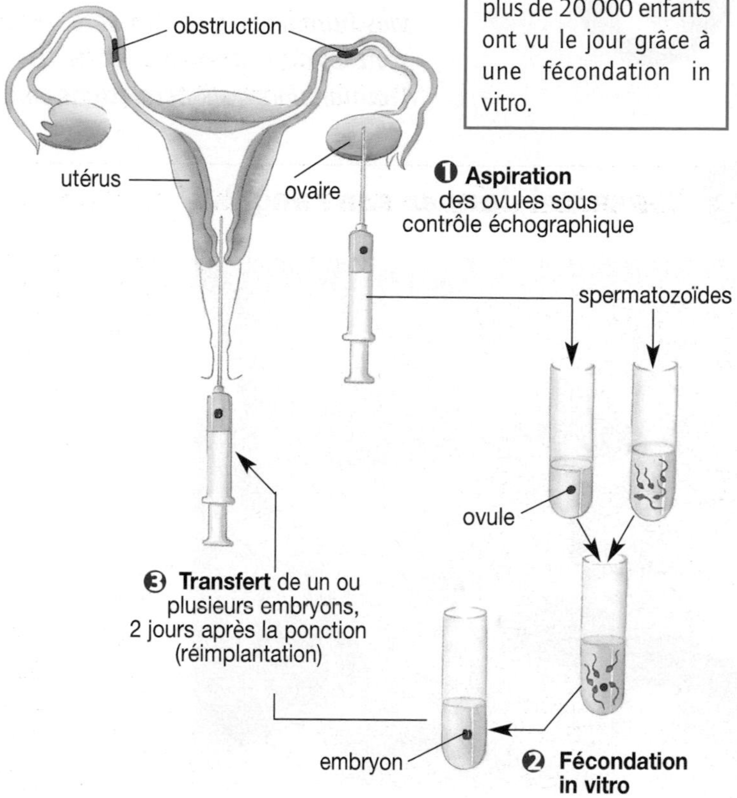

**ⓒ Des techniques qui ne cessent d'évoluer.**

• **Le don de sperme.**
En cas de stérilité masculine définitive, le couple désirant absolument un enfant peut recourir à une insémination artificielle avec don de sperme.

• **Le don de sperme est réglementé par la loi.**
Il est anonyme et bénévole, le donneur doit être âgé de moins de 45 ans, être père d'au moins un enfant et avoir l'accord de sa compagne.

• **Le traitement et la distribution du sperme des donneurs.**
Il se pratique dans des centres agréés par le ministère de la Santé. En France, 22 CECOS (centre d'étude et de conservation des œufs et du sperme humains) sont chargés d'assurer la congélation et la conservation des spermatozoïdes et de veiller au respect des critères d'utilisation.
A ce jour, plus de 30 000 enfants sont nés d'une insémination artificielle avec donneur. Mais de nombreux couples sont encore sur liste d'attente, les dons n'étant pas assez nombreux par rapport à la demande.

D'après bulletin MGEN, mars 1998.

**Ⓐctivités**

**1.** Comparez les deux clichés ⓐ. A quoi voit-on qu'il y a obstruction des deux trompes sur le cliché **2** ?

**2.** Pourquoi une obstruction des deux trompes entraîne-t-elle une stérilité ?

**3.** Pourquoi appelle-t-on « bébé éprouvette » un bébé né d'une fécondation in vitro ? En quoi cette appellation est-elle abusive ?

**4.** En prenant comme exemple le don de sperme, montrez comment la société organise la solidarité dans ce domaine de la santé publique.

# Les dons d'organes et de tissus

**5**

*Le don du sang permet aux médecins de soigner et de sauver de nombreuses vies humaines. C'est un acte de solidarité courant. Beaucoup moins connus sont les dons d'organes et de tissus. Grâce aux progrès de la médecine et de l'immunologie, ils permettent eux aussi de sauver des vies.*

## 1 Pourquoi donner son sang ?

**ⓐ Don de plasma et de plaquettes. Le sang est prélevé puis fractionné dans la machine. Les globules sont ensuite restitués au donneur.**

En France, chaque année, trois millions de dons de sang sont nécessaires pour assurer la survie des malades et blessés auxquels il manque un composant sanguin. Le don de sang total est la forme de prélèvement la plus connue. Elle consiste à recueillir une quantité de sang, avec tous ses constituants, directement depuis la veine du donneur jusqu'à une poche. Cependant, en fonction des besoins des malades, on ne transfuse aujourd'hui que le constituant sanguin qui lui manque. Selon le cas, les équipes soignantes sont amenées à traiter un patient avec un apport de globules rouges, de globules blancs, de plaquettes, de plasma (ou de l'une de ses fractions). Grâce à des appareils automatisés appelés séparateurs, l'obtention de l'un de ces éléments peut à présent se faire dès le prélèvement : c'est ce qu'on appelle le « don en aphérèse ».

D'après « Adosen » 1995.

**ⓑ Grâce au don de sang, des vies humaines peuvent être préservées.**

### A. Les groupes sanguins du système ABO

Chacun des groupes sanguins du système ABO est caractérisé par :
– la présence ou l'absence d'antigènes (A ou B) sur la membrane des globules rouges ;
– la présence ou l'absence d'anticorps anti-A ou anti-B dans le plasma.

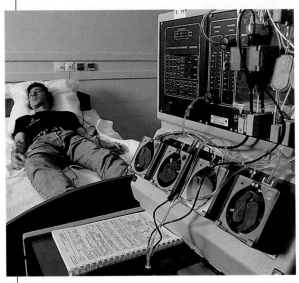

| | Groupe A | Groupe B | Groupe AB | Groupe O |
|---|---|---|---|---|
| Hématies portant leurs antigènes | | | | |
| Anticorps du plasma | anti-B | anti-A | pas d'anticorps | anti-B et anti-A |

### B. Les tests d'agglutination

Ils permettent de déterminer à quel groupe appartient tel ou tel individu. Pour cela, on dépose sur une lame une goutte de chacun des 3 sérums-tests. On ajoute une goutte du sang à tester dans chaque goutte de sérum et on mélange avec soin.

dique que le sujet est du groupe A.

### C. Les règles à respecter pour une transfusion

Des transfusions sanguines sont possibles à condition que les hématies du donneur ne soient pas agglutinées par les anticorps du receveur. On considère que les anticorps présents dans le sang du donneur sont sans danger pour le receveur en raison de leur faible quantité.

**ⓒ Le respect absolu des règles de compatibilité entre donneur et receveur s'impose.**

## ❷ Les greffes* et les dons d'organes.

En France, chaque année, sont réalisées environ :
- 1 650 greffes de rein,
- 650 greffes de foie,
- 400 greffes de cœur,
- 80 greffes de poumons,
- 55 greffes de pancréas,
- 20 greffes de cœur-poumons.

Et malgré ces nombres importants de greffes réalisées, il y a plus de malades en attente que de greffons proposés !

### Le geste le plus noble

« Du don d'organe à la transplantation*, du deuil de l'un à la vie retrouvée, reçue par l'autre et parfois des autres (puisqu'un même donneur peut donner après sa mort plusieurs de ses organes à différents malades), quel chemin de dévouement et d'espoir, quelle chaîne de solidarité.

Le naufrage d'un seul peut, doit conduire au sauvetage de plusieurs. Oui à la vie, un oui tout simple, tout naturel, presque évident.

Votre oui qui sauvera mais aussi le oui d'un autre qui peut-être vous sauvera. Pensez-y. Nous sommes tous solidaires les uns des autres.

Le don d'organe est sans doute le geste le plus noble que l'on puisse imaginer.

Ne laissez pas aux autres le privilège de la générosité. »

Jean Dausset.

### Un témoignage

Le 6 mai 1994, notre fille Audrey, âgée de 14 ans, a été victime d'un accident de la route.

C'est à son chevet que nous avons pris la décision de faire don de ses organes car, si pour la sauver nous avions eu besoin d'un don d'organes, nous n'aurions pas compris qu'une famille nous le refuse.

Pour notre fille, nous ne pouvions plus rien faire, mais nous avons pensé à d'autres mères et d'autres pères qui, comme nous, devaient être au chevet de leur enfant, en attente de greffe... Notre fille, de son vivant, n'avait jamais manifesté son opposition au don d'organes.

Depuis cet accident, nous contribuons à expliquer ce qu'est le don d'organes, qu'il peut apporter l'apaisement, car c'est surtout un don de vie.

Élisabeth et François (Ariège).

**d** Grâce aux dons d'organes, de nombreux malades greffés retrouvent l'espoir de mener une vie normale.

Le rejet de la greffe est la manifestation d'une réaction immunitaire de l'organisme receveur qui reconnaît comme étrangères les cellules du greffon. On parle d'incompatibilité entre le receveur et le donneur.

Les photographies présentent une greffe de peau. **1** : greffon toléré ; **2** : greffon en cours de destruction 12 jours après la greffe.

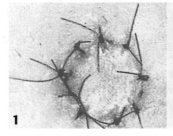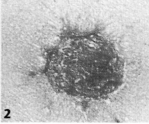

**e** Les greffes et les transplantations d'organes nécessitent de nombreuses précautions pour éviter le phénomène de rejet.

### LEXIQUE

- **Greffe** : transfert d'un tissu.
- **Transplantation** : greffe d'un organe entier nécessitant le raccordement des vaisseaux du greffon à ceux du receveur.

## Activités

**1.** Le sang récolté au cours d'un « don de sang » est soumis à une série d'analyses et de tests de dépistage. Quel est, d'après vous, l'intérêt de ces examens ?

**2.** D'après **e**, expliquez pourquoi il peut y avoir incompatibilité entre le sang du donneur et celui du receveur ?

**3.** Quels arguments J. Dausset présente-t-il pour inciter une personne à faire don de ses organes après sa mort ?

### DOC 1 DOC 2 — Des mesures pour limiter la propagation des maladies infectieuses.

Certaines maladies infectieuses (la grippe par exemple) se propagent rapidement à un grand nombre d'individus : ce sont des épidémies. D'autres, qualifiées d'endémies, se manifestent de façon plus ou moins constante dans une région : c'est le cas du paludisme.

Des mesures collectives permettent de limiter la propagation et les effets de certaines maladies infectieuses et la société organise la solidarité dans ce domaine.

Une vaccination, qui touche au moins 80 % d'une population, limite considérablement le risque épidémique. On peut à ce sujet souligner la responsabilité de chaque individu : en se faisant vacciner, on participe à la protection de l'ensemble de la population.

### DOC 3 DOC 4 — La maîtrise de la reproduction.

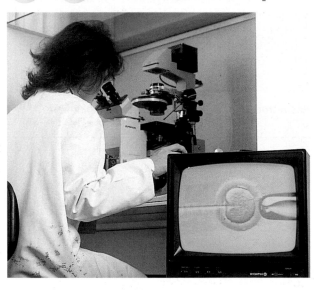

La contraception consiste à intervenir sur l'une ou l'autre des phases de la reproduction. Il s'agit selon les cas de :
– s'abstenir de relations sexuelles pendant les périodes de fécondité déterminées par différentes méthodes ;
– d'empêcher mécaniquement la rencontre des spermatozoïdes et des ovules (préservatif masculin, cape contraceptive) ;
– de supprimer l'ovulation (pilules contraceptives classiques) ;
– de rendre l'endomètre impropre à la nidation (stérilet au cuivre, pilules, stérilet à la progestérone) ;
– de modifier la glaire cervicale pour empêcher la pénétration des spermatozoïdes dans l'utérus (pilules, stérilet à la progestérone).

### DOC 5 — Les dons d'organes et de tissus.

On appelle greffe, le transfert chez un malade receveur, d'un greffon constitué de cellules (greffe de moelle osseuse), d'un tissu (greffe de peau, de tissu osseux), d'un organe (cœur, foie, poumon, rein...). Dans ce dernier cas, on parle de transplantation.

Le rejet de greffe est une destruction du greffon par le système immunitaire du receveur. Ce rejet résulte d'une incompatibilité entre le système immunitaire du receveur et celui du donneur.

Les centres de transfusion sanguine organisent la collecte du sang, assurent la transformation de celui-ci, sa conservation et sa réinjection.

En France, comme dans de nombreux pays, ce don du sang est réglementé : il est bénévole, anonyme et gratuit.

### Ce qu'il faut savoir

**L**a société protège ses membres en luttant contre des agents infectieux et en rendant obligatoires certains vaccins.

Des méthodes contraceptives, s'appuyant sur les connaissances relatives à la procréation, permettent de choisir le moment approprié pour avoir un enfant. Dans certaines conditions, une interruption volontaire de grossesse peut être pratiquée sous contrôle médical.

Des techniques de procréation médicalement assistée, comme l'insémination artificielle et la fécondation in vitro, donnent à des couples stériles la possibilité de transmettre la vie.

Grâce aux dons d'organes et de sang, des vies humaines peuvent être sauvées.

### Les mots-clés

- épidémie
- endémie
- contraception
- don d'organe
- don de sang
- greffe
- transfusion

### Le schéma bilan

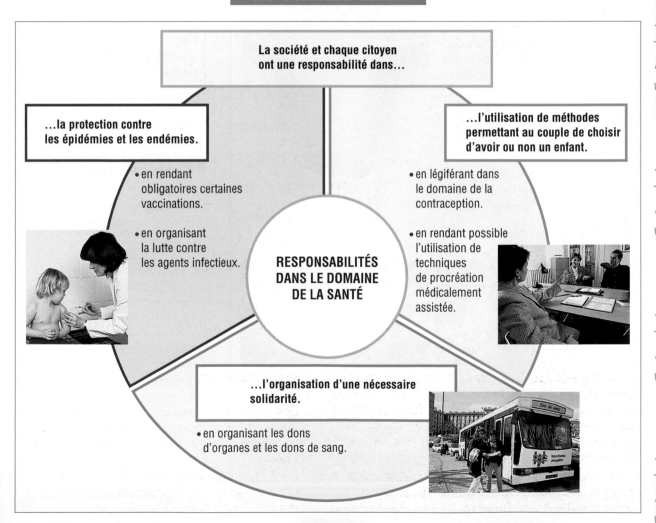

**La société et chaque citoyen ont une responsabilité dans…**

**…la protection contre les épidémies et les endémies.**

- en rendant obligatoires certaines vaccinations.
- en organisant la lutte contre les agents infectieux.

**…l'utilisation de méthodes permettant au couple de choisir d'avoir ou non un enfant.**

- en légiférant dans le domaine de la contraception.
- en rendant possible l'utilisation de techniques de procréation médicalement assistée.

**RESPONSABILITÉS DANS LE DOMAINE DE LA SANTÉ**

**…l'organisation d'une nécessaire solidarité.**

- en organisant les dons d'organes et les dons de sang.

## Différentes pilules

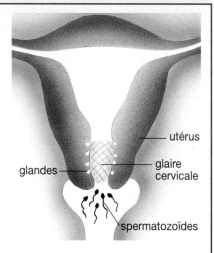

**Des moyens de contraception variés**

■ **Les minipilules**

Les pilules « classiques » sont des comprimés de **deux hormones** ovariennes de synthèse (voir p. 228). Parmi ces pilules certaines sont faiblement dosées : on les appelle minipilules.

● **Principe d'action**

Les minipilules :
– inhibent l'ovulation ;
– agissent sur la glaire du col utérin ;
– inhibent la croissance de la muqueuse utérine.

■ **Les micropilules**

Elles ne sont composées que d'**une seule hormone** ovarienne, à très faible dose.

● **Principe d'action**

Elles agissent sur la glaire et empêchent les spermatozoïdes de pénétrer dans l'utérus.

**Minipilule, micropilule**

Les glandes du col de l'utérus sécrètent une substance visqueuse : la glaire. Au cours du cycle menstruel, la sécrétion de cette glaire subit des modifications comme le montrent les photographies au MEB : **1**. En période ovulatoire, le maillage est lâche et permet le passage des spermatozoïdes. **2**. En dehors de cette période, le maillage très serré empêche les spermatozoïdes de pénétrer dans l'utérus.

utérus
glandes
glaire cervicale
spermatozoïdes

× 2 500

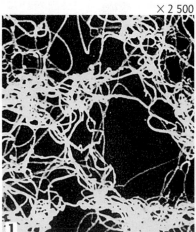

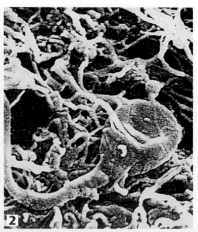

**Qu'est-ce que la glaire du col de l'utérus ?**

La pilule est un médicament. C'est le médecin qui la prescrit et qui vérifie si elle est bien supportée.

D'après la législation française, les jeunes de moins de 18 ans peuvent aller consulter dans un centre de planification familiale sans autorisation des parents : secret, gratuité, anonymat y sont garantis.

**La législation en France**

# sur la maîtrise de la reproduction

La température d'une femme varie au cours du cycle : elle s'élève de quelques dixièmes de degré immédiatement après l'ovulation.
Ainsi, en prenant sa température tous les matins, à jeun, avant de se lever, une femme peut repérer les périodes où elle n'est pas féconde : entre le 3e jour de la température haute et le 1er jour des règles.

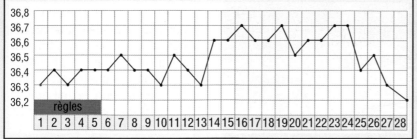

**Méthode des températures**

Une observation de la glaire cervicale permet de détecter l'ovulation. Pour cela il faut recueillir un peu de pertes vaginales entre le pouce et l'index pour en observer la couleur et la consistance. Quelques jours après les règles, la glaire est poisseuse et trouble. Juste avant et juste après l'ovulation elle est abondante, claire et filante : elle ressemble à du blanc d'œuf cru. Lorsque la glaire redevient pâteuse, on ne risque plus de grossesse.

**Méthode Billings**

## Les méthodes naturelles

Cette méthode de contraception est fondée sur le fait que les spermatozoïdes et les ovules ont une durée de vie de quelques jours seulement. La fécondation est donc improbable si les rapports sexuels ont lieu plusieurs jours avant ou après l'émission de l'ovule. La méthode repose sur une abstinence lors des jours de fécondité théorique.

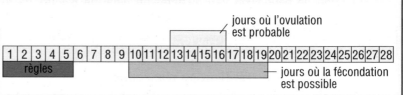

**Méthode Ogino-Knauss**

L'efficacité d'une méthode contraceptive est mesurée par l'indice de Pearl : un indice de 5 signifie que 5 grossesses sont constatées chez 100 femmes qui ont utilisé la méthode pendant 1 an.

| Méthode contraceptive | Risques d'échec (indice de Pearl) |
|---|---|
| • Pilule et minipilule | 0 à 0,45 |
| • Micropilule | 1 à 1,6 |
| • Stérilet | 0,5 à 1 |
| • Cape | 5 |
| • Spermicides | 0,3 à 5 |
| • Retrait | 17 à 25 |
| • Méthode des températures | 2 à 6 |
| • Méthode Ogino-Knauss | 15 |
| • Méthode Billings | 1 à 40 |
| • Préservatifs | 0,8 à 8 |

D'après « La revue du praticien ». 1996.

**L'indice de Pearl**

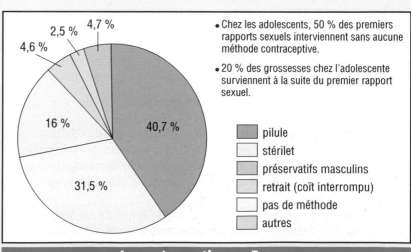

• Chez les adolescents, 50 % des premiers rapports sexuels interviennent sans aucune méthode contraceptive.

• 20 % des grossesses chez l'adolescente surviennent à la suite du premier rapport sexuel.

- pilule
- stérilet
- préservatifs masculins
- retrait (coït interrompu)
- pas de méthode
- autres

**La contraception en France**

# Des outils ... pour répondre à des questions

## Des situations exceptionnelles

En France, la loi « Veil », d'abord votée pour une période de cinq ans en janvier 1975, est rendue définitive le 31 décembre 1979. Cette loi autorise l'interruption volontaire de grossesse avant la 10ᵉ semaine (soit 12 semaines après les dernières règles). Ainsi toute femme majeure qui s'estime en situation de détresse peut demander une IVG dans un centre agréé. Pour les femmes mineures (moins de 18 ans) l'autorisation donnée par au moins un des deux parents est obligatoire. L'intervention ne peut avoir lieu qu'après un délai de 8 jours de réflexion à la suite d'entretiens avec un psychologue.

**Une législation précise sur l'interruption de grossesse**

### La stérilisation masculine
• **La méthode**
La stérilisation masculine (ou vasectomie) consiste à ligaturer près des testicules les canaux dans lesquels s'écoulent les spermatozoïdes. L'intervention n'arrête pas l'émission de sperme, la plus grande partie de celui-ci étant constituée par les sécrétions de la prostate et des vésicules séminales. Ce sperme ne contient évidemment plus de spermatozoïdes.
• **Inconvénients**
La vasectomie convient surtout aux couples qui sont sûrs de ne plus vouloir d'enfants, car l'opération doit être considérée comme irréversible.

### La stérilisation féminine
• **La méthode**
Les trompes de Fallope (conduits qui permettent aux ovules de gagner l'utérus) sont coupées, ligaturées, pincées, agrafées ou « clippées ». L'opération, qui se fait sous anesthésie générale et demande deux jours d'hospitalisation, empêche les spermatozoïdes d'atteindre l'ovule.
• **Inconvénients**
L'opération ne s'adresse qu'aux femmes certaines de ne plus vouloir d'enfants car l'opération doit être considérée comme irréversible.

**Qu'est-ce que la stérilisation ? L'intervention est-elle irréversible ?**

La « pilule du lendemain » n'est pas une méthode contraceptive normale. Elle ne peut être utilisée que de façon exceptionnelle en réponse à une situation précise : un rapport sexuel non ou mal protégé (rupture de préservatif, oubli de pilule). La méthode consiste à absorber le plus tôt possible après le rapport et au maximum 72 heures après, quatre comprimés d'hormones fortement dosés. C'est une « contraception » de rattrapage, dont l'efficacité n'est pas de 100 % et qui peut être mal supportée. La « pilule du lendemain » ne peut être prescrite que par un médecin.

**La pilule du lendemain**

• La prise de trois comprimés de RU 486 suivie le surlendemain de la prise d'un médicament qui provoque des contractions de l'utérus entraîne l'expulsion du jeune embryon dans les 72 heures. Son utilisation se fait uniquement en hôpital, sous contrôle médical.
• Le RU 486 agit en bloquant les effets des hormones ovariennes qui permettent le maintien de la grossesse. Le RU 486 est donc une pilule abortive. C'est une méthode d'IVG, régie par la législation sur l'IVG.
• Taux d'efficacité : 96 à 98 % si le RU 486 est pris au tout début de la grossesse (moins de 3 semaines de retard de règles).

**Qu'est-ce que le RU 486 ?**

## Qu'est-ce qu'un spermogramme ?

Un spermogramme est effectué lorsqu'un couple vient consulter pour infertilité. Cet examen du sperme analyse 3 caractéristiques des spermatozoïdes :
– le nombre ;
– la mobilité ;
– le pourcentage de spermatozoïdes anormaux. En cas d'anomalie constatée, le médecin prescrit toujours au moins un autre spermogramme avant d'établir un diagnostic définitif.

**L'examen de base de la fertilité masculine**

---

**CENTRE HOSPITALIER UNIVERSITAIRE DE TOURS**
C.H.U. BRETONNEAU - 37044 TOURS CEDEX 1 - ☎ 02.47.47.47.47 - Poste 3 4270
BIOLOGIE DE LA REPRODUCTION
Pr D. ROYERE - C. BARTHELEMY

Numéro Dossier :
Date du prélèvement :
Heure du prélèvement :
Domicile ☐          Laboratoire ☐
Continence :                    jours
Fièvre :
Médicaments :

Numéro de l'examen :
NOM :
PRENOM :
Né le
Adresse:
Nom du Médecin :

**SPERMOGRAMME**

VOLUME : **2.2** ml     pH : **8**          VISCOSITE : **FORTE**

NUMERATIONS :- Spermatozoïdes/ml : **55.7 M**     Cellules rondes/ml : **122.54 M**
             - Spermatozoïdes/éjaculation : **1.3 M**     Leucocytes/ml : 0

| MOBILITE : | après 1 heure | après 4 heures |
|---|---|---|
| Mobiles progressifs : | 20 % | 15 % |
| Mobiles progressifs lents | 10 % | 10 % |
| Mobiles non progressifs : | 5 % | % |
| Immobiles : | 65 % | 75 % |

VITALITE : 54 % de formes vivantes (1ère heure)

AUTO-AGGLUTINATS :  par le flagelle ☐     MAR-Test IgA :
                    par la tête ☐     MAR-Test IgG : **NEGATIF**

**SPERMOCYTOGRAMME**

SUR 100 SPERMATOZOIDES OBSERVES, on a relevé -     - FORMES TYPIQUES : **7 %**
                                                   - FORMES ATYPIQUES : **93 %**

| TETE : 90 | RESTE CYTOPLASMIQUE : 8 | FLAGELLE : 15 |
|---|---|---|
| Allongée : 22/9 | | Absent : |
| Amincie : | PIECE INTERMEDIAIRE : 10 | Écourté : |
| Microcéphale : | Grêle : 10 | Calibre irrégulier : |
| Macrocéphale : | Angulation : 10/9 | Enroulé : 15/11 |
| Têtes multiples : | | Multiples : |
| Base anormale : | AUTRES ELEMENTS : | |
| Acrosome anormal : 68/24 | Flagelles isolés : | |
| | Spermatozoïdes en lyse : | |
| | Cellules de la lignée : | |
| | Polynucléaires : | |
| | Autres cellules : | |

SPERMOCULTURE : **NEGATIVE**     RECHERCHE D'ANTICORPS :
                                 Dans le plasma séminal :
E.C.B.U. :                       Dans le sang :

CONCLUSIONS : – SPERMOGRAMME :
              **Asthénozoospermie primaire et secondaire importante.**
              – SPERMOCYTOGRAMME :
              **Tératozoospermie sévère portant sur la tête du gamète.**
              – IAM : **1.32** (N < 1,6)

---

## LEXIQUE [1]

• **Aspermie** : absence de sperme.

• **Azoospermie** : absence de spermatozoïdes dans le sperme.

• **Oligozoospermie** : nombre de spermatozoïdes diminué.

• **Asthénozoospermie** : de nombreux spermatozoïdes n'ont pas une mobilité normale.

• **Tératozoospermie** : excès des formes anormales. On considère comme anormaux des spermatozoïdes trop petits, à tête double, à flagelle double.

(1) Les mots du lexique ne sont pas à connaître. Ils sont donnés pour permettre une lecture des conclusions des spermogrammes.

---

VOLUME : **4.7** ml     pH : **7.8**          VISCOSITE : **NORMALE**

NUMERATIONS :- Spermatozoïdes/ml : **82.4 M**     Cellules rondes/ml : **0.6 M**
             - Spermatozoïdes/éjaculation : **187.28 M**     Leucocytes/ml : 0

| MOBILITE : | après 1 heure | après 4 heures |
|---|---|---|
| Mobiles progressifs : | 50 % | % |
| Mobiles progressifs lents | 5 % | % |
| Mobiles non progressifs : | 5 % | % |
| Immobiles : | 40 % | % |

VITALITE : 83 % de formes vivantes (1ère heure)

AUTO-AGGLUTINATS :  par le flagelle ☐     MAR-Test IgA :
                    par la tête ☐     MAR-Test IgG :

SUR 100 SPERMATOZOIDES OBSERVES, on a relevé     - FORMES TYPIQUES : **37 %**
                                                 - FORMES ATYPIQUES : **63 %**

| TETE : 68 | RESTE CYTOPLASMIQUE : 1 | FLAGELLE : 5 |
|---|---|---|
| Allongée : 9/3 | | Absent : |
| Amincie : | PIECE INTERMEDIAIRE : 5 | Écourté : |
| Microcéphale : 3/3 | Grêle : | Calibre irrégulier : |
| Macrocéphale : | Angulation : 5/5 | Enroulé : 5/5 |
| Têtes multiples : | | Multiples : |
| Base anormale : 3 | AUTRES ELEMENTS : | |
| Acrosome anormal : 53/15 | Flagelles isolés : | |
| | Spermatozoïdes en lyse : | |
| | Cellules de la lignée : | |
| | Polynucléaires : | |
| | Autres cellules : | |

SPERMOCULTURE : **NEGATIVE/ A 24 H NEGATIVE**     RECHERCHE D'ANTICORPS :
                                                   Dans le plasma séminal :

CONCLUSIONS : – SPERMOGRAMME : **Normal. Paramètres de la trajectoire des gamètes normaux avant et après séparation.**
              – SPERMOCYTOGRAMME : **Normal.**
              – IAM : **1.25** (N < 1,6)
              – **SÉPARATION - SURVIE : Favorables.**

---

**Spermogramme normal et spermogramme anormal**

**Smog photochimique sur Paris. Savez-vous quels en sont les causes et les dangers ?**

Les scientifiques affirment, et les médias s'en font l'écho, que les activités humaines risquent de produire un réchauffement de la planète.

**Que savez-vous de ce problème ?**

## Ce que nous savons déjà

● L'homme exploite les milieux naturels et en modifie les peuplements animaux et végétaux. Certaines espèces sont même menacées de disparition.

● L'agriculture moderne et les élevages industriels sont à l'origine de pollutions de l'environnement : utilisation massive d'engrais et de pesticides, déjections des animaux...

● L'industrie et les transports sont une cause importante de pollution de l'air, ce qui impose parfois des restrictions de circulation dans les grandes villes lorsque la qualité de l'air y est trop mauvaise.

# CHAPITRE 2

# L'homme, responsable de son environnement

DE NOUVEAUX
PROBLÈMES
A RÉSOUDRE

● Quelles causes, liées aux activités humaines, sont responsables d'un réchauffement récent de la planète ?

● Quels sont les principaux polluants de l'air émis par l'homme ? Quelles en sont les conséquences sur l'environnement et la santé ?

● Quelles menaces l'homme fait-il peser sur les milieux naturels ? Quel est pour lui l'intérêt de préserver la biodiversité du monde vivant ?

# Notre planète a-t-elle la fièvre ?

*Notre planète a souvent connu dans le passé des variations climatiques importantes. Nos ancêtres ont dû affronter par exemple des périodes glaciaires rigoureuses. Actuellement, de nombreux indices montrent que la planète se réchauffe. Quelles peuvent être les conséquences d'un tel réchauffement ?*

## 1 Des signes évidents d'un réchauffement récent.

L'Europe a connu du 15$^e$ au 19$^e$ siècle un petit « âge glaciaire », marqué à certaines époques par de nombreuses famines. Depuis, les glaciers alpins sont partout en recul. Le tableau de Jean Dubois (photo 2) montre qu'en 1820, le glacier qui descend de l'Aiguille Verte atteignait presque la chapelle des Praz à Chamonix. Actuellement (photo 1), la langue de la Mer de Glace s'arrête à plus de 1 500 mètres d'altitude, soit 500 mètres plus haut qu'au 19$^e$ siècle.

ⓐ Un recul spectaculaire des glaciers alpins : **1** – La chapelle des Praz aujourd'hui. **2** – Le site de Chamonix en 1820.

## ② Des conséquences possibles d'un réchauffement de la planète.

Les spécialistes estiment qu'un réchauffement de la planète peut avoir des conséquences variées :
– refroidissement en Europe du Nord et augmentation de la pluviosité,
– réchauffement et augmentation de la sécheresse en Espagne, Afrique, Amérique, Australie... et extension des zones désertiques,
– bouleversement du régime des moussons* et multiplication des cyclones* intertropicaux,
– élévation du niveau des mers avec des conséquences dramatiques pour des centaines de millions de personnes (au Bangladesh notamment).
Une telle élévation semble d'ailleurs confirmée : le satellite Topex-Poséidon a détecté une montée générale du niveau marin de 1 à 2 millimètres par an depuis cinq ans.

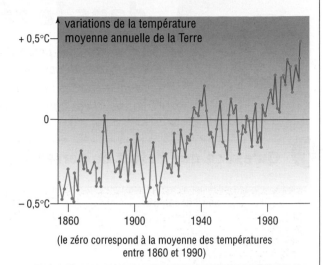

(le zéro correspond à la moyenne des températures entre 1860 et 1990)

**ⓑ Variations de la température moyenne annuelle de la Terre au cours du siècle dernier.**

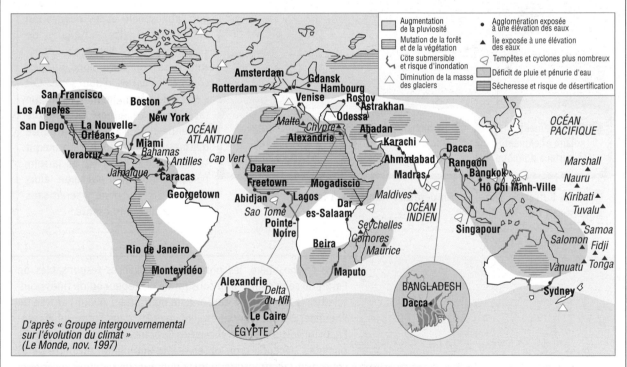

D'après « Groupe intergouvernemental sur l'évolution du climat » (Le Monde, nov. 1997)

**ⓒ Une augmentation de la température moyenne de la Terre peut avoir des conséquences dramatiques.**

---

### LEXIQUE

• **Mousson** : vents tropicaux réguliers qui soufflent vers la mer pendant plusieurs mois, puis vers la terre ; ils apportent alors la pluie.

• **Cyclone** : ouragan qui se forme sur les mers tropicales et diminue progressivement de violence en passant sur les terres.

### Activités

**1.** Comment ont évolué le glacier et le climat de Chamonix depuis 1820 ?

**2.** Observez le graphique ⓑ et indiquez quelle est la valeur de l'augmentation de température moyenne de la planète depuis une centaine d'années.

**3.** A votre avis, quelle peut être la cause de l'élévation du niveau moyen des mers en cas de réchauffement planétaire ?

# La responsabilité humaine dans le réchauffement

*Les spécialistes pensent que la hausse de la température moyenne du globe enregistrée depuis quelques décennies est, au moins en partie, liée au développement des activités humaines. Quelles activités humaines sont mises en cause ? Peut-on envisager des solutions ?*

## 1 Qu'est-ce que l'effet de serre* ?

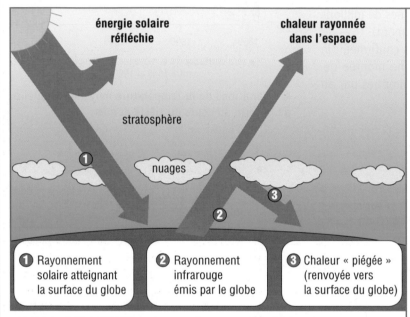

énergie solaire réfléchie

chaleur rayonnée dans l'espace

stratosphère

nuages

**1** Rayonnement solaire atteignant la surface du globe

**2** Rayonnement infrarouge émis par le globe

**3** Chaleur « piégée » (renvoyée vers la surface du globe)

La température de la surface de la Terre dépend essentiellement du flux d'énergie reçu du Soleil. La partie de cette énergie qui traverse l'atmosphère et atteint la surface est transformée en chaleur, c'est-à-dire en rayonnement infrarouge. Ce rayonnement est en grande partie « piégé » par l'atmosphère et les nuages qui empêchent cette chaleur de « repartir » dans l'espace ; l'atmosphère se comporte donc un peu comme les vitres d'une serre. Cet **« effet de serre »** maintient la surface du globe à une température moyenne de +15 °C. En l'absence d'atmosphère, la Terre rayonnerait sa chaleur dans l'espace et sa température moyenne ne serait alors que de –18 °C. La vie y serait sans doute totalement absente.

**ⓐ Sans l'effet de serre, la température moyenne à la surface de la Terre serait de –18 °C !**

Dans l'atmosphère, les principales substances responsables de l'effet de serre sont : l'**eau** sous forme de vapeur ou de fines gouttelettes, le **dioxyde de carbone**, le **méthane**,... Avant l'arrivée de l'homme, ces substances étaient rejetées dans l'atmosphère par l'activité volcanique, les incendies, les êtres vivants... Mais, depuis quelques décennies, on observe une augmentation nette de la concentration atmosphérique de plusieurs de ces substances et la responsabilité des activités industrielles et agricoles paraît évidente. On estime par exemple que si le rejet annuel de dioxyde de carbone par l'activité volcanique, les incendies naturels de forêts..., représente moins de 0,1 milliard de tonnes, les activités humaines en rejettent dans le même temps 6 milliards de tonnes.

**ⓑ Les principaux gaz à effet de serre : la vapeur d'eau, le dioxyde de carbone, le méthane....**

## ❷ Le dangereux « coup de pouce » de l'homme à l'effet de serre.

### A- Part des différents gaz dans le renforcement de l'effet de serre

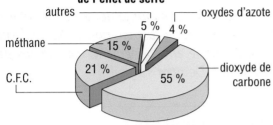

autres — 5 %
oxydes d'azote — 4 %
méthane — 15 %
C.F.C. — 21 %
55 % — dioxyde de carbone

### B- Émissions de CO₂ en France par secteurs d'activité

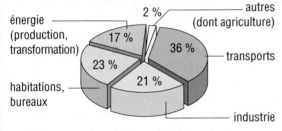

énergie (production, transformation) — 17 %
2 % — autres (dont agriculture)
36 % — transports
23 % — 
habitations, bureaux — 21 %
industrie

ⓒ Pour mieux définir les responsabilités.

$CO_2$ atmosphérique (en ‰)

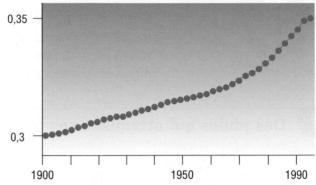

ⓓ Avant 1800, début de l'ère industrielle, la concentration du dioxyde de carbone dans l'atmosphère était inférieure à 0,28 %.

| Gaz à effet de serre | Activités humaines responsables de leur libération |
|---|---|
| Dioxyde de carbone | Utilisation des combustibles fossiles (pétrole, charbon). Déforestations massives par incendies. |
| Méthane | Fermentations dans les rizières, les décharges d'ordures et aussi dans le tube digestif des ruminants. |
| CFC (chloro-fluorocarbone) | Molécules utilisées dans les aérosols et dans les circuits de réfrigération (réfrigérateurs, congélateurs). |
| Oxydes d'azote | Fermentations microbiennes dans les sols, les eaux mais aussi combustions diverses (automobiles, usines...). |

ⓔ Origine des principaux gaz à effet de serre.

### Les CFC*, une prise de conscience

Créés par l'homme pour ses besoins industriels il y a plus d'un demi-siècle, les chlorofluorocarbones sont des molécules à effet de serre redoutablement « efficaces » : à masse égale, elles sont 15 000 fois plus efficaces que le dioxyde de carbone. Pour cette raison, leur production a été ralentie depuis 1987 et devrait être totalement stoppée à partir de l'an 2000. Cependant, il reste encore une grande quantité de ces gaz enfermée dans les circuits de réfrigération fabriqués avant cette date. Par ailleurs, la durée de vie de ces molécules dans l'atmosphère est comprise entre 75 et 100 ans.

### LEXIQUE

• **Effet de serre** : mécanisme atmosphérique qui tend à élever la température du sol en s'opposant à la fuite du rayonnement infrarouge, donc de la chaleur, vers l'espace.
• **Gaz à effet de serre** : gaz atmosphérique qui retient le rayonnement infrarouge et limite donc sa fuite dans l'espace.
• **CFC** (formé des initiales de **C**hloro**F**luoro**C**arbone) : molécule industrielle, susceptible d'augmenter nettement l'effet de serre et de contribuer à la disparition de l'ozone dans la haute atmosphère (voir page 248).

### Ⓐctivités

**1.** Observez le dessin ⓐ : quelle flèche matérialise l'effet de serre ?

**2.** Citez par ordre d'importance les principaux gaz responsables d'un renforcement de l'effet de serre.

**3.** Quelle est la concentration actuelle du dioxyde de carbone atmosphérique ? D'où provient-il en grande partie ?

**4.** Pourquoi l'interdiction des CFC ne peut pas avoir de conséquence immédiate sur l'effet de serre ?

# Le danger des pluies acides

*Certaines conséquences possibles de l'activité humaine sont délicates à mettre en évidence. En revanche, les effets de la pollution atmosphérique sont parfois clairement visibles dans notre environnement. C'est le cas des attaques réalisées par les pluies acides. De quoi s'agit-il ?*

## 1 Des pluies qui attaquent nos forêts et nos monuments.

Au début des années 1980, les sapins, les épicéas... de la Forêt-Noire, présentent des signes inquiétants : ils dépérissent sans cause apparente, perdent leurs aiguilles et finissent par mourir. Deux ans plus tard, les forestiers français enregistrent des signes semblables de dépérissement dans l'est de la France.

Les recherches entreprises mettent en cause des « **pluies acides** », chargées d'acide sulfurique, nitrique. L'origine de ces acides est connue : ils se forment par réactions chimiques entre les gouttelettes d'eau qui constituent les nuages et des gaz atmosphériques comme le dioxyde de soufre et les oxydes d'azote. Ces gaz sont libérés depuis toujours dans l'atmosphère par les volcans et l'activité des bactéries du sol mais l'utilisation massive des combustibles fossiles par l'homme a considérablement amplifié le phénomène. Les pluies acides sont donc liées à la pollution atmosphérique

ⓐ Les forêts de résineux (sapins, épicéas...) sont particulièrement sensibles aux pluies acides.

ⓑ Les pluies acides attaquent aussi les monuments. Pour illustrer, voici trois photographies : hier, aujourd'hui et... demain.

## ❷ Des efforts pour réduire les retombées acides.

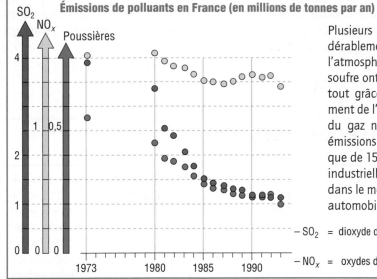

**Émissions de polluants en France (en millions de tonnes par an)**

Plusieurs pays européens, dont la France, ont considérablement réduit leurs émissions de polluants dans l'atmosphère. En France, les émissions de dioxyde de soufre ont été divisées par 4 entre 1973 et 1994, surtout grâce aux économies d'énergie, au développement de l'énergie nucléaire et à l'utilisation croissante du gaz naturel (en remplacement du mazout). Les émissions d'oxydes d'azote n'ont en revanche diminué que de 15 % pendant la même période (les émissions industrielles ont été pourtant divisées par deux mais, dans le même temps, les quantités rejetées par le parc automobile ont augmenté).

$- SO_2$ = dioxyde de soufre ;

$- NO_x$ = oxydes d'azote

**ⓒ Un effort de limitation de la pollution atmosphérique dans plusieurs pays européens.**

L'ONF (Office National des Forêts) a créé, en 1992, le réseau RENECOFOR. L'ojectif de ce réseau est de détecter d'éventuels changements à long terme dans le fonctionnement d'une grande variété d'écosystèmes et de déterminer les raisons de ces changements.

Ces écosystèmes ont été sélectionnés pour être représentatifs de la région dans laquelle ils se trouvent. En France, le réseau est constitué de 102 placettes de 2 hectares qui seront suivies pendant au moins 30 ans.

Ce réseau français s'intègre à un ensemble européen plus large. L'union européenne, qui attache une grande importance à la surveillance des forêts européennes, cofinance l'effort de surveillance.

**ⓓ Un suivi à long terme des écosystèmes forestiers (1992-2022) complète le système de surveillance sanitaire des forêts.**

## Ⓐctivités

**1.** Qu'appelle-t-on « pluies acides » ? Comment se forment-elles ?

**2.** Quels sont les effets des pluies acides sur les forêts et les monuments ?

**3.** Quels sont les efforts entrepris pour réduire les pluies acides ?

# L'ozone

*Les activités humaines semblent bien modifier la teneur de l'atmosphère en un gaz, l'ozone : cette teneur diminue dans la haute atmosphère et augmente dans la basse atmosphère. Et c'est ennuyeux dans les deux cas ! Essayons de comprendre pourquoi.*

## 1 Un gaz indispensable dans la haute atmosphère.

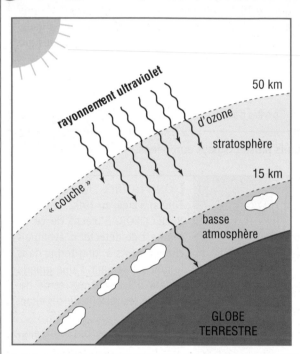

La stratosphère, entre 12 et 50 km d'altitude, renferme 90 % de l'ozone* atmosphérique. A cette altitude, la « couche d'ozone » absorbe une grande partie du rayonnement ultraviolet* provenant du Soleil et l'empêche ainsi d'atteindre le sol.

Il faut savoir que la vie serait impossible, au moins sur les continents, si la totalité de ce rayonnement parvenait à la surface de la Terre. En effet, les rayons ultraviolets sont dangereux. Le « coup de soleil », brûlure plus ou moins grave, est la manifestation la plus connue. Mais, ce rayonnement peut aussi modifier le patrimoine génétique des cellules de la peau, déclenchant ainsi un cancer comme le mélanome. Actuellement, c'est le cancer le plus fréquent chez les sujets de 25 à 30 ans.

ⓐ **Une couche qui nous protège des ultraviolets du Soleil.**

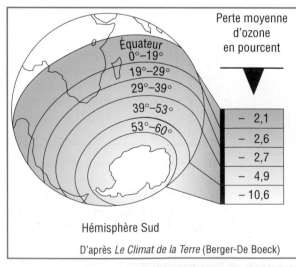

En 1985, des chercheurs constatent que la quantité d'ozone au-dessus du continent antarctique a chuté de 40 % entre 1979 et 1985. Suite à la découverte de ce « trou d'ozone antarctique », une surveillance par satellite a été mise en place. Elle a confirmé les premiers résultats et a révélé l'existence d'un « trou d'ozone arctique » d'une part, la diminution de la quantité d'ozone à des latitudes plus basses d'autre part.

Les CFC (chlorofluorocarbones) produits par l'industrie (voir page 245) sont en partie responsables de cette disparition : en effet, leur destruction dans la haute atmosphère par le rayonnement ultraviolet solaire libère du chlore et ce dernier détruit l'ozone. En 1990, divers pays industrialisés ont signé un accord qui prévoit un arrêt total de la production des CFC en l'an 2000.

ⓑ **Une inquiétante diminution de l'ozone dans la haute atmosphère au cours des dernières décennies.**

# ➋ Un dangereux polluant dans la basse atmosphère.

L'ozone est le résultat d'une chaîne complexe de réactions chimiques, faisant intervenir différentes substances : hydrocarbures, monoxyde de carbone, oxydes d'azote... Le Soleil joue un rôle capital dans ces mécanismes producteurs d'ozone ; c'est pourquoi durant les belles journées d'été, en l'absence de vent, l'ozone s'accumule dans la basse atmosphère. On estime que, dans l'hémisphère nord, les concentrations d'ozone ont quadruplé depuis le début du siècle. Remarquons que cette production ne compense en rien la disparition de l'ozone dans la haute atmosphère.

© **Pic d'ozone au pic du Midi.**

L'ozone est un gaz irritant qui fait tousser et gêne les échanges respiratoires. Il pénètre jusque dans les alvéoles pulmonaires et, à ce niveau, altère le fonctionnement des phagocytes. Les microbes peuvent alors proliférer.

Chez les asthmatiques, il y a un risque accru de crises lors des pics de pollution par l'ozone et le seuil de sensibilité de ces malades aux allergènes est nettement abaissé.

L'ozone est également un gaz nocif pour les cultures. Contrairement au cas des pollutions acides, ce ne sont pas les arbres qui sont les plus sensibles à l'ozone mais des plantes cultivées comme le blé, l'orge, le soja, les tomates, les épinards... : les feuilles brunissent et se couvrent de taches.

| Seuil pour la protection de la santé | 110 microgrammes/$m^3$ (valeur moyenne sur 8 heures) |
|---|---|
| Seuil pour la protection de la végétation | 200 microgrammes/$m^3$ (valeur moyenne sur 1 heure) ; 65 microgrammes/$m^3$ (valeur moyenne sur 24 heures) |
| Seuil pour l'information de la population | 180 microgrammes/$m^3$ (valeur moyenne sur 1 heure) |
| Seuil d'alerte à la population | 360 microgrammes/$m^3$ (valeur moyenne sur 1 heure) |

ⓓ **Des dangers pour l'homme et pour les végétaux cultivés.**

ⓔ **Les seuils d'alerte (limites des teneurs en ozone selon la directive européenne du 13-10-1992).**

## LEXIQUE

- **Ozone** : trioxygène qui a des propriétés importantes : absorbe les rayons UV, a un effet de serre remarquable (1 200 fois plus efficace que le dioxyde de carbone à masse égale), est un gaz très irritant pour l'appareil respiratoire.
- **Rayonnement ultraviolet** : les différentes lumières colorées émises par le Soleil (et visibles dans un arc-en-ciel par exemple) sont complétées par des rayonnements non visibles par l'œil humain : ultraviolets (au-delà de la lumière violette) et infrarouges (au-delà de la lumière rouge).

## Ⓐctivités

**1.** Qu'est-ce que le trou d'ozone ? Quelle est son origine ?

**2.** Expliquez pourquoi l'ozone est indispensable dans la haute atmosphère.

**3.** Quels sont les dangers de l'augmentation du taux d'ozone dans la basse atmosphère ?

**4.** Documentez-vous sur les mesures prises et les conseils donnés à la population en cas de pic de pollution par l'ozone.

# Préserver la biodiversité

*Le développement des activités humaines (agriculture, pêche, urbanisation, déforestation...) a tendance à réduire de façon toujours plus grande la diversité du monde vivant ou biodiversité. L'homme prend peu à peu conscience de la nécessité de préserver cette biodiversité.*

## 1 La biodiversité est un capital à protéger.

A l'échelle de la planète, des milliers d'espèces animales et végétales sont menacées de disparition. Ces disparitions d'espèces animales ou végétales ont toujours existé sur Terre mais l'homme, en bouleversant l'environnement, accélère ce processus. La chasse, la pêche intensive, les déforestations massives... sont des causes directes de disparitions.

« En France, les chercheurs du Muséum National d'Histoire Naturelle ont publié un inventaire de la faune menacée. Bilan : 37 espèces de vertébrés sont en danger, de même que 78 espèces d'insectes. L'ours, la loutre, le lynx, tout le monde en a entendu parler. Mais le blongios nain (petit héron des roselières), l'émyde lépreuse (tortue d'eau qui survit dans trois minuscules stations de l'Hérault et des Pyrénées-Orientales... ? Ils risquent de disparaître sans même que nous sachions qu'ils ont existé. »

D'après Sciences et Avenir, n° 574.

ⓐ **La biodiversité est en danger.**

La biodiversité représente un capital extraordinaire à préserver. Un exemple permet de comprendre pourquoi.

Des dizaines de milliers d'espèces végétales comestibles existent. Mais, sept plantes seulement (blé, riz, pomme de terre, manioc, patate douce, maïs, orge) sont cultivées massivement et représentent 80 % des végétaux consommés par l'homme. Cette faible diversité présente un inconvénient : la résistance à des maladies, à de mauvaises conditions climatiques est beaucoup plus faible que dans le cas d'espèces variées. Préserver des espèces sauvages voisines est donc une nécessité pour conserver des possibilités d'amélioration et d'adaptation des espèces cultivées.

ⓑ **L'importance de la biodiversité.**

## ② Un premier pas vers la protection de la biodiversité : les parcs naturels.

La loi de 1960 qui crée des parcs nationaux en France définit pour chacun d'eux une zone centrale protégée et une zone « périphérique » où des réalisations humaines sont possibles.

Le dernier-né est situé outre-mer : il s'agit du parc de la Guadeloupe.

Le plus grand est le parc national des Écrins : d'une superficie de 270 000 ha, il concerne 61 communes des Hautes-Alpes et de l'Isère. Sa zone centrale (91 740 ha) ne compte aucun habitant permanent.

Le plus petit, 640 ha, est celui de l'île de Port-Cros.

La France possède en outre 36 parcs régionaux dans lesquels la réglementation est moins sévère que dans les parcs nationaux : il s'agit plutôt d'une charte entre les collectivités locales et l'État dans le but de promouvoir une image de qualité, liée aux efforts de protection et de mise en valeur d'un territoire.

□ Parcs nationaux
□ Parcs régionaux

**ⓒ La France compte 7 parcs nationaux et 36 parcs régionaux.**

Les parcs nationaux français ne sont pas des espaces fermés mais sont mis à la disposition du public qui peut en profiter librement en respectant quelques règles de bonne conduite :
– pas de chien même tenu en laisse ;
– ni cueillette ni prélèvement d'animaux, de végétaux, de minéraux, de fossiles ;
– pas d'arme, pas de feu, pas de déchets ;
– pas d'installation de camping, bivouac réglementé ;
– pas de véhicule motorisé, pas de vélo tout terrain...

ⓓ A l'entrée d'un parc national, des panneaux rappellent la réglementation.

## Ⓐctivités

**1.** Recherchez des informations sur les espèces animales disparues au cours des derniers siècles.

**2.** Essayez d'expliquer pourquoi une monoculture (culture d'une seule espèce sur de grandes surfaces) peut se révéler plus fragile qu'une culture diversifiée (de plusieurs espèces).

**3.** Recherchez au CDI l'origine de médicaments d'origine végétale (par exemple, origine de l'aspirine, d'antibiotiques comme la pénicilline...). Quelles seraient alors les conséquences de la disparition de certaines espèces végétales ?

**4.** A quel objectif répond la création des parcs naturels nationaux ?

251

### DOC 1 DOC 2 — L'homme renforce l'effet de serre.

L'homme utilise massivement des combustibles fossiles (pétrole, charbon, gaz naturel) et rejette ainsi dans l'atmosphère d'énormes quantités de dioxyde de carbone. Ce gaz est, avec le méthane et les CFC, un gaz à effet de serre qui « piège » la chaleur du soleil à la surface du globe. Le léger réchauffement de la planète constaté actuellement semble bien être dû à cet accroissement de l'effet de serre. Les conséquences peuvent être redoutables : élévation du niveau des mers, perturbations climatiques...

Certaines mesures, notamment l'interdiction des CFC, commencent à être prises mais il reste encore beaucoup à faire.

*Photographie :* Détecteur de pollution atmosphérique sur un toit (service d'écologie urbaine de la ville de Lyon).

### DOC 3 DOC 4 — L'homme rejette des gaz nocifs.

De nombreuses activités humaines produisent des gaz nocifs (dioxyde de soufre, oxydes d'azote, ozone, ...) qu'elles rejettent dans l'atmosphère.

Le dioxyde de soufre et les oxydes d'azote sont à l'origine non seulement des pluies acides qui dégradent nos forêts et nos monuments mais aussi d'atteintes à la santé de l'homme.

L'ozone est un gaz indispensable dans la haute atmosphère car il nous protège du rayonnement solaire ultraviolet très nocif. Dans la basse atmosphère en revanche, ce gaz est un dangereux polluant responsable de difficultés respiratoires chez de nombreuses personnes.

### DOC 5 — L'homme doit préserver la biodiversité.

Le développement des activités humaines entraîne la disparition de nombreuses espèces, ce qui réduit ainsi la diversité du monde vivant ou biodiversité. Celle-ci représente pourtant un capital très important à préserver par exemple pour créer de nouvelles ressources alimentaires ou découvrir de nouveaux médicaments.

La création des parcs naturels est une première étape vers la protection de la biodiversité.

## L'essentiel

### Ce qu'il faut savoir

Les activités humaines rejettent dans l'atmosphère de nombreux gaz qui renforcent l'effet de serre. Le léger réchauffement de la planète qui en résulte peut avoir des conséquences catastrophiques.

L'homme rejette en outre des gaz nocifs : dioxyde de soufre, oxydes d'azote, ozone, ... Ces gaz sont à l'origine des pluies acides qui dégradent nos forêts et nos monuments. Ce sont aussi de dangereux polluants responsables de difficultés respiratoires chez de nombreuses personnes.

Des mesures commencent à être prises pour tenter de limiter ces différentes pollutions atmosphériques.

L'homme se doit enfin de préserver la diversité du monde vivant ou biodiversité. La création des parcs naturels est une première étape vers la protection de la biodiversité.

### Les mots-clés

- réchauffement de la planète • gaz à effet de serre • pollution atmosphérique
- pluies acides • ozone • biodiversité • parc naturel

### Le schéma bilan

**L'HOMME A UNE RESPONSABILITÉ À L'ÉGARD DE L'ENVIRONNEMENT**

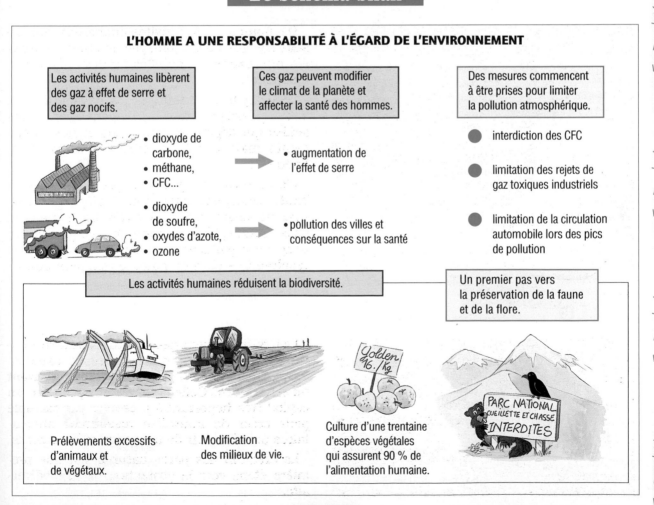

Les activités humaines libèrent des gaz à effet de serre et des gaz nocifs.

- dioxyde de carbone,
- méthane,
- CFC...

- dioxyde de soufre,
- oxydes d'azote,
- ozone

Ces gaz peuvent modifier le climat de la planète et affecter la santé des hommes.

- augmentation de l'effet de serre

- pollution des villes et conséquences sur la santé

Des mesures commencent à être prises pour limiter la pollution atmosphérique.

- interdiction des CFC
- limitation des rejets de gaz toxiques industriels
- limitation de la circulation automobile lors des pics de pollution

Les activités humaines réduisent la biodiversité.

Un premier pas vers la préservation de la faune et de la flore.

Prélèvements excessifs d'animaux et de végétaux.

Modification des milieux de vie.

Culture d'une trentaine d'espèces végétales qui assurent 90 % de l'alimentation humaine.

# index

Un index est un outil de travail. Ce n'est pas une liste de mots qu'il faut absolument connaître.
Une définition de certains mots de cet index est proposée dans la rubique « Lexique ». Cette définition se trouve aux pages indiquées en **caractères gras**.

**Edition :** Jacqueline Erb.    **Illustrations :** Catherine Claveau.
**Fabrication :** Josiane Nicole.    **Schémas :** Fabre et Tilleul
**Iconographie :** Christine Varin.    **Mise en pages :** Michèle Andrault.

**Conception de la maquette :** Bruno Loste.
**Couverture :** POM.S

# CRÉDITS PHOTOGRAPHIQUES

Couv. et **p. 1** *(ht)*, Ph © Mc Carthy /Sunset
Couv. et **p. 1** *(bas)*, Ph © VEM /BSIP
**p. 4**, et **p. 5**, Ph © K. Fisher /Fotogram-Stone Images
**p. 6**, *htg*, 3 Ph © P. Chesné/INRA
**p. 6**, *htd*, Ph © Henryk T. Kaiser/Cosmos
**p. 6**, *milg*, 2 Ph © Rawlins/BSIP
**p. 6**, *mil*, Ph © INSERM
**p. 6**, *mild*, Ph © Fotogram-Stone Images
**p. 6**, *bas*, et reprise **p. 51**, Ph © P. Viant/Pix
**p. 7**, Ph © Biophoto/Photo Researchers/Cosmos
**p. 8**, Ph © J. Riley/Fotogram-Stone
**p. 9**, *htg*, et bas, 2 Ph © Keene/BSIP
**p. 10**, *htg*, Ph © W. Hubbell/Woodfin camp/ Cosmos
**p. 10**, *htd*, Ph © Sunset
**p. 10**, *bas*, Ph © X-D.R.
**p. 11**, *bas*, Ph © Pictor International
**p. 12**, *bas*, 2 Ph © P. Chesné/INRA
**p. 14**, *ht*, Ph © Laurent /BSIP
**p. 14**, *bas*, Ph © CNRI
**p. 15**, *htg*, Ph © Biophoto Associates/SPL/ Cosmos
**p. 15**, *htd*, et bas, 2 Ph © CNRI
**p. 16**, *ht*, Ph © Dung Yo Trung/Cosmos
**p. 16**, *bas*, Ph © CNRI
**p. 17**, Ph © Yoav Levy -Phototake/CNRI·
**p. 18**, Ph © Biophoto Associates/SPL/ Cosmos
**p. 19**, Ph © X-D.R.
**p. 20**, et **p. 21 ht**, 2 Ph © Bernard Dutrillaux
**p. 21**, *bas*, Ph © Phototake/CNRI
**p. 22**, *hg*, Ph © J. Burns/Ace/Phototake/ CNRI
**p. 22**, *hd*, Ph © Annie Charles
**p. 22**, *bas*, Ph © Kessler/Sipa Press
**p. 23**, Ph © SPL/Cosmos
**p. 24**, *ht*, Ph © Pr. Castano/Overseas/CNRI
**p. 24**, *bas*, et **p. 25**, 7 Ph © Pr. A.S. Bajer/ coll. Archives Larbor
**p. 26**, *hg*, et *mil*, 4 Ph © J. Burns/Ace/ Phototake /CNRI
**p. 26**, *hd*, et *bg*, 2 Ph © INSERM
**p. 26**, *bd*, Ph © X- D.R.
**p. 27**, Ph © Biophoto Associates/SPL/ Cosmos
**p. 28**, Ph © Pr. Motta/SPL/Cosmos
**p. 30**, *ht*, Coll. Bertrand Jordan, Ph © lab. de David Ward, Yale University
**p. 30**, *bas*, extrait de « génomics », vol. 17,3, Sept. 93, © by Academic Press Inc./T
**p. 31**, Ph © B. Dutrillaux
**p. 34**, *ht*, Ph © Pr. A.S. Bajer
**p. 34**, *mil*, Ph © Ermakoff/BSIP
**p. 36**, 2 Ph © D. Spector/P. Arnold/CNRI
**p. 37**, Ph © Cl. Fabre/T
**p. 38**, *mil*, Ph © CNRI (reprise de la p. 15 bas)
**p. 38**, *bas*, Ph © D. Spector/Peter Arnold/CNRI
**p. 39**, *ht*, Ph © CNRI
**p. 39**, *mil*, Ph © D.J. White/CNRI
**p. 39**, *bas*, Ph © C. Pasquini/Sygma
**p. 40**, 3 Ph © CNRI
**p. 41**, Ph © C. Bissell/Fotogram
**p. 42**, *ht*, Ph © VEM/BSIP
**p. 42**, *bas*, 2 Ph © INSERM U 309, Biologie de la Reproduction, CHU de Grenoble, (Pr. Bernard Sèle)
**p. 43**, Extrait de « Naitre », éd. Hachette, Ph © Lennart Nilsson/T
**p. 44**, Ph © INSERM U309, Biologie de la Reproduction, CHU de Grenoble, (Pr. Bernard Sèle)
**p. 45**, Ph © CNRI
**p. 48**, Ph © AFLM
**p. 50**, *ht*, Ph © Biophoto associates/SPL/ Cosmos
**p. 50**, *bas*, Ph © Chassenet/BSIP
**p. 51**, Ph © Paul Viant/Pix (reprise de la photo p. 6 bas)
**p. 52**, Ph © INSERM U 309, Biologie de la Reproduction, CHU de Grenoble, (Pr. Bernard Sèle)
**p. 53**, Extrait de l'ouvrage de B. Jordan

« Voyage autour du génome », éd. John Libbey Eurotext/T
**p. 54**, Ph © Barts pictures/CNRI
**p. 55**, *ht*, Ph © INSERM U 309, Biologie de la Reproduction, CHU de Grenoble (Pr. Bernard Sèle)
**p. 55**, *bas*, Ph © Dr. Bertrand Ludes, Institut de Médecine légale, Strasbourg, /T
**p. 56**, et **p. 57**, Ph © P. Arnold/CNRI
**p. 58**, *dte*, Ph © Pictor International
**p. 59**, Ph © Pictor International
**p. 60**, *ht*, Ph © J.-Cl. Révy/CNRI
**p. 60**, *bg*, Ph © Nublat
**p. 60**, *dte*, Ph © H. Conge
**p. 61**, *hg*, Ph © CNRI
**p. 61**, *hd*, Ph © M. Kage/Okapia/CNRI
**p. 62**, *gche*, Ph © Dr. T. Brain et D. Parker/ SPL/Cosmos
**p. 62**, *dte*, Ph © H. Conge
**p. 63**, *gche*, Coll. Archives Larbor © UNESCO, secteur de l'Education
**p. 64**, *ht*, Ph © Goivaux/Grison/Rapho
**p. 64**, *bg*, Ph © CNRI
**p. 64**, *mb*, Ph © Institut Pasteur
**p. 65**, *hg*, Ph © NIBSC/SPL/Cosmos
**p. 65**, *hd*, Ph © C. Bjonberg/Photo Researchers/Cosmos
**p. 65**, *bas*, Ph © BSIP
**p. 66**, *bas*, Ph © Chassenet/BSIP
**p. 67**, *dte*, 2 Ph © CNRI
**p. 68**, *ht*, extrait de « The Incredible machine », Ph Lennart Nilsson © Albert Bonniers Förlag AB
**p. 68**, *mil*, Ph © P. Arnold/CNRI
**p. 68**, *bas*, Ph © Boucharlat/BSIP
**p. 69**, 2 Ph © H. Conge
**p. 70**, Extrait de « Scientific American », Juil. 1998. © Louis E. Henderson, SAIC Frederick, a division of Science Applications International Corporation.
**p. 74**, *ht*, Ph © Overseas/CNRI
**p. 75**, Ph © Dr. D. Kunkel/Phototake/CNRI
**p. 76**, *dte*, Ph © Vincent photothèque/T
**p. 77**, *ht*, Ph © Phototake/CNRI
**p. 77**, *mil*, Ph © Institut Pasteur
**p. 77**, *bas*, Ph © Institut Pasteur/CNRI/T
**p. 78**, Ph © J.-Cl. Révy/CNRI
**p. 80**, *ht*, Ph © J.-Cl. Révy/CNRI
**p. 80**, *bg*, Ph © J.-Cl. Révy/CNRI
**p. 80**, *bd*, 2 Ph © D. Zagury/Archives Larbor/T
**p. 82**, *ht*, Ph © Phototake/CNRI
**p. 82**, *bas*, Ph © J.-Cl. Révy/CNRI
**p. 84**, *ht*, Ph © CNRI
**p. 84**, *bas*, 3 Ph © H. Conge
**p. 85**, Ph © CNRI
**p. 86**, Ph © H. Conge
**p. 87**, Extrait de « Behold man », 3 Ph © Lennart Nilsson/Bonnier Alba AB
**p. 88**, Ph © Secchi-Lecaque/BSIP
**p. 90**, *ht*, Ph © X-DR
**p. 91**, et reprise **p. 235**, Ph © J. Selby/ SPL/Cosmos
**p. 92**, *ht*, Ph © Skyline Features/Cosmos
**p. 92**, *bas*, Ph © Bouchadat/BSIP
**p. 94**, Peinture de G. Melingue, 1879. Académie nationale de médecine, Paris, Ph © J.-L. Charmet
**p. 95**, Peinture de A. G. Edelfelt, 1885. Musée national du château de Versailles Ph H. Josse © Archives Larbor/T
**p. 96**, *ht*, Ph © H. Gloaguen/Rapho
**p. 97**, *ht*, Ph © AFS
**p. 98**, *ht*, Ph © O. Martel/Rapho
**p. 98**, *mil*, Ph © Archives Larbor/T
**p. 102**, et **p. 103**, Ph © Ragia/Explorer
**p. 104**, *ht*, Ph © A. et P. Boula/Material World /Cosmos
**p. 104**, *mil*, Ph © Cl. Fabre/T
**p. 105**, Ph © Laurent/BSIP
**p. 106**, *hg*, Ph © J.-Cl. Révy/T
**p. 106**, *hd*, Ph coll Archives Larbor/T
**p. 106**, *bg*, Ph © Dr. Rateau/BSIP/T
**p. 106**, *bd*, Ph © Pr. Dadoune/BSIP/T
**p. 108**, *ht*, Ph © BSIP
**p. 108**, *bas*, Ph Jeanbor © Archives Larbor/T
**p. 110**, *ht*, Ph © Nublat
**p. 110**, *bas*, Ph © H. Conge

**p. 112**, *hg*, Ph © A. Pol/CNRI
**p. 112**, *hd*, Ph © Cl. Lizeaux
**p. 122**, *hg*, Ph © Biophoto Associates/T
**p. 122**, *hd*, Ph © H. Conge
**p. 122**, *bas*, 2 Ph © Meckes/Eye of Science/ Cosmos
**p. 123**, *ht*, Ph © Phototake/CNRI
**p. 123**, *mil*, Ph © Dr. D. Kunkel/Phototake/ CNRI
**p. 123**, *bg*, Ph © CNRI
**p. 123**, *bd*, Ph © H. Nublat
**p. 124**, *ht*, Ph © Palais de la Découverte, Paris
**p. 124**, *bas*, Ph © Kage/Okapia/CNRI
**p. 129**, *ht*, et mil, 2 Ph © Cl. Fabre/T
**p. 130**, Ph © Cl. Lizeaux
**p. 131**, et p. **132**, « Scientific american », Sept. 1979, international edition, **p. 147**, © Drs. Robert E. Burke and Peter Tsairis, National Institutes of Health, lab. of neural control, Bethesda, USA
**p. 133**, Ph © Pr. P. Motta/SPL/Cosmos
**p. 134**, Ph © J.-Cl. Révy/T
**p. 136**, *ht*, Ph © SPL/Cosmos
**p. 139**, Ph © Phototake/CNRI
**p. 140**, Ph © CNRI
**p. 141**, Ph © Phototake/CNRI
**p. 142**, *hg*, Ph © H. Redl-NP-/CNRI
**p. 142**, *bg*, Ph © P. Arnold/CNRI
**p. 147**, Ph © Publiphoto/CNRI
**p. 148**, *gche*, Ph © X-D.R./T
**p. 148**, *dte*, Ph © CNRI
**p. 149**, *gche*, Ph © BSIP
**p. 149**, *dte*, Ph © Photo researchers/Cosmos
**p. 150**, Extrait de « Behold man », Ph © Lennart Nilsson/Bonniers Alba AB
**p. 152**, *ht*, Ph © Nublat
**p. 154**, © Bruno Blum
**p. 155**, Ph © Cl. Fabre/T
**p. 159**, Ph © Chassenet/BSIP
**p. 163**, Ph © M. Wells/Cosmos
**p. 166**, 2 Ph © CNRI
**p. 167**, Ph © M. Parr/Magnum
**p. 168**, *ht*, Ph © Tony Demin/Ernoult features/The Image bank
**p. 168**, *bas*, Ph © W. Campbell/Sygma
**p. 176**, et **p. 177**, Ph © CNRI
**p. 178**, *dte*, Ph © F.Haslin/TempSport/T
**p. 179**, Ph © Ernoult Features/Image Bank
**p. 183**, *gche*, Ph © H. Conge
**p. 183**, *mil*, Ph © CNRI/T
**p. 183**, *dte*, Ph © J.-Cl. Révy/T
**p. 184**, *hg*, Ph © Pr. Castano/Overseas/ CNRI
**p. 184**, *hd*, Extrait de « Histologie », de Sobotta/Hammersen, Ph © Urban et Schwarzenberg/T
**p. 185**, Ph © Laboratoire de Neurophysiologie de l'Université d'Angers/T
**p. 186**, *ht*, Ph © Didier Givois/Ernoult features /The Image bank
**p. 186**, *bas*, Ph © Overseas/CNRI
**p. 189**, Ph © M. Kage/Okapia/CNRI
**p. 190**, *mil*, Ph © Burger/Phanie
**p. 190**, *bg*, Ph © Pr. J. Barraquer/CNRI
**p. 190**, *bd*, 2 Ph J. Bottet © Archives Larbor
**p. 191**, *ht*, Ph © P. Motta/SPL/Cosmos
**p. 191**, *bg*, Ph © M. Kage/Okapia/CNRI
**p. 191**, *bm*, Ph © Phototake/CNRI
**p. 193**, *hg*, Ph © M. Kage/Peter Arnold/ CNRI
**p. 195**, Ph © P. Goetgheluck
**p. 196**, *hg*, Ph © G. Watson/SPL/Cosmos
**p. 196**, *hd*, Ph © GTLP/CNRI
**p. 196**, *bas*, Ph © Biophoto Associates/T
**p. 197**, *hg*, Ph © J.Cl. Révy/CNRI
**p. 197**, *hd*, Ph © GCa/CNRI
**p. 197**, *bas*, Ph © Glauberman/Photo Researchers/Cosmos
**p. 198**, *hg*, Ph © Batco-Joubert/Phanie
**p. 198**, *hd*, Ph © J. Bories/CNRI
**p. 199**, et p. **206**, **208**, (reprises), 4 Ph © Marcus E. Raichle, M.D., Washington University School of Medicine in St. Louis
**p. 202**, *gche*, Ph © A. Pol/CNRI
**p. 202**, *dte*, Ph © J. Bavosi/SPL/Cosmos
**p. 204**, Ph © David de Lossy/The Image Bank

**p. 205**, Ph © Craig Aurness/Age/Cosmos
**p. 206**, *ht*, reprise de la page 199
**p. 206**, *bas*, Ph © E. Graeff/Ciel et Espace
**p. 208**, reprise de la p.199
**p. 209**, Ph © Liaison/Gamma
**p. 210**, *ht*, 2 Ph © X-D.R. (fonds d'images de neurones extrait de : « La Recherche », N° 64, Janv.76, copyright « La Recherche ».)
**p. 210**, *bas*, Ph © CRIPS
**p. 211**, Ph © P. Arnold/CNRI
**p. 212**, *ht*, Ph © A. Pol/CNRI
**p. 212**, *bg*, Ph © S.T.F./Sunset
**p. 212**, *bd*, Ph © Institut Pasteur
**p. 214**, *ht*, Ph © Dr. D. Kunkel/ Phototake/CNRI
**p. 214**, *bas*, extrait de « Scientific american », Fev. 77, H. Lester: « The response to acetyl-choline », Ph © J. Armstrong/T
**p. 215**, Ph © CNRI
**p. 216**, *ht*, Ph © Kage/Okapia/CNRI
**p. 216**, *bas*, Ph © Vem/BSIP
**p. 218**, Ph © H. Conge
**p. 219**, Ph © Pr. S. Cinti/université d'Ancône/CNRI
**p. 220**, et **p. 221**, Ph © Simon/Medialp
**p. 222**, *ht*, et bas, 2 Ph © INSERM
**p. 222**, *mil*, Ph © Agence française du sang
**p. 223**, et reprise **p. 235**, Ph © Tron/BSIP
**p. 224**, *gche*, et bas, 5 Ph © Réseau « Sentinelles », Inserm U 444
**p. 224**, *hd*, Ph © L.Bill/Pix
**p. 226**, Ph © Almasy/BSIP
**p. 230**, *ht*, Ph © Vem/BSIP
**p. 230**, *mil*, Ph © GJLP/CNRI
**p. 230**, *bas*, Ph © Plailly/Eurelios
**p. 232**, *hg*, Ph © Laurent/BSIP
**p. 233**, *ht*, Ph © Platriez/BSIP
**p. 233**, *bas*, 2 Ph © Courtesy of Pr. I. Roitt, Dr. J. Brostoff and Dr. D. Male, and Gower Medical Publishing/T
**p. 234**, *ht*, Ph © H. Gruyaert/Magnum
**p. 234**, *bas*, Ph © Laurent-hôpital américain/BSIP
**p. 235**, *bg*, reprise de la **p. 91**
**p. 235**, *bas*, reprise de la **p. 223**
**p. 235**, *bd*, reprise de la **p. 238**
**p. 236**, *ht*, Ph © Boucharlat/BSIP
**p. 236**, *bas*, 2 Ph © François Chrétien/T
**p. 238**, et reprise **p. 235**, Ph © Voisin/Phanie
**p. 240**, *ht*, Ph © Ernoult Features/The Image Bank
**p. 241**, Ph © C. Munoz/Eurelios
**p. 242**, *ht*, Ph © Hemon/Medialp
**p. 242**, *bas*, gouache de J. Dubois, vers 1820, (Chamouni et le glacier des Bois), coll. Paul Payot, propriété du département de la Haute-Savoie, Conservatoire d'Art et d'Histoire, Ph © Conseil Général
**p. 244**, Ph © D. Murier/Medialp
**p. 246**, *ht*, Ph © Kovaleff/BSIP
**p. 246**, *bas*, Extrait de Berger, « Le climat de la Terre », © ed. De Boeck Université, Bruxelles, 1992
**p. 247**, Ph © Alain Felix/Masai
**p. 249**, Ph © Alain Felix/Masai
**p. 250**, *ht*, Ph © G.Lacz/Sunset
**p. 250**, *bas*, Ph © Viard/Jerrican/T
**p. 251**, Ph © Mario Colomb/Médialp
**p. 252**, *ht*, Ph © D. Murier/Médialp
**p. 252**, *mil*, Ph © Boucharlat/BSIP
**p. 252**, *bas*, Ph © Fournier/Médialp

**Ph.** © Cl. Fabre : p. 9 *htd* ; p. 11 *ht* ;
p. 13 ; p. 18 *ht* et *mil* ; p. 29 ; p. 32 ;
p. 33 ; p. 34 *bas* ; p. 37 ; p. 38 *ht* ;
p. 46 ; p. 47 ; p. 49 ; p. 58 ; p. 60 *bd* ;
p. 62 *hg* ; p. 63 *hd* ; p. 66 *ht* ; p. 67 *gche* ;
p. 72 ; p. 74 *bas* ; p. 76 *gche* ; p. 90 *bas* ;
p. 96 *mil* ; p. 97 *mil* ; p. 98 *bas* ; p. 104 *bg* ;
p. 109 ; p. 113 à 118 ; p. 127 ; p. 135 ;
p. 136 *bas* ; p. 142 *hd* ; p. 143 ; p. 144 ;
p. 146 ; p. 152 *bas* ; p. 160 ; p. 170 à 172 ;
p. 178 *g* ; p. 181 ; p. 182 ; p. 184 *bas* ;
p. 190 *ht* ; p. 192 ; p. 193 *hd* ; p. 194 ;
p. 201 ; p. 228 ; p. 232 *bd* ; p. 240 *bas*.

N° Editeur 10138011 - Septembre 2006
Dépôt légal : Septembre 2000 - Imprimé par Stige en Italie